小儿推拿广意

［清］熊应雄 辑　罗桂青　李磊 校注

幼科推拿秘书

［清］骆如龙 辑　罗桂青　李磊 校注

小儿推拿直录

［清］钱櫰邨 辑　李磊　罗桂青 校注

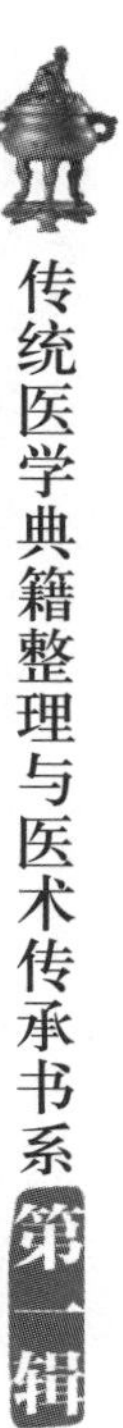

XIAOER TUINA GUANGYI
YOUKE TUINA MISHU
XIAOER TUINA ZHILU

長江出版傳媒
湖北科学技术出版社

图书在版编目（CIP）数据

小儿推拿广意 /（清）熊应雄辑 ; 罗桂青，李磊校注. 幼科推拿秘书 /（清）骆如龙辑 ; 罗桂青，李磊校注. 小儿推拿直录 /（清）钱櫰邨辑 ; 李磊， 罗桂青校注. -- 武汉 : 湖北科学技术出版社, 2025. 3.
（传统医学典籍整理与医术传承书系）. -- ISBN 978-7-5706-3679-2

Ⅰ. R244.15

中国国家版本馆 CIP 数据核字第 20240BT721 号

出 品 人：邓　涛　　　责任校对：王　璐
策　　划：冯友仁　李　青　　　封面设计：喻　杨
责任编辑：张荔菲　　　插　　图：王邦铭

出版发行：湖北科学技术出版社
地　　址：武汉市雄楚大街 268 号（湖北出版文化城 B 座 13—14 层）
电　　话：027-87679468　　　邮　　编：430070

印　　刷：武汉科源印刷设计有限公司　　　邮　　编：430299

---

787 毫米 ×1092 毫米　1/16　20 印张　380 千字
2025 年 3 月第 1 版　　2025 年 3 月第 1 次印刷
定　　价：108.00 元

（本书如有印装问题，可找本社市场部更换）

总目录

小儿推拿广意

辑 清·熊应雄

校注 罗桂青 李磊

校勘说明

《小儿推拿广意》，又名《推拿广意》，3卷。清·熊应雄辑，约成书于清康熙十五年（1676年）。熊应雄，字运英，西蜀东川（今属云南）人，生平不详。该书上卷阐述五视法、闻声音、辨五音、看额脉等儿科疾病的诊断方法，并以歌诀或图解形式介绍小儿推拿的常用穴位以及推攒竹、运太阳、分阴阳、黄蜂入洞等30余种推拿手法。中卷阐述胎毒、惊风、伤寒、呕吐等17种儿科常见病证的证候、病因及其推拿治疗。下卷收录各种儿科病证内服和外治方剂180余首。书中所述切合实用，通俗易懂，因而流传甚广。现存有多种清刻本，通行本为1956年人民卫生出版社铅印本。

本书以清道光十二年（1832年）博古堂重刊本为底本（以下称原本），以中华书局1987年影印扫叶山房本（以下简称扫叶山房本）和人民卫生出版社1956年铅印本（以下简称人卫本）为对校本进行校勘。兹将有关校勘事项说明如下。

1. 原书竖排，兹改为横排。

2. 原书重新标点。

3. 原书中的古今字、通假字、异体字、俗体字等，一律改为现今的通行字。

4. 原书中表示上下之意的“右”字一律径改为“上”字。

5. 原书中的明显错讹字，径改不出校注。

6. 原书中插图比照原图重新绘制。

目录

① "九"，原本作"八"。扫叶山房本同。据人卫本改。

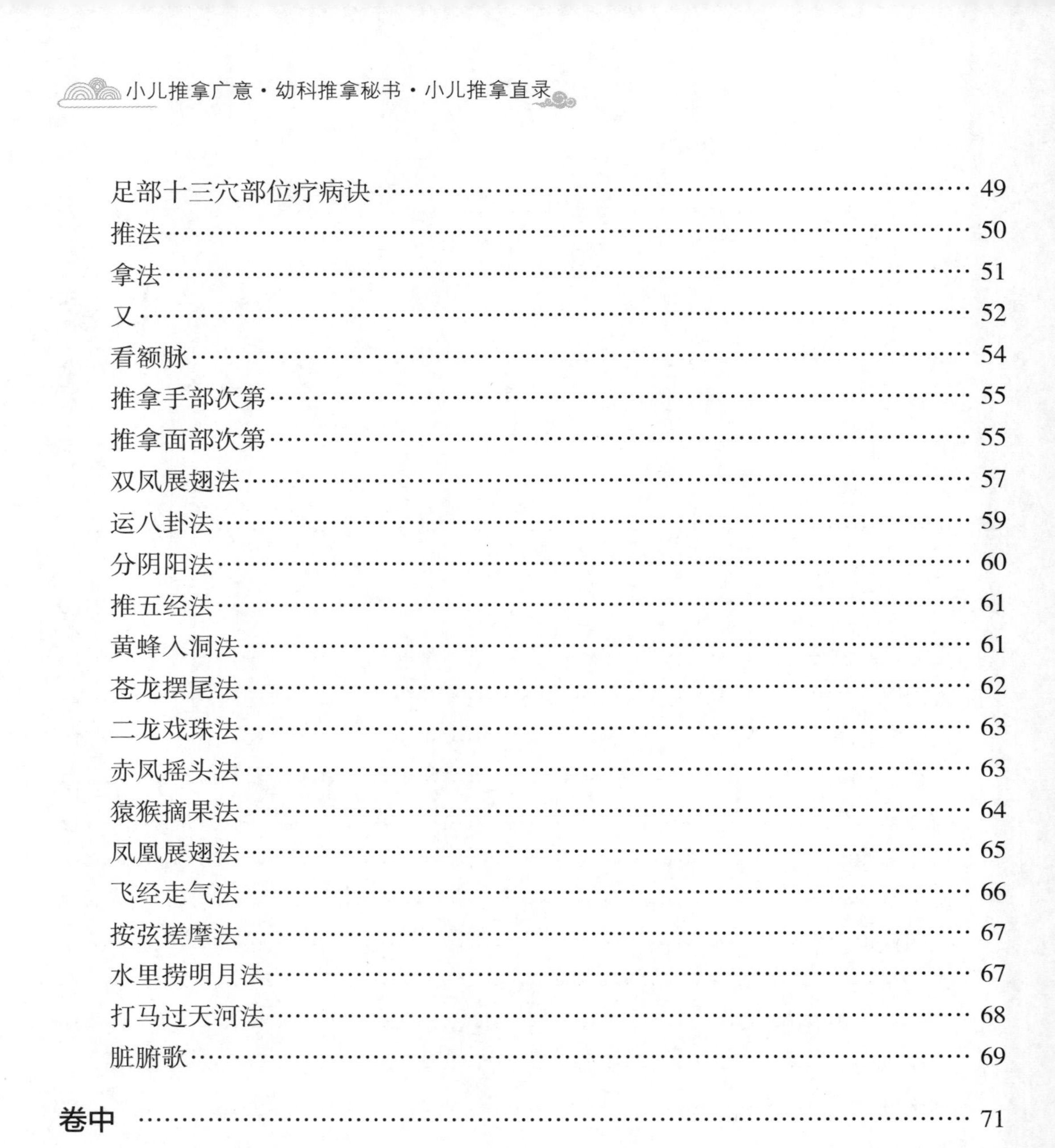

序

盖古人往往以医道喻用兵。谓兵以审虚实，而脉以察阴阳，其间因时制用，凭乎一心。武穆云："神而明之，存乎其人。"洵不诬也。至于小儿，则又微乎其术者。既无声色货利之郁于中，又无劳苦饥渴之积于外，而且口不能言，脉无从测；使非有独得之秘，审色观形，以流通其血气，调和其动静，则虽爱同珍宝，未有克自遂其长成者，则调治小儿一道，岂不最微且难哉？且天之生物，栽者培之，则在小儿，正萌芽生发之时也，培之又安可不亟亟欤！《康诰》曰："如保赤子。"是婴儿之抚育，古人亦兢兢乎其慎之矣。余留心于此，偶得一编，乃推拿之法，诚治小儿金丹，苦无高明讨论，藏之有年。丙辰岁，余仗策军前，亲民青邑，去浙东开府陈公之辕仅百里许。陈公神于用兵，已声播寰区，而又善于此术。余得旦夕请正，以窃庆焉。然医以喻兵，此其征也。陈公素性泛爱，每以保赤为怀，不为自私，付之剞劂，而名曰《推拿广意》，是欲公之天下后世也。然圣人大道为心，必曰"老者安之，朋友信之，少者怀之"，则此举非即少怀之良法也欤！诚可为援婴保赤之筵鉴云尔。

西蜀后学熊应雄运英谨识

卷上

总　论

夫人之所藉以为生者，阴阳二气也。阴阳顺行[①]，则消长自然，神清气爽；阴阳逆行，则往来失序，百病生焉。而襁褓童稚，尤难调摄；盖其饥饱寒热不能自知，全恃慈母为之鞠育。苟或乳食不节，调理失常，致成寒热，颠倒昏沉。既已受病，而为父母者，不思所以得病之由，却病之理；乃反疑鬼疑神，师巫祈祷，此义理之甚谬者矣。幸仙师深悯[②]赤子之夭折，多缘调御之未良，医治之无术，秘授是书，神功莫测。沉离浮坎，而使水火既济；泻实补虚，而使五行无克；诚育婴之秘旨，保赤之宏功也。乃有迂视斯术，以为鲜当。譬如急慢惊风，牙关紧闭，虽有丹药，无可如何。先视其病之所在，徐徐推醒，然后进药，不致小儿受苦，则推拿一道，真能操造化夺天功矣，岂不神欤！然治当分六阴六阳，男左女右；外呼内应，三关取热，六腑取凉；男子推上三关为热为补，退下六腑为凉为泻；女子推下三关为凉，推上六腑为热；男顺女逆，进退之方，须要熟审。凡沉迷、霍乱、口眼歪斜、手足掣跳、惊风、呕吐，种种杂症，要而言之，止有四症。四症分为八候，八候变为二十四惊。阳掌十八穴，阴掌九穴。筋看三关，功效十二。惊有缓急生死之症，法有捏推拿做之功。先须寻筋推察，次用灯火按穴而行。审病针灸，对症投汤，无不随手而应。毋偏己见，毋作聪明。因症次第，分别而施。此为不传之秘诀也，留心救世者，曷慎勉旃！

① “行”，原本此字下衍一“所”字。扫叶山房本同。据人卫本删。
② “悯”，原本作“烟”。据扫叶山房本和人卫本改。

指南赋

保婴一术，号曰“哑科”。口不能言，脉无可视。惟形色以为凭，竭心思而施治。故业擅于专门，以补化工不及。欲知其病，必观乎色。左颊青龙属肝，右颊白虎属肺。天庭高而离阳心火，地阁低而坎阴肾水。鼻在面中，脾应唇际。观乎色之所见，知其病之所起。舌乃心之苗，目为肝之液。胃流注于两颐，肾通窍于两耳。爪则筋余，而脾为之运；发乃血余，而肾为之主。脾司手足，肾运牙齿。苟本脏之或衰，即所属之失惫。能观乎外，可知其内。红光见而热痰壅盛，青色露而惊痫怔悸。如煤之黑兮，中恶传逆；似橘之黄兮，脾伤吐痢。白乃疳劳，紫为热炽。青遮口角难医，黑掩太阳莫治。年寿赤光，多生脓血；山根青黑，频见灾危。朱雀贯于双瞳，火入水乡；青龙绕于四白，肝乘脾部。泻痢而面赤者须防，咳嗽而色青者可畏。面青而唇口撮，疼痛方殷；面赤而目窜视，惊搐将至。火光焰上[①]，外感风寒；金气浮上，中藏积滞。乍白乍黄，疳热连绵；又赤又青，风邪紧急。气乏兮囟陷成坑，血衰兮头毛作穗。脾冷则口角流涎，肝热[②]则目生眵泪。面目虚浮，定腹胀而气喘；眉毛频蹙，必腹痛而多啼。风气二池如黄土，则为不宜；左右两颊似青黛，即成客忤。风门黑主疝而青主惊，方广昏暗凶而光滑吉。手如数物兮肝风将发，面若涂朱兮心火实炎。伸缩就冷，阳热无疑；坐卧爱暖，阴寒可必。肚大脚细，脾欲困而成疳；目瞪口张，势已危而必毙。察之若精，治[③]必得理。鸦声、鱼口，枉费神思；肉脱、皮干，空劳气力[④]。蛔出兮脾胃将[⑤]败，唇冷兮脏肺先亏。然五体以头为尊，一面惟神可恃。况乎声有轻重之不同，啼有干湿之顿异。病之初作，必先呵欠；火之将发，忽作惊啼。重舌、木舌，热积心脾；哽气、喘气，火伤肝肺。齿龈宜露牙疳，丁[⑥]奚哺露食积。心热欲睡而不能，脾热好睡而不歇。咳嗽失音者肺痿，病后失音者肾怯。腹痛而口

① “上”，扫叶山房本和人卫本均作“焰”。
② “热”，原本作“脾”。扫叶山房本同。据人卫本改。
③ “治”，原本作“必”。扫叶山房本同。据人卫本改。
④ “空劳气力”，原本“空”字作“穴”。据文义改。扫叶山房本和人卫本此四字均作“神劳气乏”四字。
⑤ “将”，人卫本同。扫叶山房本作“皆”。
⑥ “丁”，原本作“不”。扫叶山房本同。据人卫本改。

流清水者虫多，泻痢而大便酸臭者食积。口频嘬而脾虚，舌长伸而心热。烦热在心，恶见灯光；疳热在脾，爱吃泥土。鸡胸兮肺火胀于胸膈，龟背兮肾风入于骨髓。鼻干黑燥，金受水刑；肚大青筋，土遭木克。丹[①]瘤疮疥，皆胎[②]毒之留连；五疳泻痢，总食积之停滞。腹痛寒侵，口疮热炽。脐风忌于一腊，变蒸防于周年。惊自热来，痫由痰至。惊本心生，风从肝使。急惊属热，宜乎清凉；慢惊属虚[③]，宜于补治。痘曰“天疮”，疹曰“麻子”。痘属五脏，疹属六腑；疹宜清凉，痘宜温补。先明阴阳，次识脏腑；补泻得宜，治有何误？贵临机之通变，毋执一之成模。

入门察色

五行多在面，吉凶要观形；
赤红多积热，风生肝胆惊；
面黄多食积，唇白是寒侵；
青黑眉间出，黄粱梦里人；
五声由肺出，肺绝哭无声；
气短咽喉塞，喘多医者惊；
哑声热不退，腹痛冷相侵；
听罢知虚实，存知在耳鸣；
小儿无脉诊，吉凶虎口凭。

面部气色，为十二经总现之处。而五位色青者，惊积不散，欲发风候。五位色红者，伤寒，痰积壅盛，惊悸不宁。五位色黄[④]者，食积、症瘕，疳候痞癖。五位色白者，脉气不实，滑泄、吐痢。五位色黑者，脏腑欲绝，为疾危恶候。面青、眼青，肝之病也。面赤、唇红，心之病也。面黄、鼻黄，脾之病也。面㿠白色，肺之病也。五脏各有所生，细探其色，即知表里虚实，禀赋盈亏。其补泻寒热之法，诚大彰明较著也。

---

① “丹”，原本作“吁”。扫叶山房本同。据人卫本改。
② “胎”，原本作“脂”。扫叶山房本作“胘”。据人卫本改。
③ “虚”，原本作“虐”。据扫叶山房本、人卫本改。
④ “黄”，原本作“积”。扫叶山房本同。据人卫本改。

五 视 法

凡视小儿神气脉色有五：一视两目，二听声音，三视囟门，四视形貌，五视毛发。但此五者，虽不能全，若得两目精神，声音响亮，十可保其六七耳。

一视两目。夫两目乃五脏精华所聚，一身精气所萃①。若睛珠黑光满轮②，精神明快，儿必长寿，虽然加③病，亦易痊愈。若白珠多，黑珠昏朦，睛珠或黄或小，精神昏懒，此父母先天之气薄弱，禀受既亏，儿多灾患也。

二听声音。凡小儿声音大而响亮，乃五脏六腑气血充盈，儿必易长成人。如生来不曾大声啼哭，此必有一脏阴窍之未通，神气之未足；或声如啾唧咿唔之状，此儿不寿必矣。

三视囟门。盖儿前囟门乃禀母血而充，后囟门乃受父精而实，若前后囟门充实，其儿必寿。如父之④精气不足，耽嗜酒色，令儿后囟空虚不实；如母之原禀不足，血弱病多，令儿前囟虚软不坚，多生疾病；如父母气血俱不足，其儿必夭，若此，则其父母亦不能保其天年耳。前囟即道家所谓“泥丸宫”，后囟即脑后顶门中，名曰“百会”。前后囟门俱不合，名曰“解颅”。

四视形貌。凡儿口大鼻端，眉⑤清目秀，五岳相朝，部位相等，此乃福寿之基，一生无疾。如口小鼻喎，眉心促皱，皮肤涩滞，虽无病而终夭。设或不夭，而终贫贱也。

五视毛发。夫毛发受母血而成，故名“血余”也。母血充实，儿发则色黑而光润；母血虚弱，或胎漏败堕，或纵⑥酒多淫，儿发必黄槁⑦焦枯，或生疳痨之患，寿亦不长之兆也。

---

① “萃”，原本作“种”。扫叶山房本同。据人卫本改。
② “轮”，原本作“輪”。据扫叶山房本、人卫本改。
③ “然加”，原本此二字阙。据扫叶山房本、人卫本补。
④ “之”，原本作“母”。扫叶山房本同。据人卫本改。
⑤ “眉”，原本此字阙。据扫叶山房本、人卫本补。
⑥ “纵”，原本作“杂”。据扫叶山房本、人卫本改。
⑦ “槁”，原本作“积”。据扫叶山房本、人卫本改。

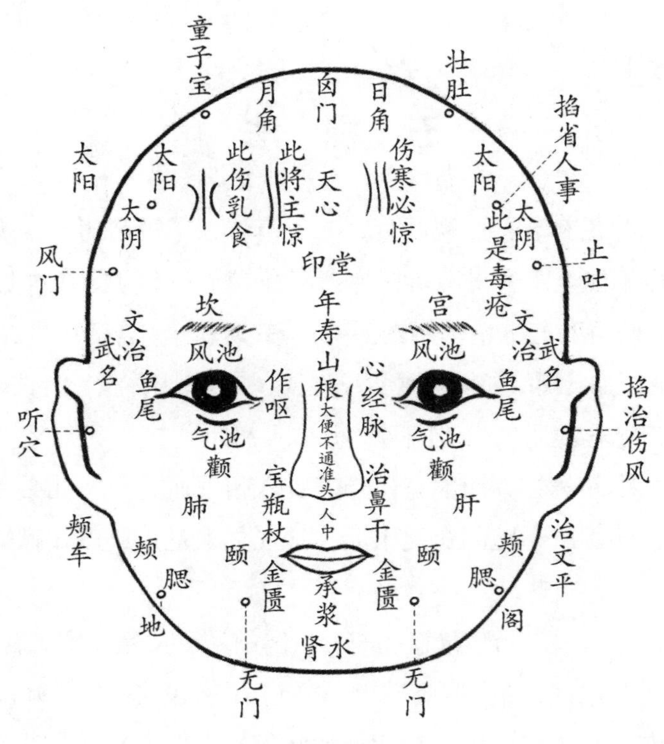

图一　正面诸穴之图

前脉不足者父母血弱也

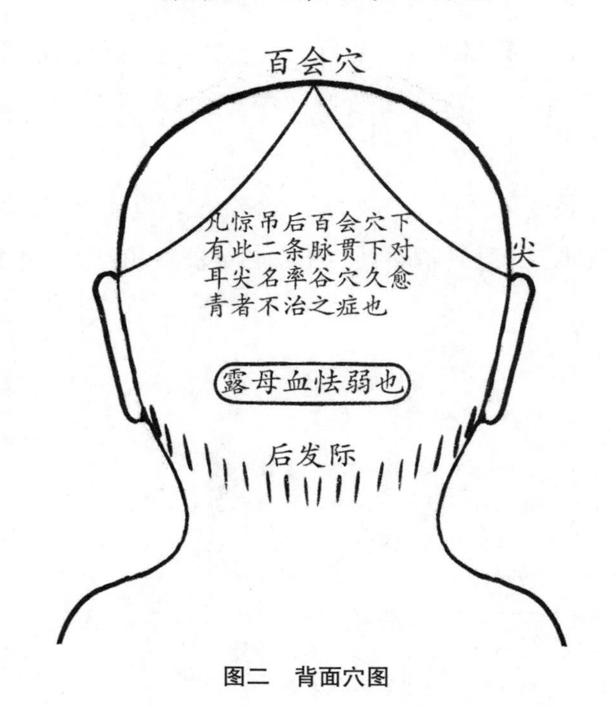

图二　背面穴图

面上诸穴歌

心属火兮居额上，肝主左颊肺右向；
肾水在下颏所司，脾唇上下准头相。
肝青心赤肺病白，肾黑脾黄不须惑；
参之元气实与虚，补泻分明称神术。
额上青纹因受惊，忽然灰白命逡[①]巡；
何如早早求灵药，莫使根源渐渐深。
印堂青色受人惊，红白皆由水火侵；
若要安然无疾病，镇惊清热即安宁。
年寿微黄为正色，若平更陷夭难禁；
忽然痢疾黑危候，霍乱吐泻黄色深。
鼻头无病要微黄，黄甚长忧入死乡；
黑色必当烦躁死，灵丹何必救其殃？
两眉青者斯为吉，霍乱才生黄有余；
烦躁夜啼红色见，紫由风热赤还殂。
两眼根源本属肝，黑瞳黄色是伤寒；
珠黄痰积红为热，黑白分明仔细看。
太阳青色始方惊，赤主伤寒红主淋；
要识小儿疾病笃，青筋直向耳中生。
风气二池黄吐逆，若还青色定为风；
惊啼烦躁红为验，两手如莲客热攻。
两颊赤色心肝热，多哭多啼无休歇；
明医见此不须忧，一服清凉便怡悦。
两颧微红虚热生，红赤热甚痰积停；
色青脾受风邪症，青黑脾风药不灵。
两腮青色作虫医，黄色须知是滞颐；

① “逡”，原本作“远”。扫叶山房本同。据人卫本改。

金匮之纹青若见，遭惊多次不须疑。
承浆黄色食时惊，赤主惊风所感形；
吐逆色黄红则痢，要须仔细与推寻。

小儿无患歌

孩儿常体貌，情态喜安然；
鼻内无清涕，喉中绝没涎；
头如青黛染，唇似点朱鲜；
脸芳花映竹，颊绽水浮莲；
喜引方才笑，非时口不宣；
纵哭无多哭，虽眠不久眠；
意同波浪静，情若镜中天；
此上多安吉，何愁疾病缠？

调 护 歌

养子须调护，看承莫纵驰；
乳多终损胃，食壅即伤脾；
衾厚非为益，衣单正所宜；
无风频见日，寒暑顺天时。

入 门 候 歌

五指梢头冷，惊来不可当；
若逢中指热，必定是伤寒；
中指独是冷，麻痘症相传；

男左女右手，分明仔细详；
初起寅关浅，纹侵过卯深；
生枝终不治，辰泣命难存。

入门试法

男左女右。看关纹时，即掐中指节，舌出者死，吸而痛者生①。如久不醒，掐中指，咬昆仑穴。

虎口，叉手处是也。

三关，第二指仄是也。

风关，第一节寅位。

气关，第二节卯位。

命关，第三节辰位。

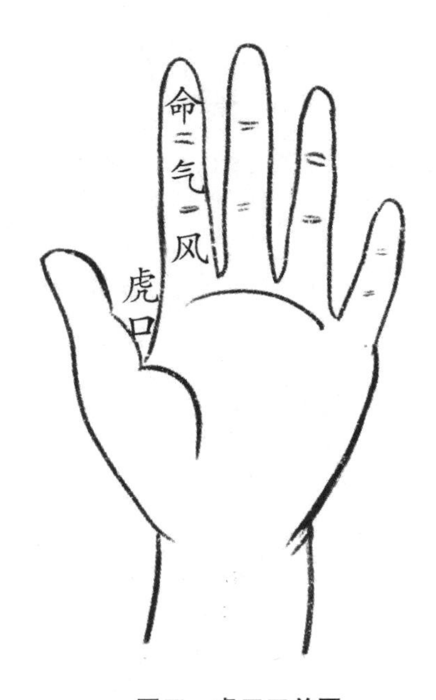

图三　虎口三关图

① "生"，原本作"二"。扫叶山房本同。据人卫本改。

四十九脉图解①

流珠形。主夹食膈热、三焦不和、气不顺、饮食欲吐或泻、肠鸣自利、烦躁啼哭。

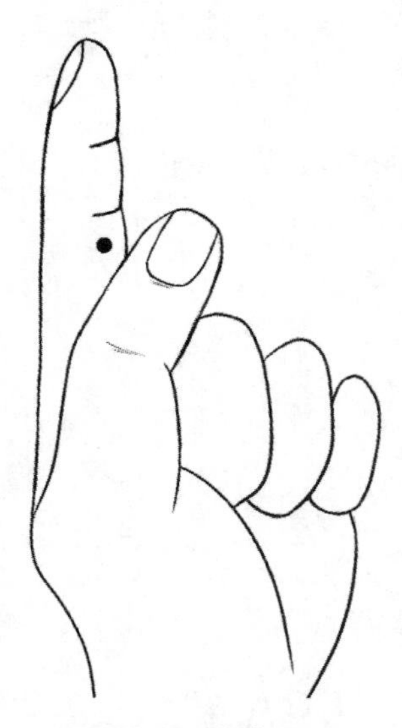

图四　流珠图

环珠形。主气不和、脾胃虚弱、饮食伤滞、心腹膨胀、烦闷作热。

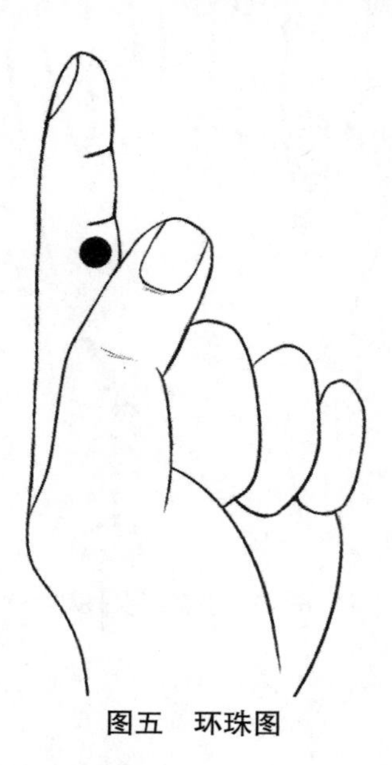

图五　环珠图

① "四十九脉图解"，原本脱此六字。扫叶山房本同。据人卫本补。

长珠形。主夹积食、肚腹疼痛、或发寒热、胁肋膨胀、饮食不化、虫动不安。

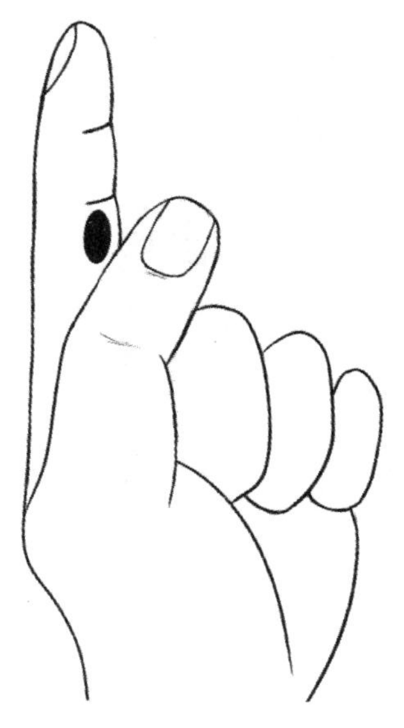

图六　长珠图

来蛇形。主中脘不和、积气攻敕、饮食不下、疳气欲传、脏腑不宁、膨满干呕。

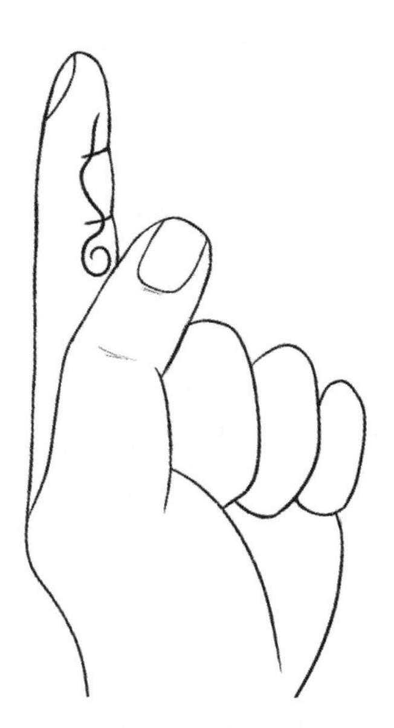

图七　来蛇图

去蛇形。主脾胃虚弱、食积吐泻、烦躁气粗、渴烦喘息、饮食不化、神困多睡。

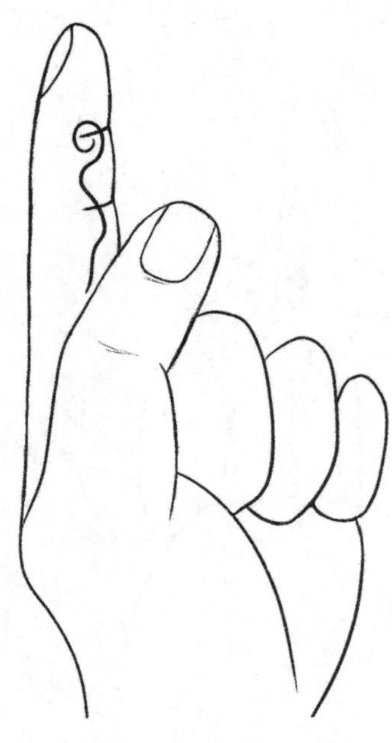

图八　去蛇形图

弓反外形。主痰热、心神不宁、睡卧不稳、身体作热、夹惊夹食、风痫等症。

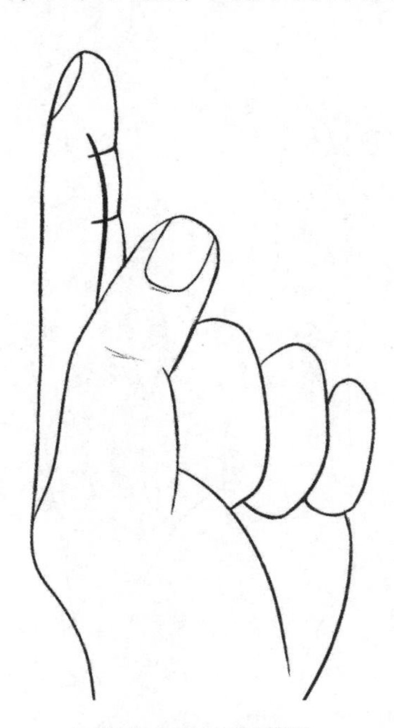

图九　弓反外形图

弓反里形。主感受寒邪、头目昏重、心神惊悸、沉默倦怠、四指梢冷、咳嗽多痰、小便赤色。

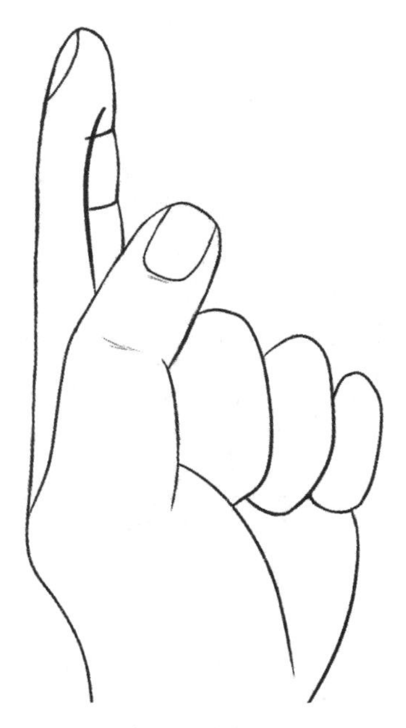

图十　弓反里形图

枪形。主邪热痰盛、精神恍惚、睡不安稳、生风发搐、惊风传受。

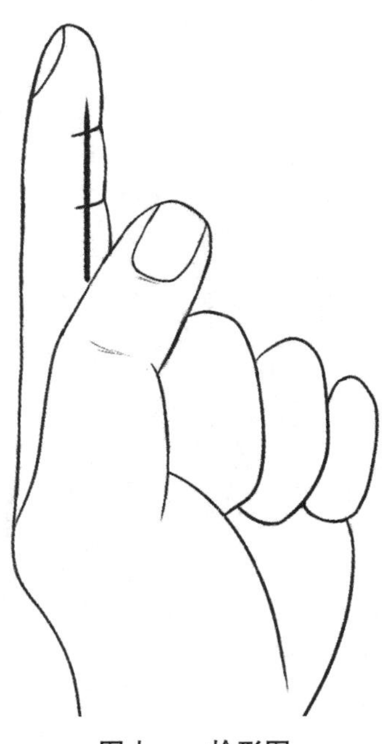

图十一　枪形图

鱼骨形。主惊风痰热症候，速宜截风化痰，利惊退热。若失于治，必变他症。

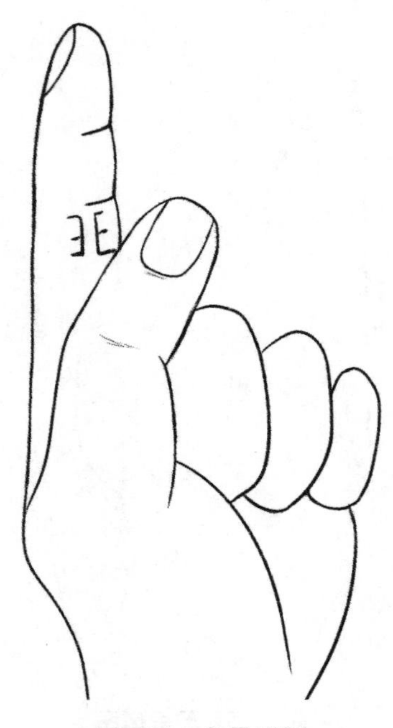

图十二　鱼骨形图

水字形。在风关主惊风入肺、咳嗽、面赤。气关主膈有虚涎、虚积停滞。命关主惊风、疳疾、危笃。

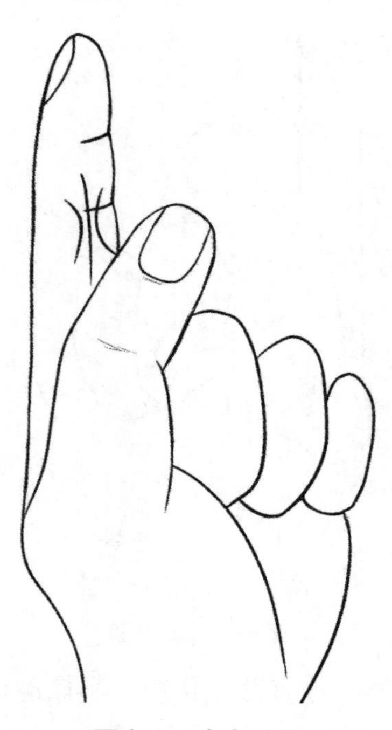

图十三　水字形图

针形。在风关，青黑色主水惊。气关，赤色主瘠积。命关有此五色者，及通度三关，主急慢惊风，难治。

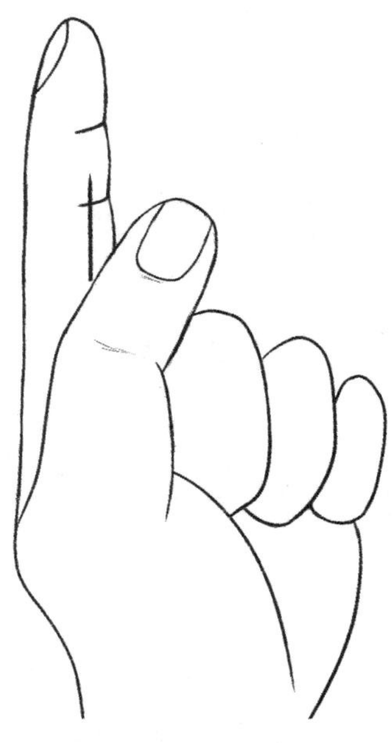

图十四 针形图

透关射指形。主惊、风、痰、热四症，皆聚胸膈而不散。其候虽重，症顺则可治疗。

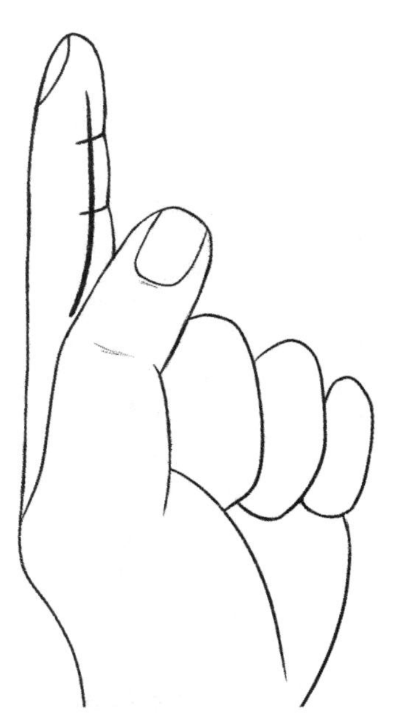

图十五 透关射指形图

透关射甲形。主惊风恶候。传入经络，则风热发生，并入八候，虚痰窒塞，危急之症。最难疗治。

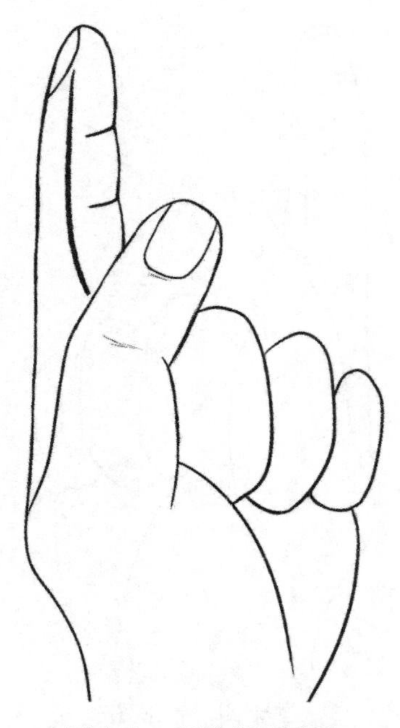

图十六　透关射甲形图

脉如乱丝。主腹中冷泻、唇色青白、手足似冰、虚生惊跳。

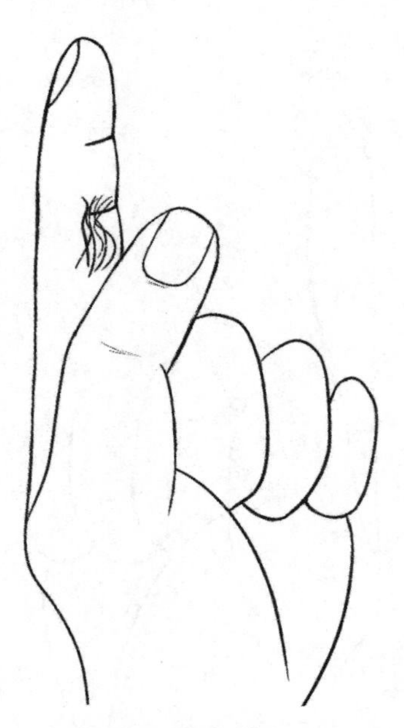

图十七　脉如乱丝图

形如蛇尾，色紫红。主惊食伤脾，又夹风寒，头面胸腹温温作热。

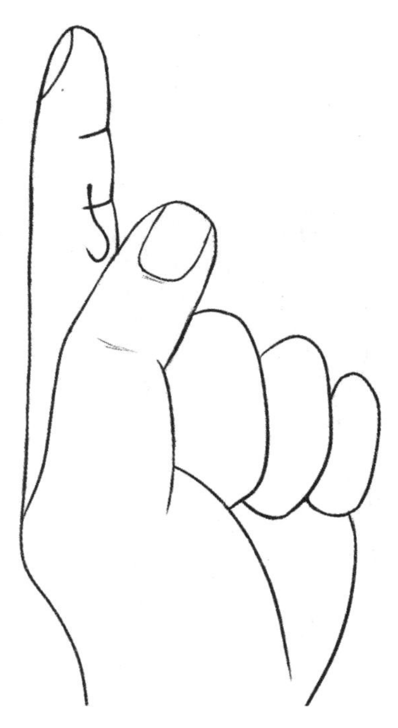

图十八 蛇尾图

此脉须知是风脉。

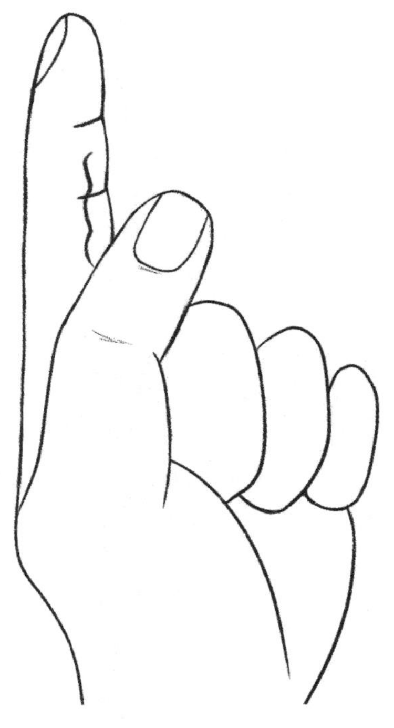

图十九 风脉图

此脉方知是气脉。

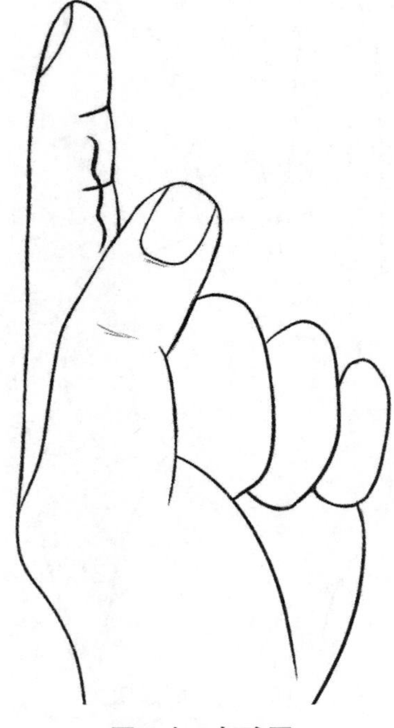

图二十　气脉图

此形在风关，主疳积病。

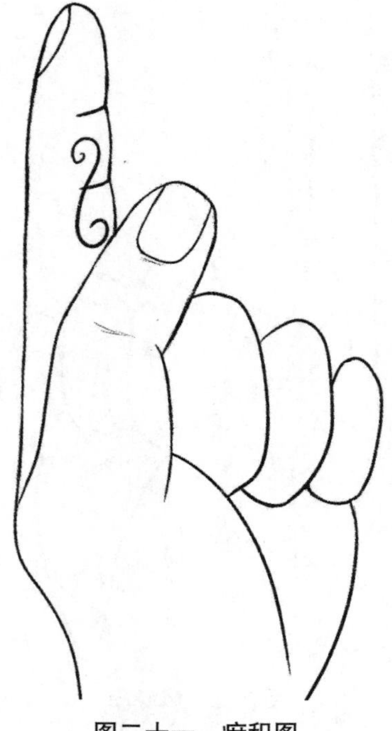

图二十一　疳积图

主惊风、气伤寒。

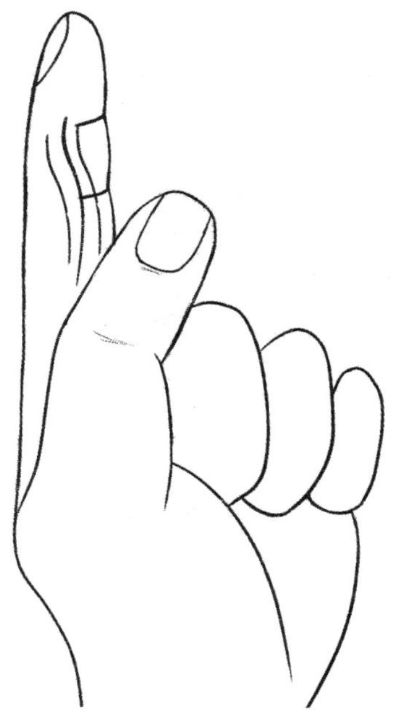

图二十二 惊风图

此形如环。见风关，主肝脏疳有积聚。气关，主疳入胃，吐逆不治。命关，无药可治。

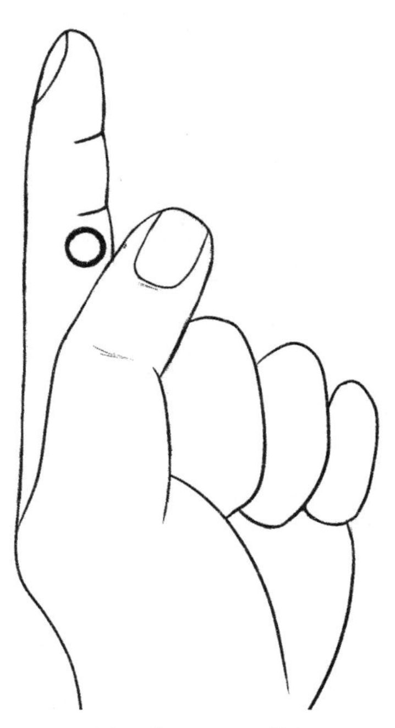

图二十三 环形图

此纹若在风、气二关易治，命关通度难治。

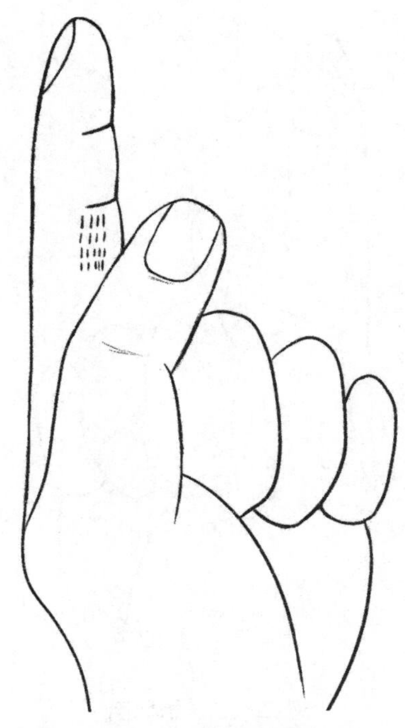

图二十四　通度命关难治形图

曲向里者是气疳。

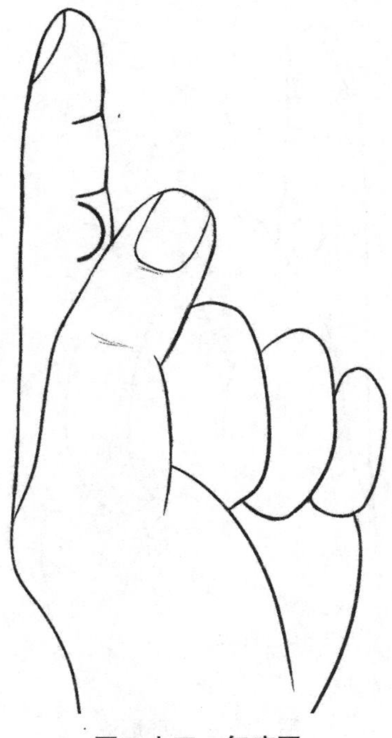

图二十五　气疳图

曲向外者是风痞。

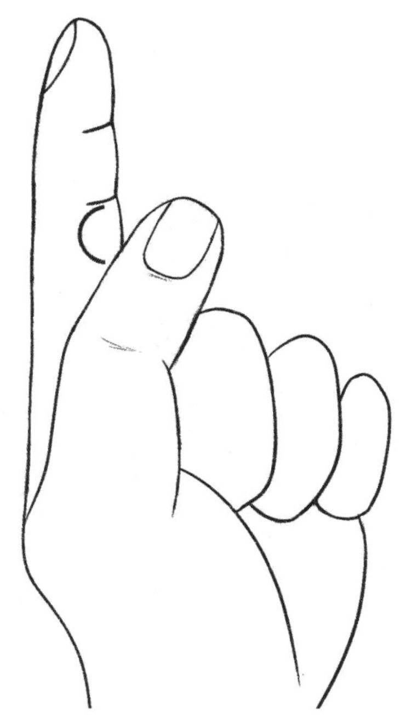

图二十六　风痞图

脚斜向右，是伤寒身热、不食、无汗。

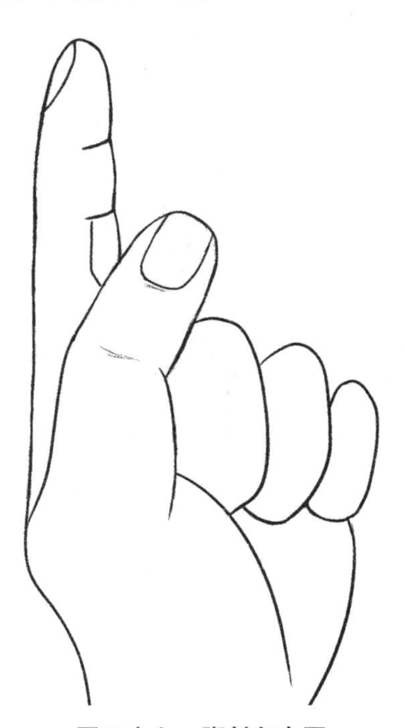

图二十七　脚斜向右图

脚斜向左，是伤风，身热、不食、有汗。

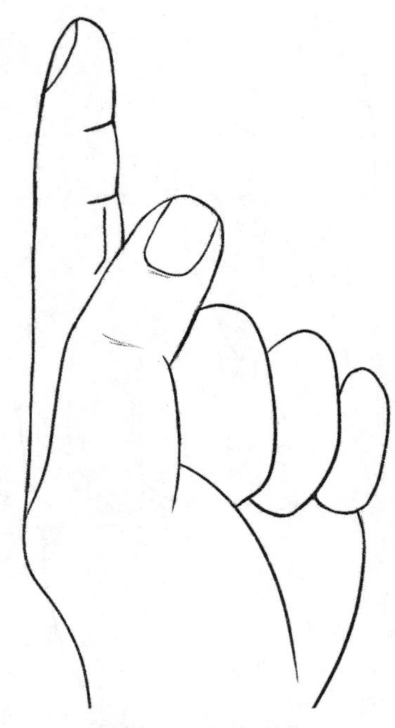

图二十八　脚斜向左图

双钩脉者，即是伤寒。

图二十九　双钩脉图

三曲如长虫者，是伤哽物。

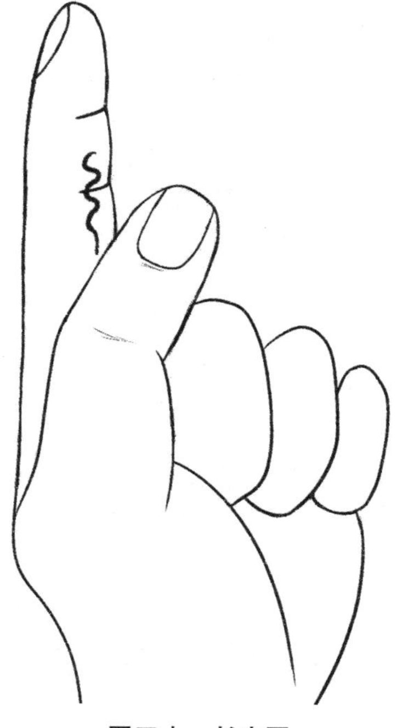

图三十　长虫图

此形如环有脚者，是伤食。

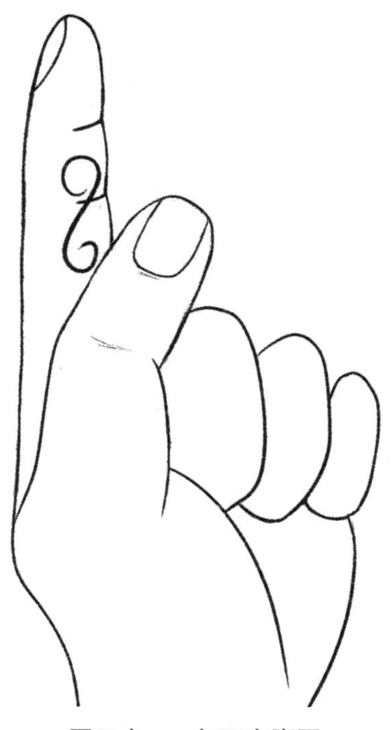

图三十一　如环有脚图

三枪形主疳积候。

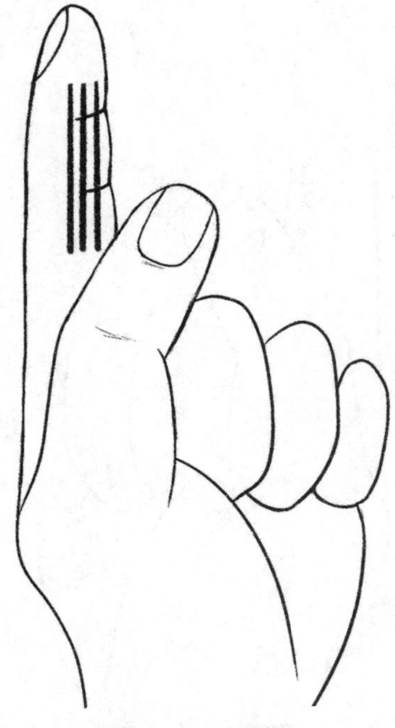

图三十二　三枪形图

脉形如鸥飞，主惊风。

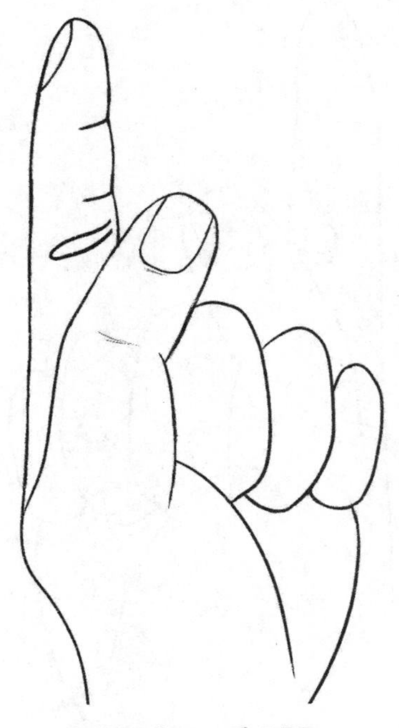

图三十三　鸥飞图

此形主中焦热病。

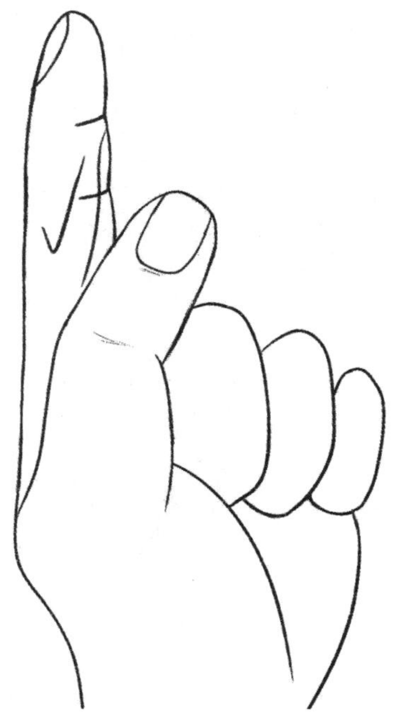

图三十四　中焦热病图

如形两曲交连者，主风候。

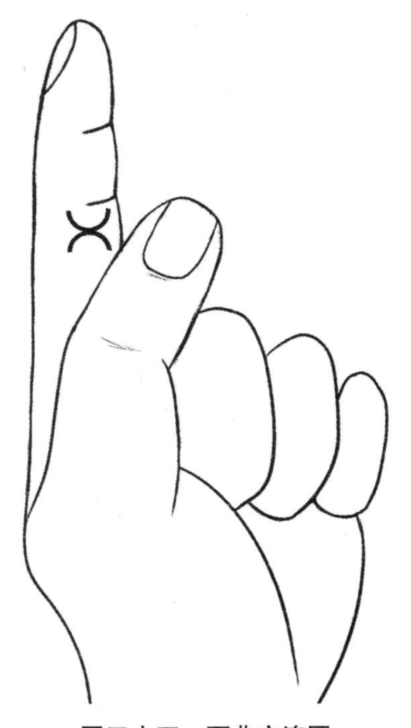

图三十五　两曲交连图

世人要识伤冷证，三突西兮三凸东。

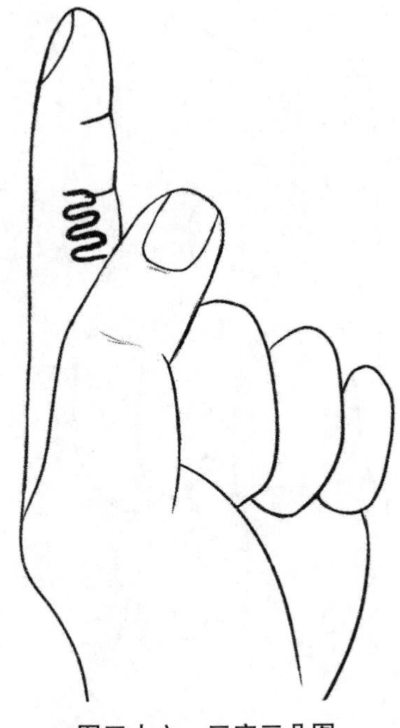

图三十六　三突三凸图

此形主耳鼻冷疮、痟虫。

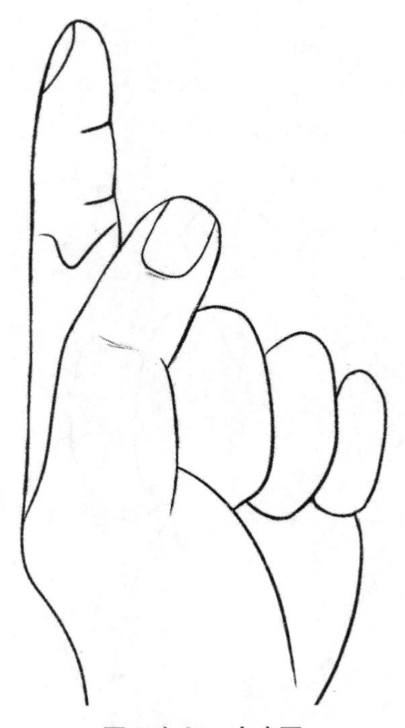

图三十七　冷痟图

两脉皆曲，主蛔虫。

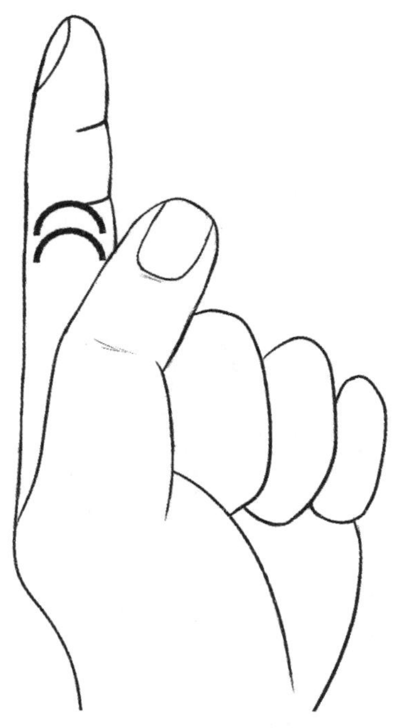

图三十八　蛔虫图

中央大，两头尖，红色者，主惊风发热。若透三关，主无辜疳疾，必死。

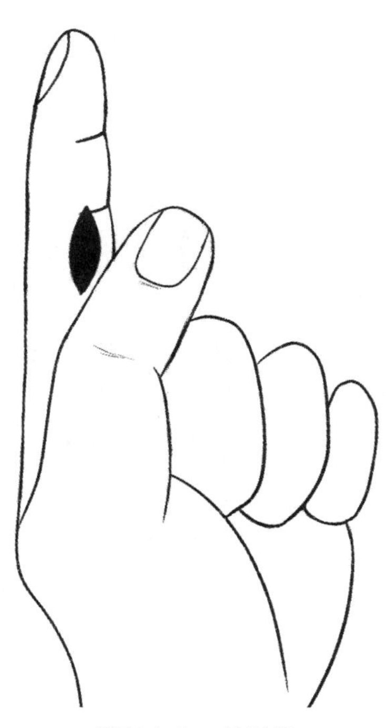

图三十九　惊风图

头小尾大，黄色者，主硬物伤胃、壮热、眼闭或惊吊。

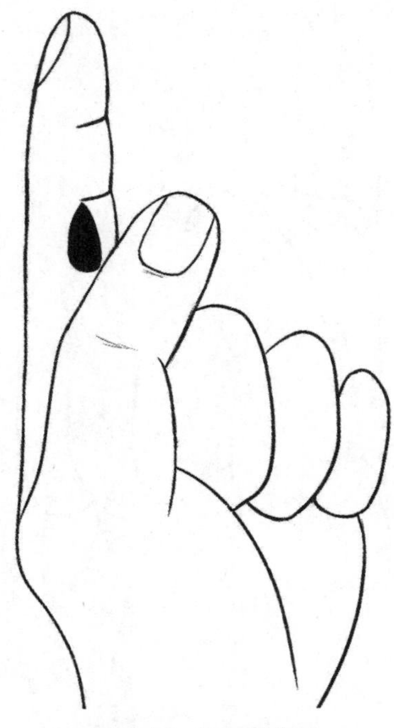

图四十　头小尾大图

红色在节中间通直者，主惊风发搐。一头红、一头白者顺。

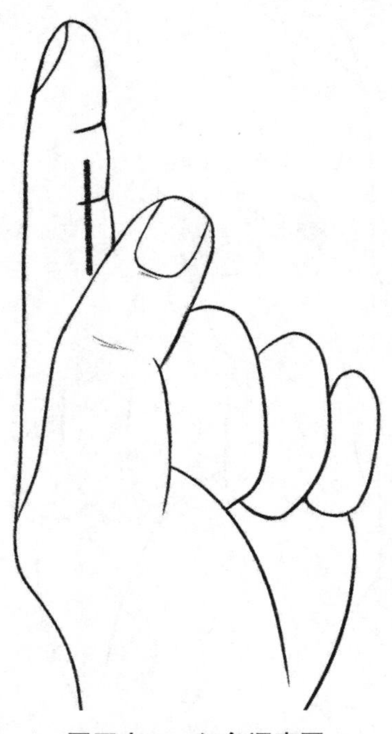

图四十一　红色通直图

紫色至关乃是痞，必死。

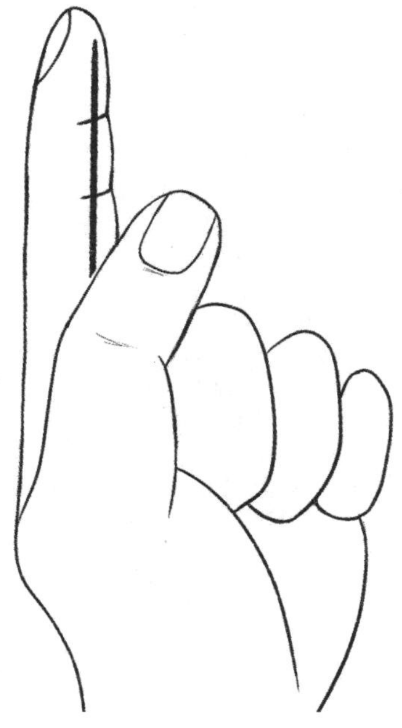

图四十二　紫色至关图

上红下白，名为“火光”，火克金也。周关及遇[①]五行相克者必死。

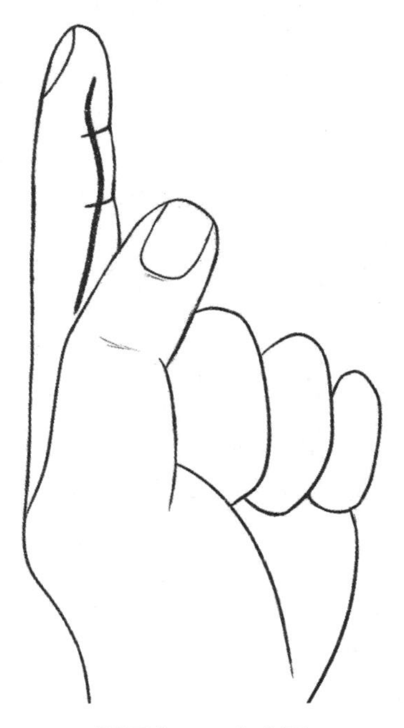

图四十三　火光图

① “遇”，原本作“抵”。扫叶山房本同。据人卫本改。

此形如曲虫。在风关，三疳积聚、胞高、肚大。气关，主大肠秽积。命关，主心脏传肝，难治。

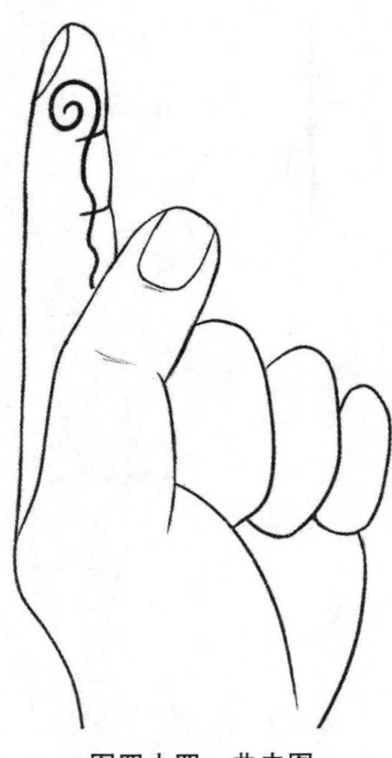

图四十四　曲虫图

凡脉不见，虎口如云尘色者，是客忤鬼祟之脉，宜求神禳之。脉见大小不均，定主有凶。

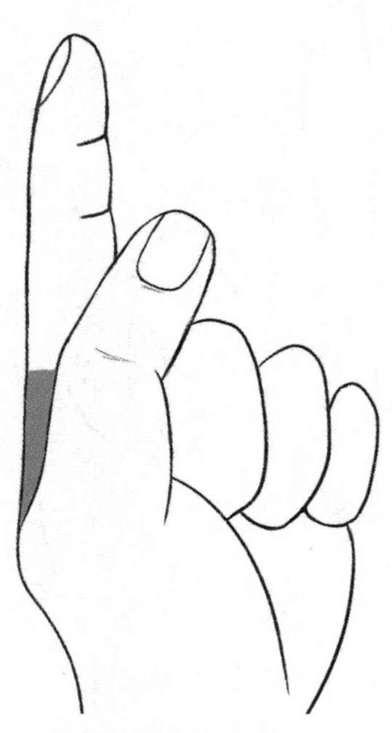

图四十五　虎口如云尘图

三曲透命关，主惊风，死。

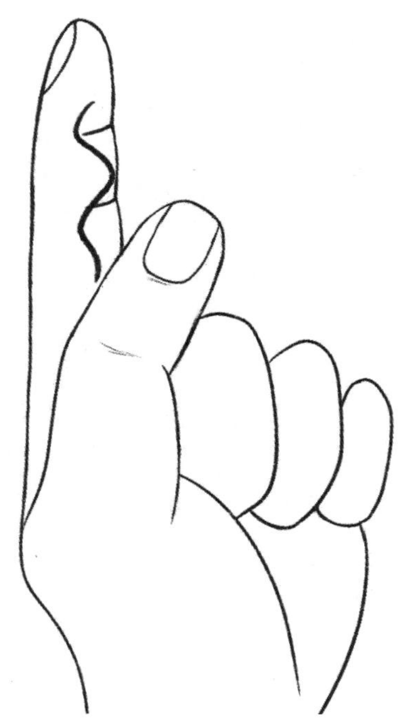

图四十六　透命关图

此形在风关，主肝脏痞积。气关，主脾冷吐逆，不治。命关，必死。

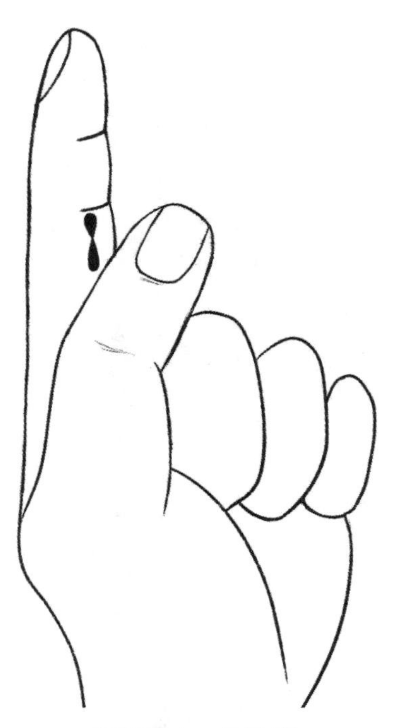

图四十七　双珠图

此形见关中，或手上，或面部，皆死候也。

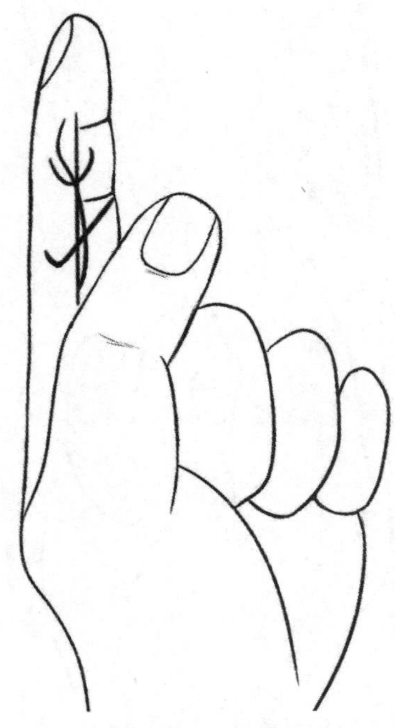

图四十八　死候图

此形如乱虫。主疳、食积，亦有必死之候。

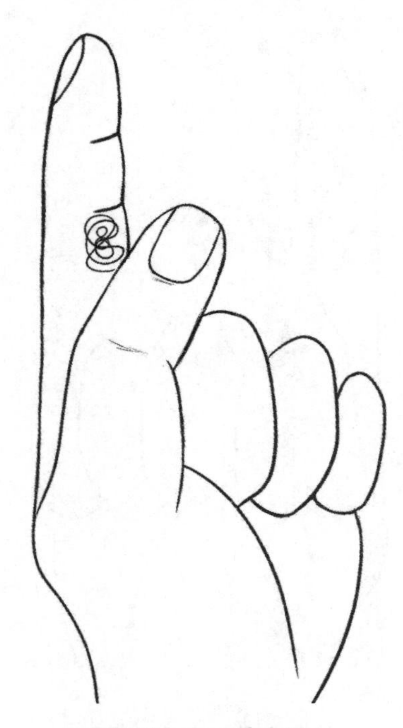

图四十九　乱虫图

此形见风关，青色易治，是初惊候；黑色难治。在气关，青色，主疳劳身热。命关，青色，主虚风和传脾，难治。

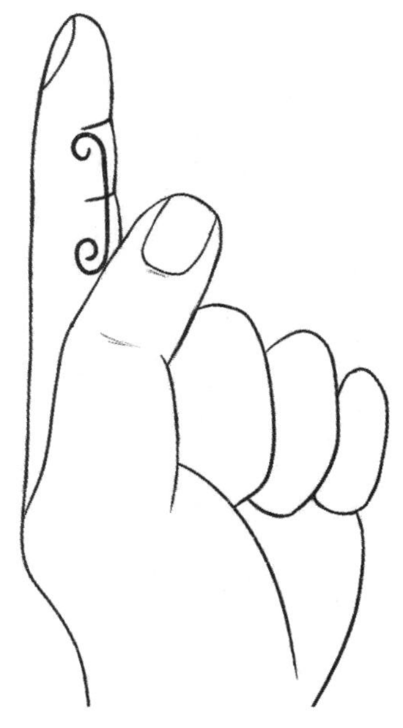

图五十　多行图

风关如乙字形，主肝脏惊风，易治。气关如乙字形，主惊风。命关如乙字，青黑色，难治。

图五十一　乙字形图

主惊风。其状或单或双，逆来。

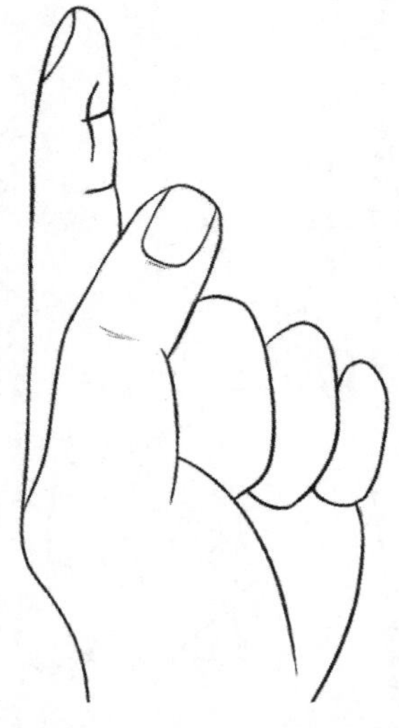

图五十二　逆来图

详解脉纹

流珠只一点红色。环珠其形差大。长珠其形圆长。以上非谓圈子，总皆红脉贯气之如此。来蛇即是长珠散长，一头大，一头尖。去蛇亦如此，乃分其上下朝，故曰“去来”。角弓反张，向里为顺，向外为逆。枪形直上。鱼骨分开。水字即三脉并行。针形即过关一二粒米许。射甲命脉射外，透指命脉曲内。四十九位，悉有轻重，自微至著，轻重参许①。色有五者，黄、红、紫、青、黑也。其病盛，色能加变。黄盛即越黄红之色。红盛作紫，文成红紫之色。紫盛作青，又有青紫之色。青盛作黑，又有青黑之色。至于纯黑之色，不可得而治之也。

辨色歌

紫色红伤寒，青惊白色疳；

黑纹因中恶，黄色困脾端。

① “许”，扫叶山房本同。人卫本作“详”。

五指冷热歌

入门须辨婴儿性，男左女右分明认；
五指若还冷似冰，此是惊风来得盛；
五指心口热似火，夹食伤寒风邪症；
食中名指热风寒，食中名冷吐泻定；
中指热兮是伤寒，中指冷兮[①]麻痘认；
食指热兮上身烧，食指冷兮上膈闷；
中名热兮夹惊风，中名冷兮伤食症。

审 候 歌

囟门八字病非常，惊透三关命不长；
初关乍入惊微病，次节相侵亦可防；
筋赤热兮因食隔，筋青端被水风伤；
筋黑却因[②]风水冷，紫筋兼被有阴阳；
寒热相均兼赤白，红筋定是热宜凉；
重病不宜筋见白，筋白寒深可救忙；
筋连大指阴寒症，筋若生花定不祥；
筋带悬针主吐泻，筋纹关外命非常；
四肢瘫冷腹膨胀，吐泻多因乳食伤；
鱼口鸦声因气急，犬吠人喝受惊狂；
膀胱痨[③]病真难认，天心一点散膀胱；
口噫心哕并气吼，指冷昏沉命莫当；

① “兮”，原本作“今”。扫叶山房本同。据人卫本改。
② “因”，原本作“时”。扫叶山房本同。据人卫本改。
③ “痨”，原本作“涝”。扫叶山房本、人卫本同。据文义改。

口中气喘并气急，眼翻手掣可推慌；
鼻干嘴黑筋见影，牙黄口白眼睛光；
声气改时颜不改，手舞足蹈语颠狂；
两手乱抓如鸡爪，目睛不动眼如羊；
疳论上下须凭灸，大抵横纹是痉方；
天心穴上分高下，更须心细别阴阳；
如此孩提筋不好，命去南柯大路旁；
小儿若犯宜推早，如是推迟命必亡；
病重须凭灯心断，病轻手法亦宜良[①]；
神仙留下真方法，后学能遵[②]名姓扬。

脉法歌

小儿六岁须凭脉，一指三关定数息；
迟冷数热古今传，浮风沉积当先识；
左手人迎主外邪，右手气口主内疾；
外邪风寒暑湿侵，内候乳食痰兼积；
浮紧无汗是伤寒，浮缓伤风有汗液；
浮而洪大风热盛，沉而细滑乳食积；
沉紧腹中痛不休。沉弦喉间作喘急；
紧促之时疹痘生，紧数之际惊风疾；
虚软慢惊作瘛疭，紧盛风痫发搐掣；
软而细者为疳虫，牢而实者必便结；
滑主痰壅食所伤，芤脉必主于失血；
虚而有气为之惊，弦急客忤君须识；
大小不匀为恶候，三至为脱二至卒；
五至为虚四至损，六至平和曰无疾；

① “良”，原本作“衰”。扫叶山房本作“常”。据人卫本改。
② “遵”，原本作“违”。扫叶山房本同。据人卫本改。

七至八至病犹轻，九至十至病势极；
十一二至死无疑，此诀万中无一失。

凡小儿三岁以上，乃用一指按寸、关、尺三部。常以六七至为平脉。添则为热，减则为寒；洪浮风盛，数则多惊；沉滞为虚，沉实为积。

闻小儿声音

心主声从肺出，肺绝啼哭无声；
多啼肝胆客风惊，气缓神疲搐盛。
音哑邪热侮肺，声清毒火无侵；
鸦声瘾疢候非祯，相克必归泉冥[①]。

直声往来而无泪者是痛，连声不绝而多泪者是惊，兹燕烦躁者难愈，躁促声音者感寒。

辨小儿五音

五音以应五脏。

金声响，土声浊，木声长，水声清，火声燥。

肝病声悲，肺病声促，心病声雄，脾病声慢，肾病声沉，大肠病声长，小肠病声短，胃病声速，脾病声清，膀胱病声微。

声轻者，气弱也；重浊者，痛与风也；高声者，热欲狂也；声噎者，气不顺也；喘者，气促也；声急者，惊也；声塞者，痰也；声战者，寒也，声浊沉静者，疳积也。

喷嚏者，伤风也；呵欠者，神倦也；声沉不响者，病势危也。如生来不大啼哭，声啾唧者，夭也。

既能识其声音，又当辨其气色，即知其病之根源矣。

① “相克必归泉冥”，原本作“克必昱泉冥”五字。扫叶山房本作“克必昱泉寔”五字。据人卫本改。

为医固难，及幼尤难。故医者诊视小儿之证，倘色脉精切，则死生可判。若以[1]恐触病家之讳，犹豫其说，不吐真情，稍有差池，必遭其怨。与其受怨于后，孰若告之于先；纵有危难，夫复何怨？昔扁鹊见桓侯曰："疾在腠理，不治将深。"桓侯不信。复见曰："疾在骨髓，虽司命无如之何！"后果弗起。学人于此触类究心，斯有得于扁鹊之妙旨。

阳掌十八穴部位疗病诀

脾土：补之省人事，清之进饮食。

肝木：推侧虎口，止赤白痢、水泄，退肝胆之火。

心火：推之退热发汗，掐之通利小便。

肺金：推之止咳化痰，性主温和。

肾水：推之退脏腑之热，清小便之赤。如小便短，又宜补之。

运五经：运动五脏之气，开咽喉。治肚响、气吼、泄泻之症。

运八卦：开胸化痰，除气闷、吐乳食。有九重三轻之法，详见区内。

四横纹：掐之退脏腑之热，止肚痛，退口眼歪斜。

小横纹：掐之退热除烦，治口唇破烂。

运水入土：身弱、肚起青筋，为水盛土枯，推以润之。

运土入水：丹田作胀、眼睁，为土盛水枯，推以滋之。

内劳宫：属火。揉之发汗。

小天心：揉之清肾水。

肫门穴：揉之除气吼、肚胀。

天门入虎口：推之和气，生血、生气。

指上三关：推之通血气，发汗。

中指节：推内则热，推外则泻。

十王穴：掐之则能退热。

---

① "以"，扫叶山房本同。人卫本作"因"。

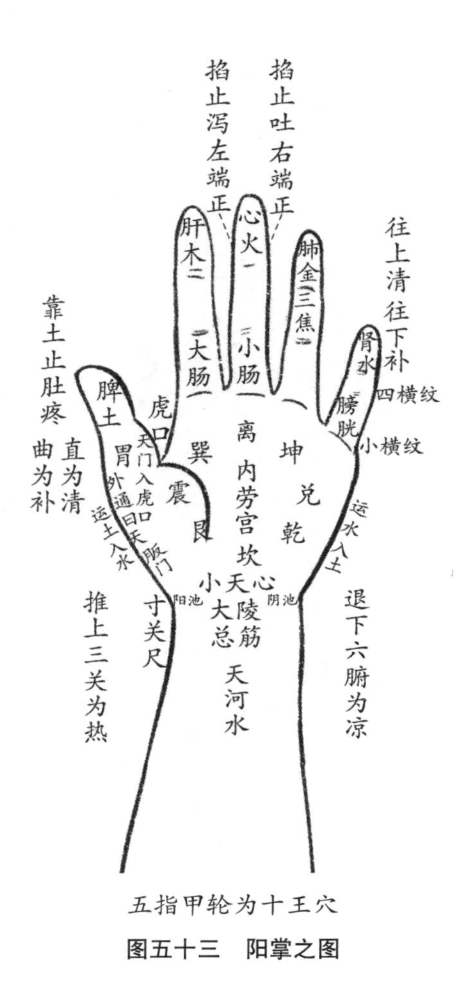

五指甲轮为十王穴

图五十三　阳掌之图

阴掌九穴部位疗病诀

五指节：掐之去风化痰，苏醒人事，通关膈闭塞。

一[①]窝风：掐之止肚疼，发汗，去风热。

威宁：掐之能救急惊[②]卒死。揉之即能苏醒。

二[③]扇门：掐之属火，发脏腑之热，能出汗。

外劳宫：揉之和五脏潮热。左转清凉，右转生热。

二人上马：掐之苏胃气，起沉疴。左转生凉，右转生热。

① “一”，原本脱。扫叶山房本同。据人卫本补。

② “惊”，原本此字为墨钉。据扫叶山房本、人卫本补。

③ “二”，原本作“三”。扫叶山房本、人卫本同。据阴掌图改。

外八卦：性凉。除脏腑秘结，通血脉。

甘载：掐之能拯危症，能祛鬼祟。

精宁：掐之能治风哮，消痰食、痞积。

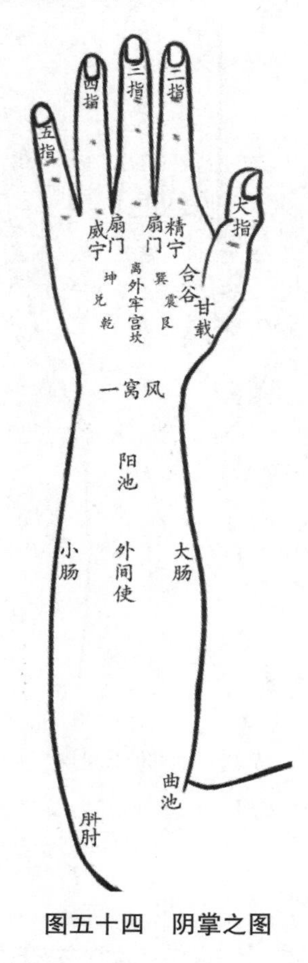

图五十四　阴掌之图

附臂上①五穴部位疗病诀

大陵：掐之主吐。

阳池：掐之主泻。

分阴阳：除寒热泄泻。

天河水：推之清心经烦热。如吐，宜多运。

三关：男左三关推发汗，退下六腑谓之凉。女右六腑推上凉，退下三关谓之热。

---

① “上”，原本作“十”。扫叶山房本同。据人卫本改。

足部十三穴部位疗病诀

脐上：运之。治肚胀气响。如症重，则周回用灯[①]火四燋。

龟尾：揉之。止[②]赤白痢、泄泻之症。

三里：揉之。治麻木顽痹。行间穴同功。

委中：掐之。治往前跌扑、昏闷。

内庭：掐之。治往后跌扑、昏闷。

太[③]冲：掐之。治危急之症。舌吐者不治。

大敦：掐之爪。惊不止，将大指屈而掐之。

涌泉：揉之。左转止吐，右转止泻。

昆仑：灸之。治急慢惊风危急等症。咬之，叫则治，不叫不治。

前承山：掐之。治惊来急速者。子母穴同功。

后承山：揉之。治气吼。发汗。

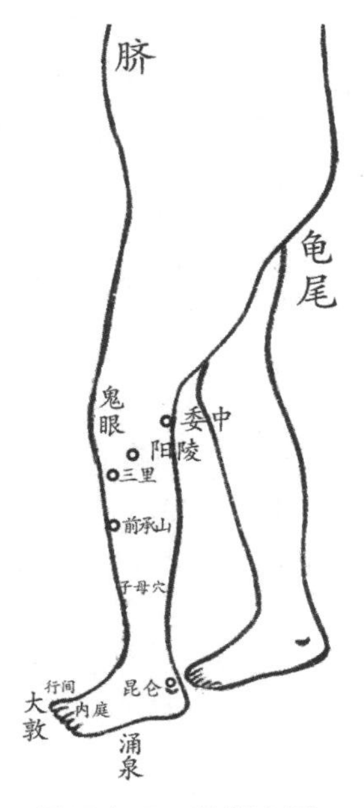

图五十五　足部之图

① “灯”，原本此字为空格。扫叶山房本同。据人卫本补。

② “止”，原本作“上”。据扫叶山房本、人卫本改。

③ “太”，原本作“大”。扫叶山房本同。据人卫本改。

推　　法

一推坎宫，自眉[①]心分过两旁。二推攒竹，自眉[②]心交互直上。三运太阳，往耳转为泻，往眼转为补。四运耳背高骨，推后掐之。大指并掐：一听会、二风门、三太阳、四在额、五以一指独掐天心下，而后高骨、耳珠、人中、承浆，俱不必太重。此面部常用不易者，举诸般[③]惊症、伤寒、疟痢，俱不可少。如遇久病瘦弱、多汗、痢疾，推而不掐为是。由是推手必先从三关，悉从指尖上起也，而亦重虎口并合谷。而不知补脾胃培一身之根本，分阴阳分一身之寒热，亦不可缓焉。运八卦，凉则多补，热则多泻。分阴阳，阳则宜重，阴则宜轻。若夫五脏六腑如咳嗽推肺、烦躁推心[④]之类，岂可一概而混施哉！总在人心，因病举指，用舍变通耳。由是推脚宜运昆仑，以四指围而掐之。倘热急吼喘，即诸穴未推之先，在承山推下数遍为妙。其余亦在人审[⑤]症，不悉。

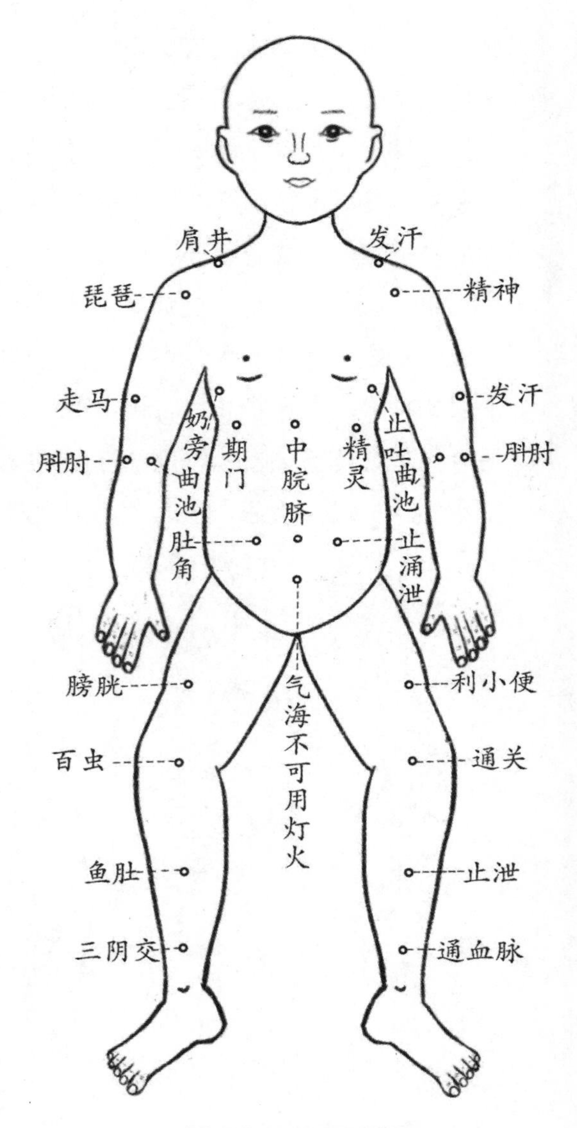

图五十六　正面之图

① “眉”，原本作“看”。扫叶山房本同。据人卫本改。

② “眉”，原本作“看”。据扫叶山房本、人卫本改。

③ “般”，原本作“船”。据扫叶山房本、人卫本改。

④ “咳嗽推肺、烦躁推心”，原本作“咳嗽推并行燥推心”八字。扫叶山房本同。据人卫本改。

⑤ “审”，原本作“心”。扫叶山房本同。据人卫本改。

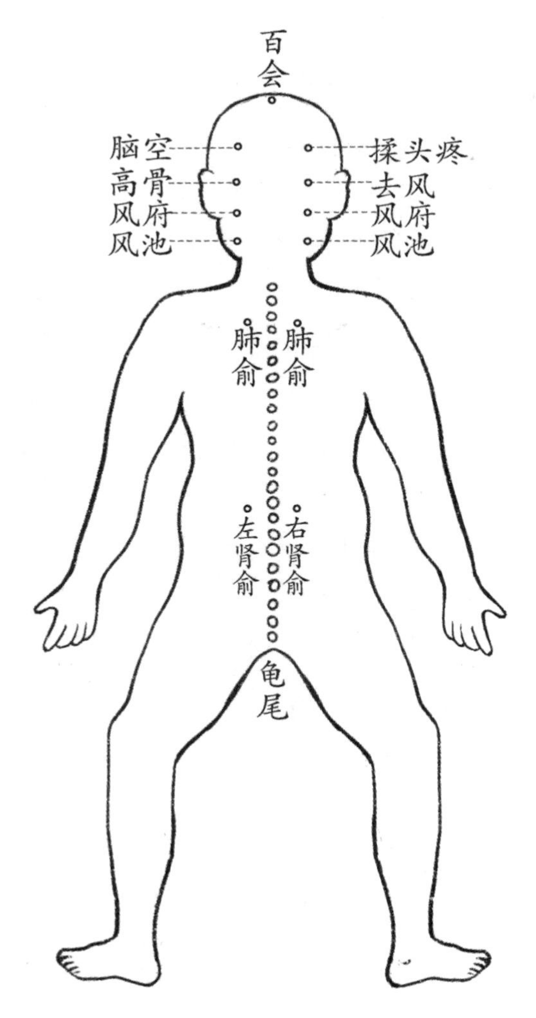

图五十七　背面之图

拿　法

太阳二穴属阳明，起手拿之定醒神；

耳背穴原从肾管，惊风痰吐一齐行；

肩井肺经能发汗，脱肛痔漏总能遵；

及至奶旁尤属胃，去风止吐力非轻；

曲池脾经能定搐，有风有积也相应；

肚痛太阴脾胃络，肚疼泄泻任拿停；

下部四[1]肢百虫穴，调和手足止诸惊；
肩上琵琶肝脏络，本宫壮热又清神；
合谷穴原连虎口，开关开窍解昏[2]沉；
鱼肚脚胫抽骨处，醒神止[3]泻少阳经；
莫道膀胱无大助，两般[4]闭结要他清；
十二三阴交穴尽，疏通血脉自均匀；
记得急惊从上起，慢惊从下上而行；
此是神仙真妙诀，须教配合要知音；
天吊眼唇都向上，琵琶穴上配三阴；
先是百虫穴走马，通关之后降[5]痰行；
角弓反张人惊怕，十二惊中急早针；
肩井颊车施莫夺，荆汤调水服千金；
此后男人从左刺，女人反此右边针；
生死入门何处断[6]，指头中甲掐知音；
此是小儿真妙诀，更于三部看何惊。

又[7]

究其[8]发汗如此说，要[9]在三关用手诀；
只掐心经与内劳，热汗立[10]至何愁些；
不然重掐二扇门，大如霖雨无休歇；

① “四”，原本作“肢”。扫叶山房本同。据人卫本改。
② “昏”，原本作“谷”。扫叶山房本同。据人卫本改。
③ “止”，原本作“上”。扫叶山房本同。据人卫本改。
④ “般”，原本作“船”。扫叶山房本同。据人卫本改。
⑤ “降”，原本作“隆”。扫叶山房本同。据人卫本改。
⑥ “断”，原本作“一”。扫叶山房本同。据人卫本改。
⑦ “又”，扫叶山房本同。人卫本此字后有“拿法”二字。
⑧ “究其”，扫叶山房本同。人卫本作“要他”二字。
⑨ “要”，扫叶山房本同。人卫本作“只”。
⑩ “立”，原本作“三”。扫叶山房本同。据人卫本改。

右治弥盛并水泻，重掐大肠经一节；
侧推虎口见工夫，再推阴阳分寒热；
若问男女咳嗽多，要知肺经多推说；
离宫推起乾宫止，中间只许轻轻捏；
一运八卦开胸膈[①]，四推横纹和气血；
五脏六腑气来闭，运动五经开其塞；
饮食不进人着吓，推动脾土即吃得；
饮食若减人瘦弱，该补脾土何须说？
若还小便兼赤白，小横纹与肾水节；
往上而推为之凉，往下而推为之热；
小儿如着风水吓，推动五经手指节；
先运八卦后揉之，自然平息[②]风关脉；
大便闭塞久不通，皆因六腑多受热；
小横纹上用手工，揉掐肾水下一节；
口吐热气心经热，只要天河水清切；
总上掐到往下推，万病之中都用得；
若还遍身不退热，外劳宫揉掐多些；
不问大热与大潮，只消水里捞明月；
天河虎口斗肘穴，重揉顺气又生血；
黄蜂入洞寒阴症，冷痰冷咳都治得；
阳池穴上止头疼，一窝风治肚痛[③]疾；
威灵穴救卒暴死，精宁[④]穴治咳唠逆；
男女眼若睁上去，重揉大小天心穴；
二人[⑤]上马补肾水，管教苏醒在顷刻；
饮食不进并[⑥]咳嗽，九转三回有定穴；
运动八卦分阴阳，离坎乾震有分别；

---

① “膈”，原本作“开”。扫叶山房本同。据人卫本改。
② “息”，原本作“思”。据扫叶山房本、人卫本改。
③ “肚痛”，原本作“一人”二字。扫叶山房本同。据人卫本改。
④ “宁”，原本作“灵”。扫叶山房本同。据人卫本改。
⑤ “人”，原本作“十”。扫叶山房本同。据人卫本改。
⑥ “并”，原本作“分”。扫叶山房本同。据人卫本改。

肾水一纹是后溪，推上为补下为泻；
小便闭塞清之妙，肾经虚便补为捷；
六腑[1]专治脏腑热，遍身寒热大便结；
人事昏沉总可推，去病浑如汤沃[2]雪；
总筋天河水除热，口中热气并[3]弄舌；
心经积热眼赤红，推[4]之即好真口诀；
四横纹和上下气，吼气肚痛皆可止；
五经能通脏腑热，八卦开胸化痰逆；
胸膈痞满最为先，不是知音莫与诀；
阴阳能除寒与热，二便不通并水泄[5]；
人为昏沉痢疾攻，足见神功在顷刻；
肶[6]门专治气促攻，小肠诸气快如风；
男左三关推发汗，退下六腑冷如铁；
女右六腑推上凉，退下三关谓之热；
仙师留下救孩童，后学之人休轻泄。

看额脉

额脉三[7]指热感寒，俱冷吐泻脏不安；
食指若热胸中满，无名热者乳消难；
上热下冷食中指，火惊名中指详看。

额前眉上发际以下，无名指、中指、食指三指按之俱热者，外感寒邪，鼻塞、气粗。

① “腑”，原本作“服”。扫叶山房本同。据人卫本改。
② “沃”，原本作“汗”。扫叶山房本同。据人卫本改。
③ “并”，原本作“一”。扫叶山房本同。据人卫本改。
④ “推”，原本作“惟”。据扫叶山房本、人卫本改。
⑤ “泄”，原本作“世”。据扫叶山房本、人卫本改。
⑥ “肶”，原本作“版”。扫叶山房本同。据人卫本改。
⑦ “三”，原本作“二”。扫叶山房本同。据人卫本改。

小儿初生至半岁，俱看额脉。周岁以上，看虎口三关。男五女六岁，方以一指分取寸关尺脉。

推拿手部次第

一推虎口三关，二推五指尖，三捻①五指尖，四运掌心八卦，五分阴阳，六看寒热推三关、六腑，七看寒热用十大手法而行，八运斗②肘。

推拿面部次第

一推坎宫，二推攒竹穴，三运太阳。四运耳背高骨廿四下毕，掐三十下③，五掐承浆一下，六掐两颊车一下，七掐两听会一下，八掐两太阳一下，九掐眉心一下，十掐人中一下。

再用两手提儿两耳三下。此乃推拿不易之诀也。

面青肝色，面赤心色，面黄脾色，面白肺色，面黑肾色。

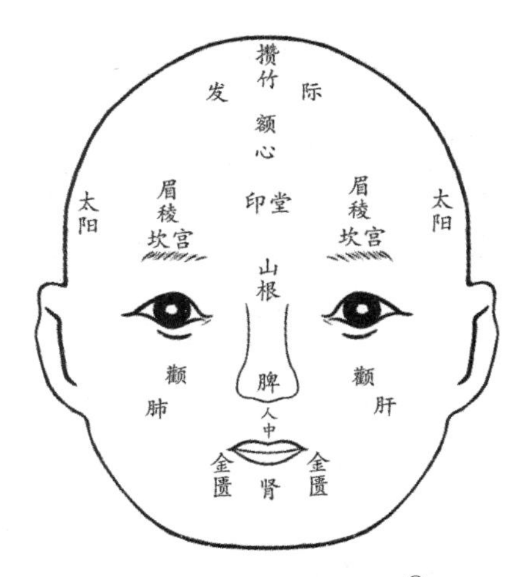

图五十八　正面五色图④

① “捻”，原本作“燃”。扫叶山房本同。据人卫本改。
② “斗”，原本作“用”。扫叶山房本同。据人卫本改。
③ “廿四下毕，掐三十下”，原本作“廿日下若下”五字。扫叶山房本同。据人卫本改。
④ “正面五色图”，原本作“正面之图”。扫叶山房本同。据人卫本改。

推坎宫。医用两大指，自小儿眉心分过两旁是也。

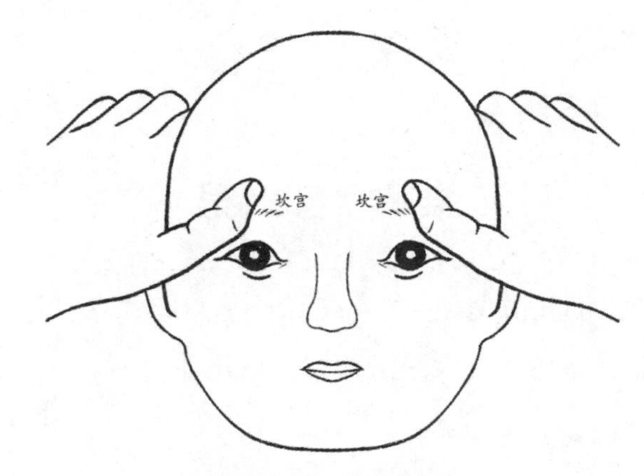

图五十九　推坎宫图

推攒竹。医用两大指，自儿眉心交互往上直推是也。

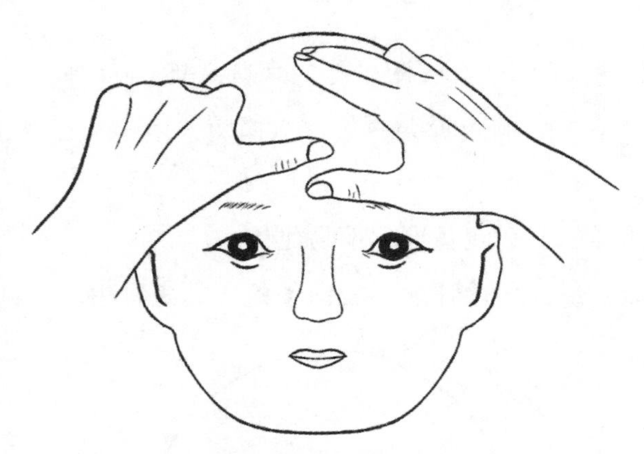

图六十　推攒竹图

医用两大指运儿太阳。往耳转为泻，眼转为补是也。

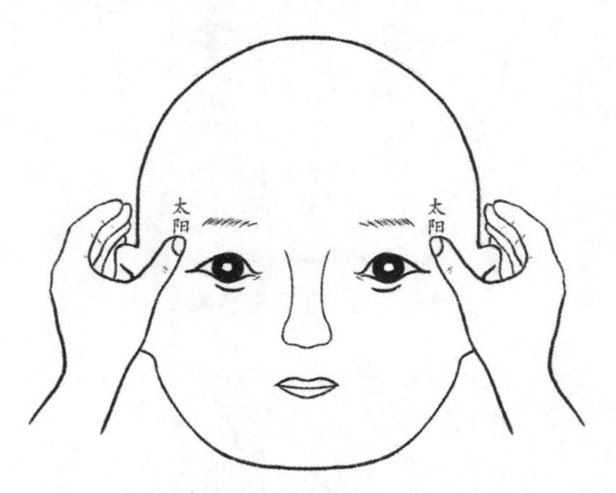

图六十一　运太阳图

医用两手中指、无名指，揉儿耳后高骨二十四下毕，掐三十。

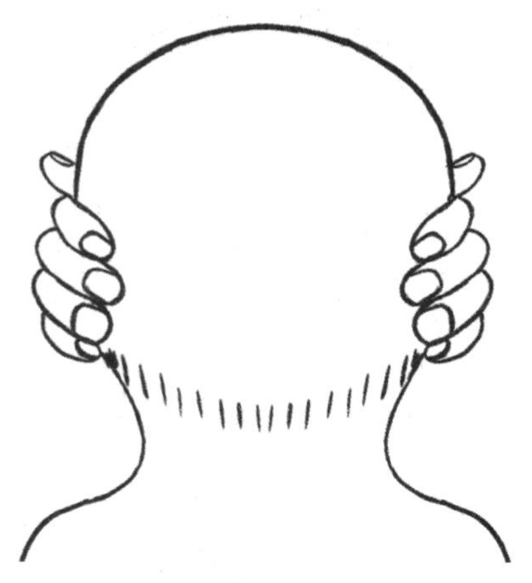

图六十二　运耳背骨图

双凤展翅法[①]

医用两[②]手中、食二指，捏儿两耳往上三提毕，次捏承浆，又次捏颊车及听会、太阴、太阳、眉[③]心、人中完。

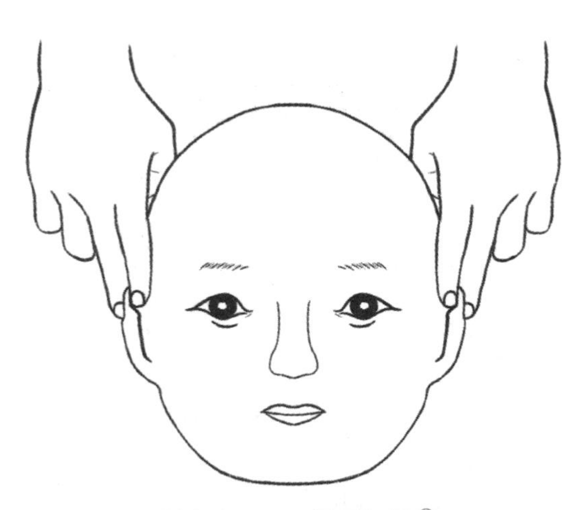

图六十三　双凤展翅图[④]

① "法"，原本脱。扫叶山房本、人卫本同。据下文体例补。
② "两"，原本作"工"。扫叶山房本同。据人卫本改。
③ "眉"，原本作"看"。扫叶山房本同。据人卫本改。
④ "双凤展翅图"，原本此图在"男推左手三关、六腑图"之后。据扫叶山房本、人卫本移正。

风、气、命为虎口、三关，即寅、卯、辰位是也。小儿有疾，必须推之，乃不易之法。

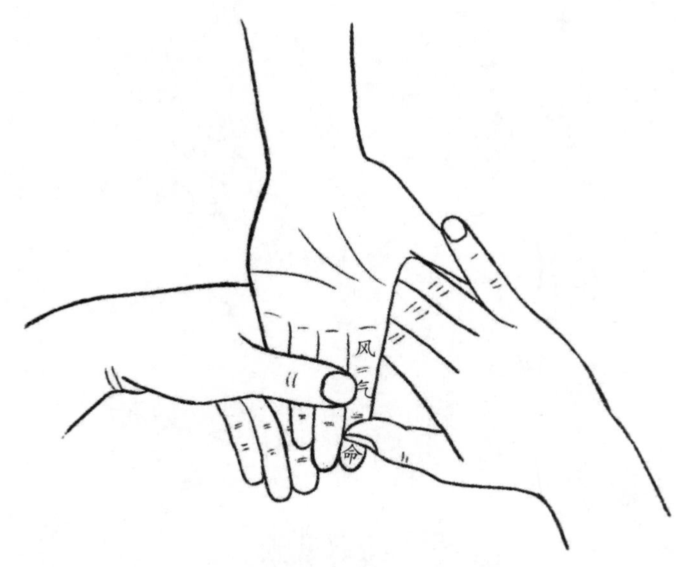

图六十四　推虎口、三关图

推上三关为热，透五脏至曲池为止。要推三五百遍，量人虚实用之。

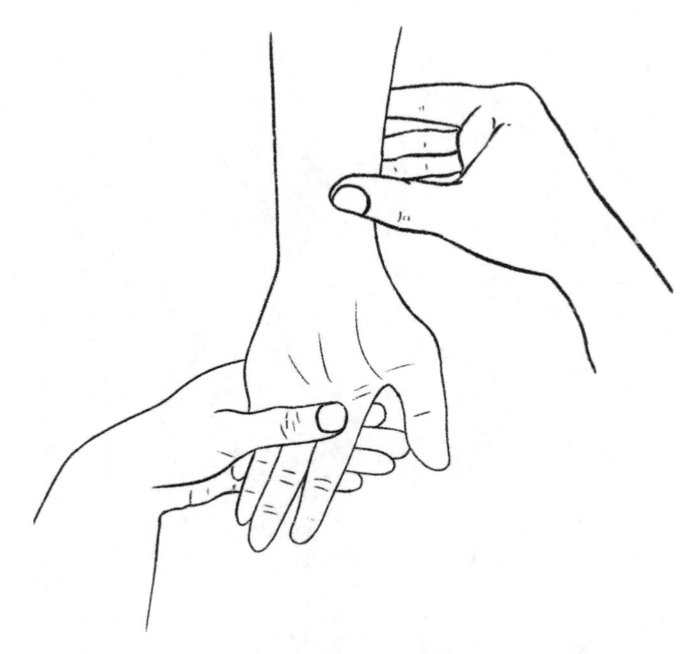

图六十五　男推左手三关、六腑图

退下六腑为凉，亦要从曲池为止。并推三五百遍，量人虚实用之。

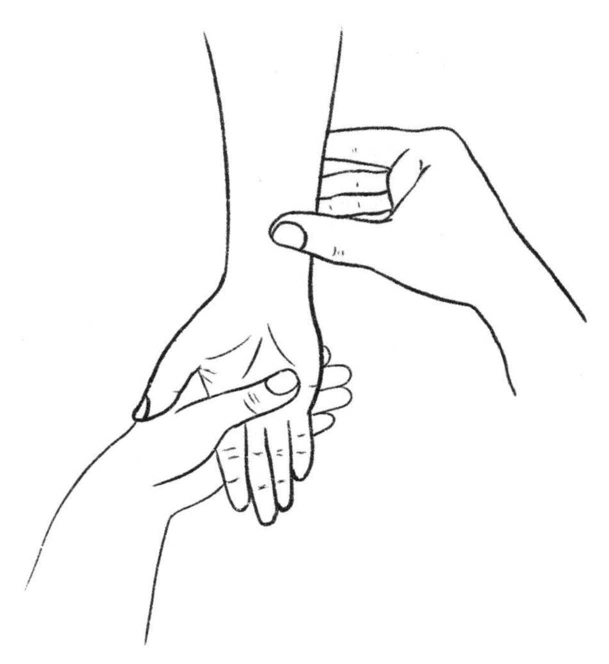

图六十六 女推右手三关、六腑图

运八卦法

医用[①]左[②]手拿儿左手四指，掌心朝上，右手四指略托住小儿手背。以大指自乾起至震，四卦略重，又轻运七次，此为“定魄”。自巽起推兑，四卦略重，又轻转运七次，此为“安魂”。自坤推至坎，四卦略重，又轻转运七次，能退热。自艮推起至离，四卦略重，又轻七次，能发汗。若咳嗽者，自离宫推起至乾，四卦略重，又轻运七次，再坎、离二宫直七次，为“水火既济”也。

① “用”，原本作“月”。扫叶山房本同。据人卫本改。
② “左”，原本作“右”。扫叶山房本同。据人卫本改。

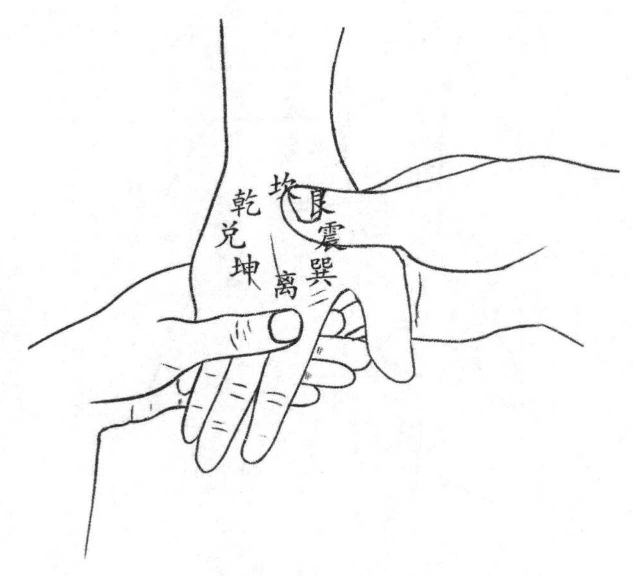

图六十七　运八卦图

分阴阳法

此法治寒热不均，作寒作热。将儿手掌向上，医用两手托住，将两大指往外阴阳二穴分之。阳穴宜重分，阴穴宜轻分。但凡推病，此法不可少也。

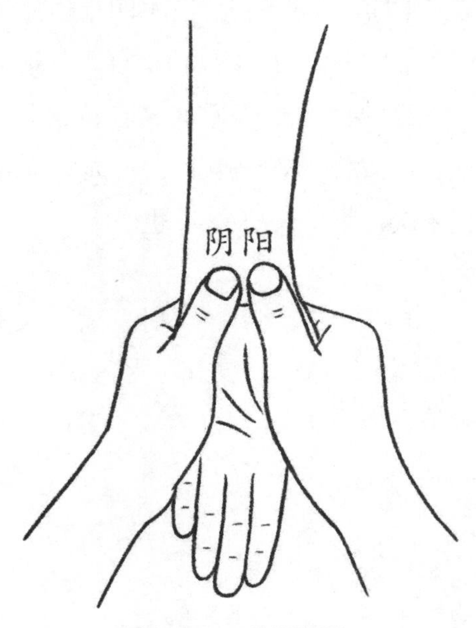

图六十八　分阴阳图

推五经法

五经者，即五指尖也，心、肝、脾、肺、肾也，如二三节即为六腑。医用左手四指托儿手背，大指掐儿掌心，右手食指曲儿指尖，下大指盖儿指尖，逐指推运，往上直为推。往右顺运为补，往左[①]逆运为泻。先须往上直推过，次看儿之寒热虚实，心、肝、肺指，或泻或补；大指脾胃只宜多补，如热甚可略泻；如肾经或补或泻或宜清。如清肾水，在指节上往下直退是也。

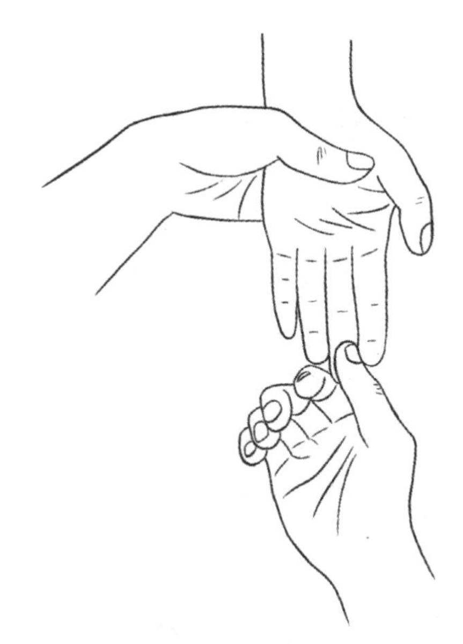

图六十九　推五经图

黄蜂入洞法[②]

以儿左手掌向上，医用两手中、名、小三指[③]托住，将二大指在三关、六腑之中，左食指靠腑，右食指靠关，中指傍揉，自总筋起循环转动至曲池边，横空三指，自下而复上三四转为妙。

① “左”，原本作“右”。扫叶山房本同。据人卫本改。
② “法”，原本脱。扫叶山房本同。据人卫本补。
③ “指”，原本作“军”。扫叶山房本同。据人卫本改。

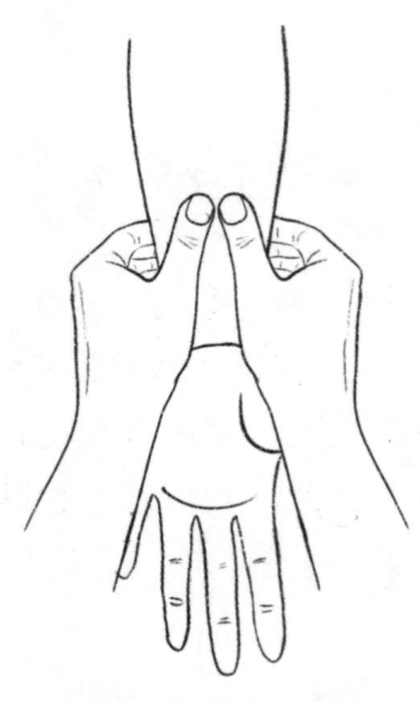

图七十　黄蜂入洞图

苍龙摆尾法①

医右手一把拿小儿左食、中、名三指，掌向上。医左手侧尝从总筋起，搓摩天河及至斗肘略重些，自斗肘又搓摩至总筋，如此一上一下三四次。医又将左大、食、中三指捏斗肘，医右手前拿摇动九次。此法能退热开胸。

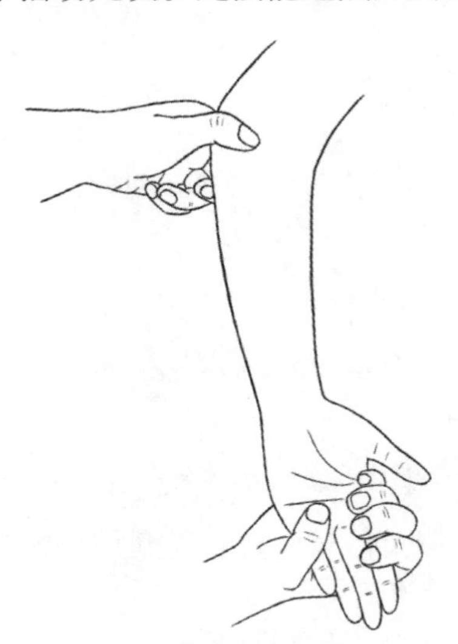

图七十一　苍龙摆尾图

① “法”，原本脱。扫叶山房本同。据人卫本补。

二龙戏珠法[1]

此法性温。医将右大、食、中三指，捏儿肝、肺二指；左大、食、中三指，捏儿阴阳二穴。往上一捏一捏，捏至曲池五次。热症阴捏重而阳捏轻，寒症阳重而阴轻。再捏阴阳，将肝、肺二指摇摆二九、三九是也。

图七十二　二龙戏珠图

赤凤摇头法[2]

法曰：将儿左掌向上，医左手以[3]食、中指轻轻捏儿斗肘。医[4]大、中、食指先捏[5]儿心指，即中指，朝上向外顺摇二十四下；次捏[6]肠指，即食指，仍摇二十四下；再捏脾指，即大指，二十四；又捏肺指，即无名指，二十四；末后捏肾指，即小指，

① “法”，原本脱。扫叶山房本同。据人卫本补。
② “法”，原本脱。扫叶山房本同。据人卫本补。
③ “以”，原本作“一”。扫叶山房本同。据人卫本改。
④ “医”，原本此字为墨钉。据扫叶山房本、人卫本补。
⑤ “捏”，原本作“陷”。扫叶山房本同。据人卫本改。
⑥ “捏”，原本作“掐”。扫叶山房本同。据人卫本改。

二十四。男左女右，手向右外，即男顺女逆也。再此即是运斗肘。先做各法完，后做此法，能通关顺气。不拘寒热，必用之法也。

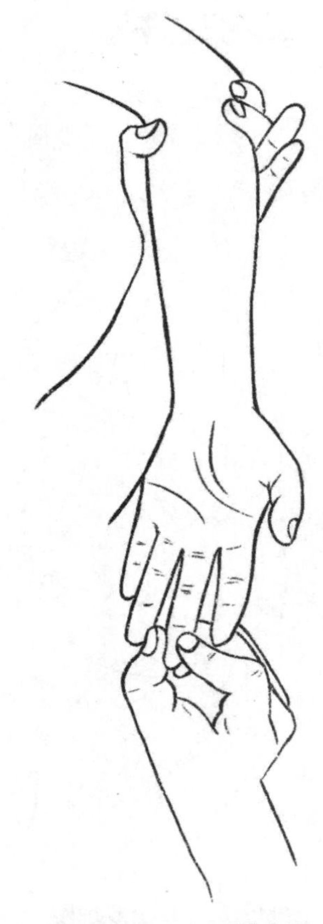

图七十三　赤凤摇头图

猿猴摘果法[1]

此法性温。能治痰气，除寒退热。医用左食、中指，捏儿阳穴，大指捏阴穴。寒症，医将右大指从阳穴往上揉至曲池，转下揉至阴穴，名“转阳过阴”。热症，从阴穴揉上至曲池，转下揉至阳穴，名“转阴过阳”。俱揉九次。阳穴即三关，阴穴即六腑也。揉毕，再将右大指掐儿心、肝、脾三指，各掐一下，各摇二十四下。寒症往里摇，热症往外摇。

① “法”，原本脱。扫叶山房本同。据人卫本补。

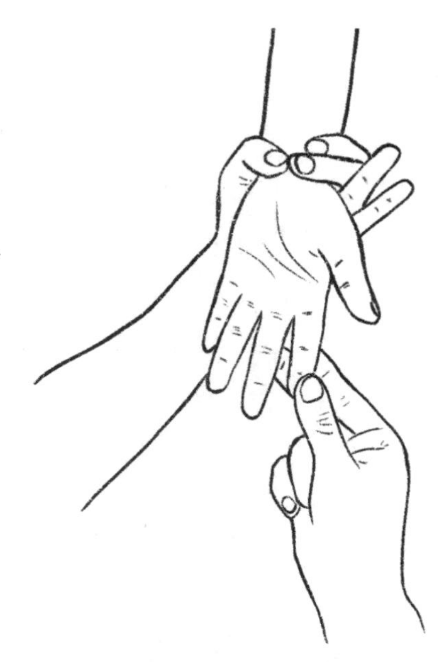

图七十四　猿猴摘果图

凤凰展翅法①

此法性温，治凉。医用两手托儿手掌向上，于总筋上些，又用两手上四指在下两边爬②开，二大指在上阴阳穴往两边爬开；两大指在阴阳二穴，往两边向外摇二十四下，掐住捏紧一刻。医左大、食、中三指侧拿儿肘，手向下轻摆三四下，复用左手托儿斗肘上，右手托儿手背，大指掐住虎口，往上向外顺摇二十四下。

① "法"，原本脱。扫叶山房本同。据人卫本补。
② "爬"，原本作"在"。据扫叶山房本、人卫本改。

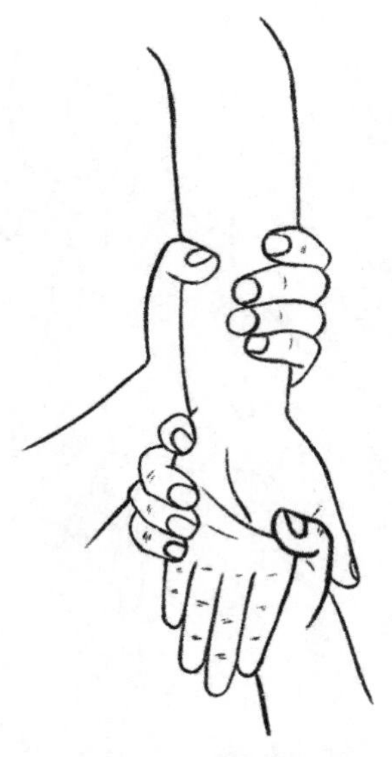

图七十五　凤凰展翅图

飞经走气法①

此法性温。医用右手牵拿儿手四指不动，左手四指从腕②曲池边起，轮流跳至总筋上九次，复拿儿阴阳二穴。医用右手向上，往外一伸一缩，传逆其气，徐徐过关是也。

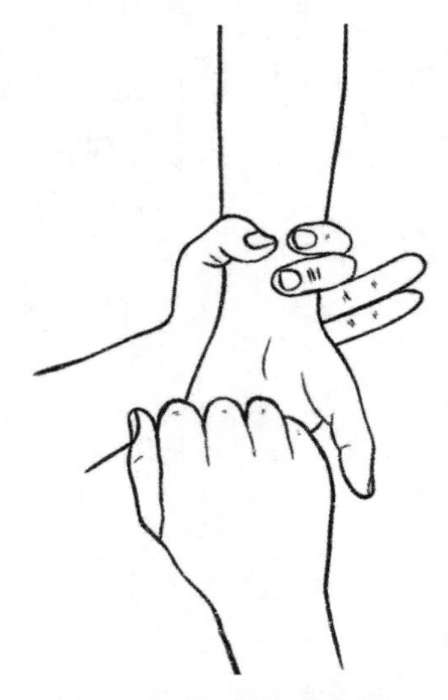

图七十六　飞经走气图

① “法”，原本脱。扫叶山房本同。据人卫本补。
② “腕”，原本作“完”。扫叶山房本同。据人卫本改。

按弦搓摩法

医用左手拿儿手掌向上，右手大、食二指，自阳穴上轻轻按摩至曲池，又轻轻按摩至阴穴止，如此一上一下九次为止。阳症关轻腑重，阴症关重腑轻。再用两手从曲池搓摩至关腑三四次。医又将右大、食、中指[①]掐儿脾指，左大、食、中指[②]掐儿斗肘，往外摇二十四下，化痰是也。

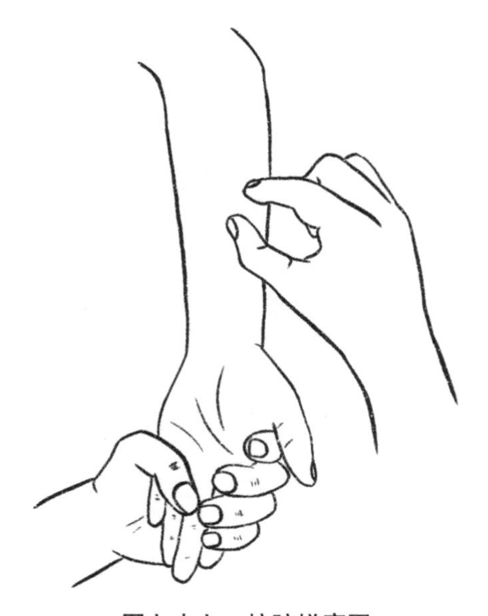

图七十七　按弦搓摩图

水里捞明月法[③]

法曰：以小儿掌向上，医左手拿住右手，滴水一点于儿内劳宫，医即用右手四指扇七下；再滴水于总经中，即是心经；又滴水天河，即关腑居中。医口吹上四五口，将儿中指屈之，医左大指掐住，医右手捏卷将、中指节，自总上按摩到曲池，横空二指，如此四五次。在关踢凉行背上，在腑踢凉入心肌。此大凉之法，不可乱用。

① “指”，原本脱。扫叶山房本、人卫本同。据文义补。
② “指”，原本脱。扫叶山房本、人卫本同。据文义补。
③ “法”，原本脱。扫叶山房本同。据人卫本补。

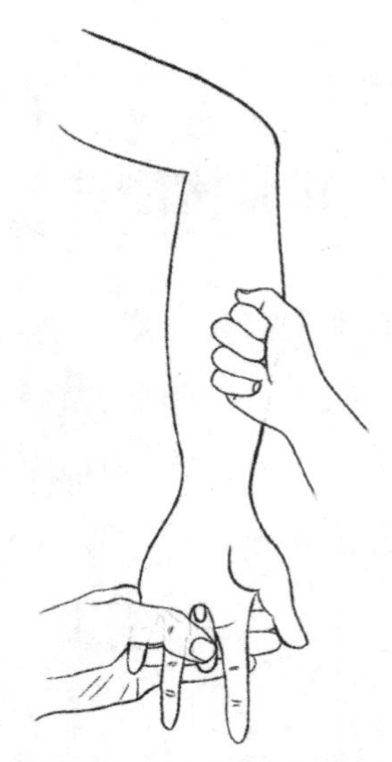

图七十八　水里捞明月图

打马过天河法[1]

此法性凉，去热。医用左大指掐儿总筋，右大、中指如弹琴，当河弹过曲池，弹九次。再将右大指掐儿肩井、琵琶、走马三穴，掐下五次是也。

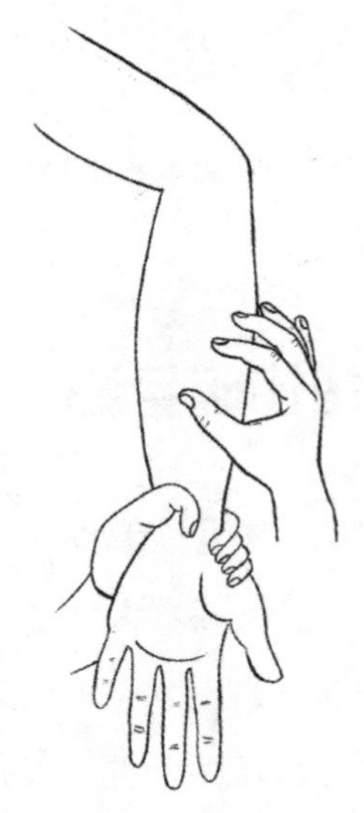

图七十九　打马过天河图[2]

① “法”，原本脱。扫叶山房本同。据人卫本补。
② “图”，原本脱。扫叶山房本同。据人卫本补。

脏腑歌

心经有热作痴迷，天河水过作洪池；

心若有病补上膈，三关离火莫延迟。

退心经热病，掐总筋，以天河水为主。推肾经、退六腑、推脾土、推肺经、运八卦、分阴阳、揉小天心、二人上马、掐五指节。

肝经有病人闭目，推动脾土效最速；

脾若热时食不进，再加六腑病除速。

退肝之病，以脾土为主。运八卦坎重、推大肠、运五经、清天河水、飞经走气、凤凰单展翅、按弦走搓摩。

脾经有病食不进，推动脾土效必应；

心哕还应胃口凉，略推温热即相称。

退脾土之病，以脾土为主。推三关，运八卦艮宫宜重、推肺经、分阴阳、推四横纹、天门入虎口、揉斗肘。

肾经有病小便涩，推展肾水即清澈；

肾脉经传小指尖，依方推掐无差忒。

退肾经之病，以肾经为主。推三关、退六腑、二人上马、运八卦兑重、分阴阳、运水入土、打马过天河、猿猴摘果、赤凤摇头、天门入虎口、揉斗肘。

胃经有病食不消，脾土大肠八卦调；

妙诀神仙传世上，千金手段不饶消。

退胃经之病，以脾土、肺经为主，其法与脾经法同。加运八卦艮、巽重。

大肠有病泄泻多，可把大肠久按摩；

调理阴阳皆顺息，此身何处着沉疴。

退大肠之病，以大肠为主。运土入水、推脾土、运八卦艮、乾重，离轻、揉龟尾、脐、推肺经、推外间使、分阴阳、按弦走搓摩。

小肠有病气来攻，横纹舨门推可通；
用心记取精宁穴，管教却病快如风。
退小肠之病，以横纹、板门为主。揉精宁穴、推肺经、推脾土。

命门有病元气亏，脾土大肠八卦推；
再推命门何所止，推临乾位免灾危。
退命[1]门之病，以脾土、大肠、八卦为主。推三关、分阴阳、推肺经、运土入水、天门入虎口、揉斗肘、飞经走气。

三焦有病生寒热，天河六腑神仙说；
能知气水解炎蒸，分别阴阳真妙诀。
退三焦之病，以天河、六腑为主。揉小天心、推脾土、运八卦、运五经、掐五指节、按弦走搓摩、天门入虎口、揉斗肘。

① “命”，原本作“合”。据扫叶山房本、人卫本改。

卷中

胎　毒

初生小儿病症，许多名状不同；
马牙鹅口与脐风，重舌木舌肿痛。
啼哭夜间不已，丹疡心火上攻；
未曾满月病多凶，好似风前烛弄。

夫胎毒者，乃自胎中受母热血，故热盛生痰，痰盛生风。风盛则口噤、唇撮、胸腹胀满、咽喉不利、乳食不进，初起则啼哭不已，病甚则啼哭无声。盖小儿血气薄弱，不能制伏其毒，以致心火上炎，牙龈遍生白色，名曰“马牙”。或上腭有白点，状如粟米，名曰“鹅口”。或断脐之后，风湿所伤，侵于心脾，以致不乳、口撮、肚胀青筋，名曰“脐风”。至于胎毒上攻，舌下像有一舌，名曰“重舌”。舌肿如木，名曰“木舌”。又或胎热脏寒，腹痛夜啼，客忤惊窜；或孕母过食辛热，积热于胎，遗热于儿，血与热相搏，而风邪乘之，遍身赤肿，名曰“丹毒”。其热如火，痛痒难当，或发于头面，或发于四[①]肢胸背，俱宜急治，否则毒气入腹，即难救矣。儿病初起，父母失于提防；或医者误[②]投热剂，往往莫救，殊为可悯。业斯术者，可不慎欤！

脐　风

风邪早受入脐中，七日之间验吉凶；
若见腹疼脐湿烂，噤声口撮是为风。

① “四”，原本作“肢”。扫叶山房本同。据人卫本改。
② “误”，原本作“惧”。扫叶山房本同。据人卫本改。

凡婴孩始生一七之内，腹肚胀硬、脐畔四围浮肿、口撮、眉攒、牙关不开，名“脐风证”。乃因剪脐带短，或结缚不紧，致水湿侵脐，客风乘虚而入，传之于心，蕴蓄其邪，复传脾络，致舌强、唇青、手足微搐、口噤不乳、啼声似哑、喉中痰涎潮响，是其候也。

治法：推三关　肺经各一百二十　运八卦　脾土各一百　分阴阳

如口[①]撮，只用灯火，口角两边各一燋，左右虎口各一燋，两小指四节各一燋，脑门四燋。如肚上青筋胀硬，脐周围七燋，每筋上一燋，青筋开丫[②]处一燋，涌泉穴一燋。脐肿翻出，神脱气冷者不治。

重舌、鹅口

孩儿胎受诸邪热，热壅三焦作重舌[③]；
或成鹅口证堪忧，推掐还须针刺裂。

凡重舌生于舌下，挺露如舌，故曰“重舌”。然脾之络脉系舌旁，肝之络脉系舌本[④]，心之络脉系舌根，此三经或为湿热风寒所中，则舌卷缩，或舒长，或肿满。木舌者，舌肿硬而妨乳食，此为风热盛也。盖舌者心之苗，心热则生疮破裂，肝壅则血出如涌，脾闭则白胎如云。热则肿满，风则强木，口合不开、四肢壮热、气喘语涩，即其候也[⑤]。

治法：推三关　心经　脾经各一百　六腑　八卦　运水入土五十　分阴阳二十四　天河水

凡鹅口者，始生婴孩，自一月内外，至半岁以上，忽口内白屑满舌，则上[⑥]腭戴碍、状如鹅口、开而不合、语声不出、乳食多艰。或生于牙龈上下，名曰“马牙”。皆

① “口”，原本脱。扫叶山房本同。据人卫本补。
② “丫”，原本作“了”。扫叶山房本、人卫本同。据文义改。
③ “舌”，原本作“口”。扫叶山房本同。据人卫本改。
④ “本”，原本作“木”。据扫叶山房本、人卫本改。
⑤ “也”，原本脱。据扫叶山房本、人卫本补。
⑥ “上”，原本作“土”。扫叶山房本同。据人卫本改。

由热毒上攻，名虽异，治则一也。

治法：推三关　退六腑各一百　分阴阳　捞明月　打马过天河

再用扁银簪脚，将牙龈刮破出血，以软绢拭净，古墨涂之。

夜　啼

夜啼四症惊为一，无泪见灯心热烦；

面容夹青脐下痛，睡中顿哭是神干[①]。

凡夜啼有四。有惊热，有心热，有寒疝，有误触神祇而成夜啼。惊热者，为衣衾太厚，过于温暖，邪热攻心，心与小肠为表里，夜啼而遗溺者是也。心热者，见灯愈啼是也。寒疝者，遇寒即啼是也。误触神祇者，面色紫黑、气郁如怒、若有恐惧、睡中惊跳是也。

治法：推三关五十　六腑一百二十　清心经一百　捞明月　分阴阳　掐胆经

如寒疝痛啼，宜运动四横纹，揉脐并一窝风。

惊　风　门

胎惊潮热与月家，脐风撮口对风拿；

泄泻呕逆肚膨胀，盘肠乳食感风邪；

马啼鲫鱼风寒吓，担手原来是水邪；

寒热不均宿沙症，急慢内吊心脾邪；

天吊[②]弯[③]弓肝腑病，蛇丝鹰爪及乌沙；

乌鸦夜啼有他症，锁心撒手火为邪；

惊风症候须当识，妙手轻轻推散他。

① “干”，原本作“于”。扫叶山房本同。据人卫本改。

② “吊”，原本作“㐲”。据扫叶山房本、人卫本改。

③ “弯”，原本作“迹”。据扫叶山房本、人卫本改。

夫小儿有热，热盛生惊，惊盛发搐。又盛则牙关紧急，而八候生焉。八候者，搐、搦、掣、颤、反、引、窜、视是也。搐者，两手伸缩。搦者，十指开合。掣者，势如相扑。颤者，头偏不正。反者，身仰后向。引者，臂若开弓。窜者，目直似怒。视者，露睛不活。是谓八候也。其四症，即惊、风、痰、热是也。

胎　惊

小儿初生下地，或软或硬，目不开光、全不啼哭、人事不知，乃胎中受惊，名曰“胎惊”。

治法：三关八十　分阴阳一百　六腑一百　脾土一百　运五经二十四　飞经走气　天门入虎口二十　揉斗肘

月家惊

小儿落地，眼红、口撮、头偏左右、手掐拳、哭声不出，是胎中热毒，或月内受风，痰涌心口，名曰“月家惊”。

治法：三关二十四　运八卦　四横纹五十　双龙摆尾　揉脐及龟尾五十　中指节　内劳宫　版门掐之　青筋缝上灯火七燋。气急，脐上七燋

潮热惊

小儿身热、气吼、口渴、眼红、四肢掣跳，伤食感寒而成，名曰“潮热惊”。

治法：三关一百　肺经一百　分阴阳一百　推扇门二十　如出汗加六腑一百　清心经一百二十　水里捞明月

脐风惊

治法见胎毒门脐风症。

呕逆惊

肚响、食呕、四肢冷、人事昏，是胃经伤食受寒，名曰“呕逆惊”。

治法：三关一百　肺经一百　脾土一百　分阴阳　运八卦　四横纹各五十　飞经走气　凤凰单展翅

泄泻惊

面青、唇白、肚响作泻、眼翻作渴、人事昏迷，因[①]六腑有寒，乳食所伤，名曰“泄泻惊”。

治法：推三关一百　分阴阳一百　大肠一百二十　脾土二百　二扇门一十　黄蜂入洞　揉脐及龟尾　脐围七燋

膨胀惊

寒热不均、气喘、眼白、饮食不进、青筋裹肚、肚腹胀泻，名曰“膨胀惊”。皆因食后感寒，脾不能运。

治法：三关二百　肺经五十　脾土二百　运八卦　分阴阳五十　揉脐一百　精宁穴　按弦搓摩　凤凰单展翅　用灯火肚上青筋四燋

① “因”，原本作“四”。扫叶山房本、人卫本同。据文义改。

盘肠惊

气吼、肚膨、饮食不进、人瘦体弱、肚起青筋、眼黄、手软、大小便不通、肚腹疼痛，名曰“盘肠惊”。此乃六腑有寒也。

治法：三关一百　脾土一百　大肠二百　运土入水一百二十　肺经一百　补肾水一百　揉脐及龟尾

脐周围灯火七燋，再用艾茸炙热一团扎脐上

马蹄惊

四肢乱舞、头向上，名曰“马蹄惊”。此因受风热，被吓之症也。

治法：三关二百　肺经一百　运八卦　脾土一百　天河水　大肠十五　飞经走气　以灯火爆四肢、肩[①]膊、喉下、脐下各一燋

鲫鱼惊

口吐白沫、四肢摆动、嘴歪、常[②]搭翻白眼，名曰“鲫鱼惊”。此肺经有风，脾经有寒[③]。

治法：三关[④]三百　脾土二百　肺经一百　八卦　清天河　运水入土五十　五经五十　补肾水[⑤]二十　掐五指节三次　按弦搓摩　口角上下灯火四燋[⑥]

① “肩”，原本作“周”。据扫叶山房本、人卫本改。
② “歪、常”，原本作“韭、堂”二字。据扫叶山房本、人卫本改。
③ “经有寒”，原本脱此三字。据扫叶山房本、人卫本补。
④ “关”，原本作“门”。据扫叶山房本、人卫本改。
⑤ “水”，原本作“小”。据扫叶山房本、人卫本改。
⑥ “下灯火四燋”，原本脱此五字。据扫叶山房本、人卫本补。

摆 手 惊

两眼向上、四肢反后、或两[①]手垂下、眼黄、口黑、人事昏沉，此因水吓，掐之觉痛者治之，不痛不治。

治法：三关　肺经各二百　横纹　天门　虎口　揉斗肘　运水入土　飞经走气

宿 沙 惊

日轻夜重、到晚昏迷、口眼歪斜、四肢掣跳、口鼻气冷，名曰“宿沙惊”。乃脾肾有寒之症也。

治法：三关　六腑各一百　四横纹　运八卦　分阴阳　掐五指节　掐肾水　打马过天河

急 惊

口眼歪斜、四肢搐掣、痰壅心迷、人事不省、其状如死，名曰“急惊”。乃肝经积热，风火之症也。

治法：三关　六腑　肾水　天河　脾土二百　肺经　运五经　掐五指节　猿猴摘果　咬昆仑穴　推三阴穴急惊从上往下

慢 惊

面青、唇白、四肢厥冷、人事昏迷、手足搐掣、眼慢、痰壅，名曰“慢惊”。由大病之余，吐泻之后，脾土虚败，肝木无风而自动也。

① “推”，原本作“四”。据扫叶山房本、人卫本改。

治法：先掐老龙穴。有声可治，无声不可治。次用艾灸昆仑穴　推三关　肺经　肾水　八卦　脾土　掐五指节　运五经　运八卦　赤风摇头　二龙戏珠　天门入虎口　用灯火手足心四燋　心上下三燋　推[1]三阴穴慢惊从下往上

内吊惊

两眼迷闭、哭声不止、面青眼黄、手眼往内掣者，名曰“内吊惊”。乃肺经受寒症也。

治法：三关　肺经　脾土　肾水各一百　双凤展翅　按弦搓摩

再以竹沥灌之。又以细茶、飞盐、皂角各末五分，水一钟；黄腊二分，锅内溶化；入前末为饼，贴心窝即效

天吊惊

眼向上、哭声号、四肢掣、口眼歪斜、鼻流清水，或衄血，此乃肺惊受风，或食后感寒而成，名曰“天吊惊”。

治法：三关　脾土　阴阳各一百　天河　六腑　肺经　八卦　揉五指　重揉大小天心

又云：总筋、青筋、耳珠掐之。又将灯火脐上下提之。

弯弓惊

头仰后、四肢向后、眼翻或闭、腹胀、哭声不止，此乃肺经受风，积痰致也，名曰“弯弓惊”。

治法：三关　肺经　脾经　八卦　天河　重揉手脚弯　内关中界　掐脐上下　青筋缝上、喉下各三燋　又须重揉委中

① “推”，原本脱。扫叶山房本同。据人卫本补。

书曰："手足后伸头后仰，灸脐上下即安康。"

蛇丝惊

口中拉舌、四肢冷而掣、哭声不出，乃心经有热，睡中食乳，口角入风，名曰"蛇丝惊"。

治法：三关　六腑　阴阳　八卦　天河　略推三关　多推肾水

如舌拉不止，灯火胸前六燋。

鹰爪惊

两手爬人、捻拳、咬牙、手往下、口往上、身寒战，名曰"鹰爪惊"。此因被吓伤乳，心有风热也。

治法：三关　脾土　阴阳　八卦

又在大指左右手足三弯掐之，再用灯火爆手心、太阳、眉①心、脚心各一燋。

乌沙惊

四肢掣跳、口唇青黑、肚胀青筋，名曰"乌沙惊"。此乃脏腑受寒之②症也。

治法：三关　肺经　八卦宜多推运　六腑　脾土少推　内劳宫　二扇门

再用灯火四心提之。肚上青筋缝上七燋。

---

① "眉"，原本作"看"。扫叶山房本同。据人卫本改。

② "之"，原本作"也"。扫叶山房本同。据人卫本改。

乌　鸦　惊

手足掣跳、口眼俱闭、大叫一声、形如死状，名曰“乌鸦惊”。乃心有热有痰，症类急惊是也。

治法：三关　肺经　六腑　天河水　捞明月　飞经走气　脾土

若吐，四心用灯火各一燋。

夜　啼　惊

治法见胎毒门。

锁　心　惊

口吐沫、鼻流血、四肢软、好吃冷物、眼白、不哭，名曰“锁心惊”。心、肝经有热，火盛痰壅之症也。

治法：三关　六腑　天河水　捞明月　分阴阳　运八卦　肾水　赤凤摇头

撒　手　惊

眼翻、咬牙、手足一掣一死，名曰“撒手惊”。乃心经被风吓，先寒后热，有痰之症也。

治法：三关　六腑　肺经各二百　天河　脾土　八卦　赤凤摇头

将两手相合，共掐横纹。若不醒，大指头上掐之。上下气闭，人中掐之。鼻气无出入、吼气、寒热作渴，随症治之。先承山，推眉[1]心。再用灯火手上手背各二燋。

① “眉”，原本作“看”。扫叶山房本同。据人卫本改。

若咬[①]牙，将两手捻[②]耳珠，屈中指揉颊车穴，又运土入水。

惊风二十四症，惟以急、慢二症为先。急惊属阳，皆由心经受热积惊，肝经生风发搐，风火交争，血乱气并，痰涎壅盛，百脉凝滞，关窍不通，内则不能升降，外则无所发泄，以致啮齿咬乳，颊赤唇红，鼻额有汗，气促痰喘，忽尔闷绝，目直上视，牙关紧急，口噤不开[③]，手足搐掣，此热甚而然。慢惊属阴，皆由大病之余，吐泻之后，目慢神昏，手足偏动，口角流涎，身体微温，眼目上视，两手握拳而搐。如口鼻气冷，囟门下陷，此虚极也。脉沉无力，睡则扬睛，此真阳衰耗而阴邪独盛，此虚寒之极也。急惊属实热，宜于清凉；慢惊属虚寒，宜于温补。对症施治，斯为的当。

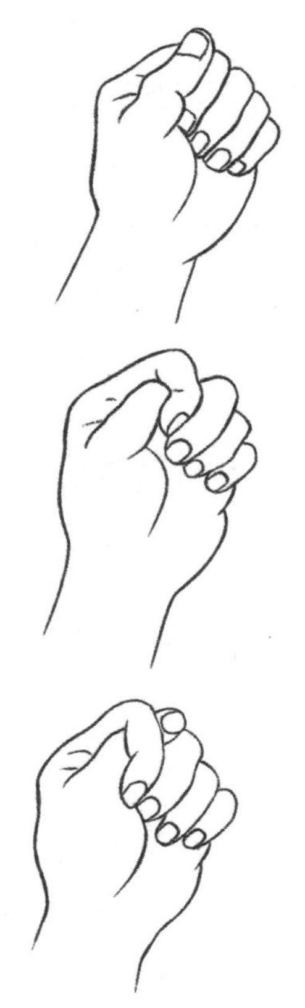

男向外顺，女向内顺；
逆则叉指，并是恶症。

图八十　惊风握拳之图

---

① “咬”，原本作“大”。据扫叶山房本、人卫本改。
② “捻”，原本作“然”。扫叶山房本同。据人卫本改。
③ “开”，原本作“门”。据扫叶山房本、人卫本改。

诸 热 门

诸热元初各有因，对时发者是潮名；
乍来乍止为虚症，乍作无寒属骨蒸。

夫胎热者，儿生三朝旬月之间，目闭[①]而赤、眼胞浮肿、常作呻吟，或啼叫不已、时复惊烦、遍体壮热、小便黄色。此因在胎之时，母受时气热毒，或误服温剂，过食五辛，致令[②]热蕴于内，熏蒸胎气，生下因有此症，名曰“胎热”。若经久不治，则成鹅口、重舌、木舌、赤紫丹瘤等症。又不可[③]以大寒之剂攻之，热退则寒起，传作他症。切宜慎之！

治法：推三关　退六腑　分阴阳　天河　三焦　揉外劳　运八卦自坤至坎，宜多二次　掐肾水　五总筋　十王[④]穴　运斗肘　水底[⑤]捞明月　虎口、曲池各用灯火一燋

潮热者，时热时退，来日依时而发，如潮水之应不差，故曰“潮热”。大抵气血壅盛，五脏惊热熏发于外，或夹伏热，或挈宿寒。伏热者，大便黄而气臭；宿寒者，大便白而酸臭是也。

治法：推三关　补心经　运八卦　分阴阳　泻五经[⑥]　掐十王　掐中指　六腑　捞明月　斗肘

惊热者，或遇异物而触目忤心，或金石之声而骇闻悚惧。是以心既受惊，而气则不顺，身发微热而梦寐虚惊、面光而汗、脉数、烦躁。治当与急惊同法也。

治法：推三关　肺经　分阴阳　推扇门　清心经　天河　五经　掐总筋　运斗

① “闭”，原本作“闲”。据扫叶山房本、人卫本改。
② “令”，原本作“冷”。扫叶山房本同。据人卫本改。
③ “可”，原本为空格。扫叶山房本同。据人卫本补。
④ “王”，原本作“黄”。扫叶山房本同。据人卫本改。
⑤ “底”，扫叶山房本同。人卫本作“里”。
⑥ “经”，原本作“躯”。扫叶山房本同。据人卫本改。

肘　捞明月　飞经走气

风热者，身热、面青、口中亦热、烦叫不时。宜疏风解热。若热甚而大便秘者，下之可也。

治法：推三关　泻大肠　掐心经　泻肾水　运八卦　掐总筋　清天河　二龙戏珠　运斗肘

烦热者，血气两盛，脏腑实热，表里俱热，烦躁不安，皮肤壮热是也。如手足心热甚者，五心烦也。

治法：推三关　掐中指①　泻五经　掐十王　运八卦　揉外劳　分阴阳　退六腑　捞明月　打马过天河　运斗肘。

脾热者，舌络微缩、时时弄舌。因脾脏积热，不可妄用凉剂。

治法：推三关　脾土　泻心火　肾水　运八卦　分阴阳　掐总经　推上三关二十四　退下六腑八十　捞明月　运斗②肘

虚热者，因病后血气未定，四体瘦弱，时多发热，一日三五次者。此客热乘虚而作，宜调气补虚，其热自退。

治法：推三关　补五经　捻五指　运八卦　捞明月　掐总经　推上三关二十四　退下六腑八十　分阴阳　飞经走气　运斗肘

实热者，头昏、颊赤、口内热、小便赤涩、大便秘结、肚腹结胀，此实热之症也，宜下之，泄去脏腑之热即安。

治法：推三关　泻五经　推大肠　清肾水　运八卦　推膀胱　分阴阳　捞明月　退六腑　打马过天河　飞经走气　运斗肘

积热者，眼胞浮肿、面黄、足冷，发热从头，至肚愈甚；或恶闻饮食之气、呕吐、恶心、肚腹疼痛。

---

① “指”，原本作“平”。扫叶山房本同。据人卫本改。

② “斗”，原本作“用”。据扫叶山房本、人卫本改。

治法：三关　五经　脾土　大肠　心经　三焦　肾水　运八卦　掐总筋　分阴阳　捞明月　退六腑　飞经走气　揉斗肘

疳热者，皆因过餐饮食，积滞于中，郁过成热。脾家一脏有积，不治，传[①]之别脏，而成五疳之疾；若脾家病去，则余脏皆安矣。

治法：推三关　补脾土　推大小肠　三焦　运八卦　掐总筋　分阴阳　捞明月　推上三关二十四　退下六腑八十　飞经走气　运斗肘

血热者，每日辰巳时发，遇夜则凉。世人不知，多谓“虚劳”，或谓“疳热”，殊不知此乃血热症也。

治法：推三关　推上三关　退下六腑　分阴阳　运八卦　五经　掐十王　掐总筋　肾水　捞明月　揉斗肘　按弦搓摩　飞经走气

骨蒸热者，乃骨热而蒸，有热无寒，醒后渴[②]汗方止，非皮肤之外烧也。皆因小儿食肉太早，或素喜炙煿面食之类，或好食桃李杨梅瓜果之类，或至冬月衣绵太厚，致耗津液而成；或疳病之余毒，传作骨蒸；或腹内痞癖，有时作痛。

治法：三关　六腑　运五经　分阴阳　清天河　捞明月　肾水　掐总筋　大横纹　打马过天河

壮热者，一向不止，皆因血气壅实，五脏生热。蒸熨于内，故身体壮热、眠卧不安、精神恍惚；蒸发于外，则表里俱热，甚则发惊也。

治法：三关　六腑　肺经　分阴阳　推扇门　清心经　天河　五经　总筋　运斗肘　捞明月　飞经走气

温壮热，与壮热相类，而有小异。但温温不甚盛，是温壮也。由[③]胃气不和，气滞壅塞，故蕴积体热，名曰“温壮热”。大便黄臭，此腹内伏热；粪白酸臭，则宿食停滞。宜微利之。

---

① “传”，原本作“傅”。据扫叶山房本、人卫本改。
② “渴”，扫叶山房本同。人卫本作“盗”。
③ “由”，原本作“出”。扫叶山房本同。据人卫本改。

治法：三关　六腑　五经　大肠　肾水　运八卦　膀胱　分阴阳　捞明月　打马过天河

变蒸热者，阴阳水火蒸于血气，而使形体成就也。所以变者，变生五脏；蒸者，蒸养六腑。小儿初生三十二日，为之一变；六十四日，为之[①]一蒸。十变五蒸，计三百二十日，变蒸俱毕，儿乃成人也。婴儿之有变蒸，譬如蚕之有眠，龙之脱骨，虎之转爪，皆同类变生而长也。先看儿身热如蒸、上气、虚惊、耳冷、微汗、上唇有白泡如珠，或微肿如卧蚕者，是其症也。重者身热所乱、腹痛、啼叫、不能吃乳。即少与乳食，切不可妄投药饵及推拿、火灸。若误治之，必致杀人，故不立治法，特书以告之。

伤　寒　门

伤寒之病有多般，一概推详便觉难；
面目俱红时喷嚏，气粗身热是伤寒。

伤寒一日，遍身发热、头疼、脑痛、人事昏沉、胡言乱语。
治法：推三关　六腑　天河　捞明月　分阴阳　运八卦　五指尖　斗肘
无汗掐心经、内劳宫、肩井有汗不用。

伤寒二日，结胸、腹胀、阻食、沉迷、内热外寒、遍体骨节疼痛。
治法：推三关　六腑　心经　分阴阳　运八卦　开胸
胸痛加肺经，饮食不进加脾土、曲池、阳池。

伤寒三日，遍身骨节疼痛、大小便不通、肚腹作胀。
治法：推三关　肺经　和阴阳　运八卦　开胸　揉斗肘　天河入虎口　四横纹　捞明月　赤凤摇头　揉太阳　揉五指节、攒竹、曲池、肩井

① “之”，原本作“二”。据扫叶山房本、人卫本改。

伤寒四日，脚疼、腰痛、眼红、口渴、饮[1]水不进、人事颠乱。

治法：推三关　六腑　曲池　虎口　二人上马　掐五指节　捞明月　飞经走气　打马过天河

伤寒五日，传遍经络，或大便不通、小便自利，或噎气、霍乱。

治法：推三关　天河　脾土　八卦　肾水　劳宫　肺经　打马过天河

伤寒六日，血气虚弱、饮食不进、腰痛、气喘、心疼、头痛。

治法：推三关　肺经　横纹　八卦　天河水　捞明月　赤凤摇头　按弦搓摩　飞经走气　曲池　肩井　合谷　阴阳

伤寒七日，传变六经，发散四肢[2]，各传经络，或痢或疟。加减推之。

治法：推三关　六腑　天河　肺经　横纹　肾水　八卦　和阴阳　天门、虎口　揉斗肘　曲池　肩井　太阳　推脾土

若[3]瘴疟，揉五指中节与节根。凡推疟疾，必以常用不易者推之，而后用此法即效。

呕 吐 门

面青唇白胃曾惊，吐哯黄痰冷热并；

乳食不通干呕逆，调和脾胃立惺惺。

有物有声名曰“呕”，干呕则无物；有物无声名曰“吐”。呕者有痰，吐则无声。呕吐，出物也，胃气不和。足阳明经，胃脉络而兼之，气下行则顺，今逆上行作呕吐，有胃寒、胃热之不同，伤食、胃虚之各异。病既不一，治亦不同。诸吐不思食，要节乳。凡吐不问冷热，久吐不止，胃虚生风，恐成慢惊之候，最宜预防。如已成

① “饮”，原本作“水”。据扫叶山房本、人卫本改。
② “肢”，原本作“腹”。据扫叶山房本、人卫本改。
③ “若”，原本作“皆”。据扫叶山房本、人卫本改。

慢脾风症，常呕腥臭者，胃气将绝之兆也。

热吐者，夏天小儿游戏日中，伏热在胃；或乳母感冒暑气，承[1]热乳儿；或过食辛热之物；多成热吐。其候面赤唇红，五心烦热，吐次少而出多，乳片消而色黄是也。

治法：推三关　脾胃　肺经　十王穴　掐右端正　运水入土　八卦　分阴阳　赤凤摇头　揉总筋　六腑　揉斗肘

冷吐者，冬月感冒风寒，或乳母受[2]寒，乘寒乳儿，冷气入腹；或食生冷，或伤宿乳，胃虚不纳，乳片不化，喜热恶寒，四肢逆冷，脉息沉微，吐次多而出少者是也。

治法：推三关　补脾胃　肺经　掐右端正　八卦　分阴阳　黄蜂入洞　赤凤摇头　三关八十　六腑二十四　斗肘

伤食吐者，夹食而出，吐必酸臭，恶食，胃痛，身发潮热是也。

治法：推三关　五指尖　掐右端正　推脾土　八卦　分阴阳　捞明月　打马过天河　六腑　斗肘

虚吐者，胃气虚弱，不能停留乳食而作吐也。

治法：推三关　补五经　多补脾胃　掐右端正　运土入水　八卦　分阴阳　赤凤摇头　三关二十四　六腑　补大肠　斗肘

泄泻门[3]

肝冷传脾臭绿青，焦黄脾土热之形；

① “承”，扫叶山房本同。人卫本作“乘”。

② “受”，原本作“又”。扫叶山房本同。据人卫本改。

③ “泄泻门”，原本作“泄滞”二字。扫叶山房本同。据人卫本改。

肺[1]伤寒色脓粘白，赤热因心肾热成。

胃为水谷之海，其精英流布以养五脏，糟粕传送以归大肠。内由生冷乳食所伤，外因风寒暑湿所感，饥饱失时，脾不能消，冷热相干，遂成泻利。若脾胃合气以消水谷，水谷既分，安有泻也？盖脾虚则吐，胃虚则泻，脾胃俱虚，吐泻并作。久泻不止，元气不脱，必传慢惊，宜大补之。

治法：推三关　心经　清肾水　补脾胃　掐左端正　侧推大肠　外劳宫　阴阳　八卦　揉脐及龟尾　掐肚角两旁　补涌泉　掐承山

寒症，加黄蜂入洞、三关、六腑、斗肘。

热症，加捞明月、打马过天河、三关、六腑、斗肘。

霍乱者，挥霍撩乱也。外有所感，内有所伤，阴阳乖隔，上吐下利，肠[2]扰闷痛是也。

治法：三关　肺经，八卦　补脾土　大肠　四横纹　阴阳　二人上马　清苍龙摆尾

又将独蒜一个捣碎，将烧纸隔七层敷脐。若起泡，用鸡蛋清涂之，即愈[3]。

腹痛门[4]

大凡腹痛初非一，不特症瘕与痃癖；
分条析类症多端，看取论中最详悉。

盖小儿腹痛，有寒有热，有食积，症瘕，偏坠，寒疝，及蛔虫动痛。诸痛不同，其名亦异，故不可一概而论之。

热腹痛者，乃时痛时止是也，暑月最多。

① “肺”，原本作“脯”。据扫叶山房本、人卫本改。
② “肠”，原本作“胜”。据扫叶山房本、人卫本改。
③ “愈”，原本作“无”。据扫叶山房本、人卫本改。
④ “门”，原本脱。扫叶山房本同。据人卫本补。

治法：三关　六腑　推脾土　分阴重阳轻　黄蜂入洞　四横纹

寒腹痛者，常痛而无增减也。

治法：三关　运五经　二扇门　一窝风　按弦搓摩　八卦　揉脐及龟尾

气滞食积而痛者，卒痛，便秘，心胸高起，手不可按是也。

治法：推三关　分阴阳　推脾土　揉脐及龟尾　掐威灵

若腹内膨胀，推大肠。

冷气心痛者，手足厥逆，遍身冷汗，甚则手足甲青黑，脉沉细微是也。

治法：推三关　八卦　分阴重阳轻　补肾　二扇门　黄蜂入洞　鸠尾前后重揉

要葱姜推之，发汗。

痢　疾　门

小儿下痢细寻推，不独成疳积所为；

冷热数般虽各异，宽肠调胃在明医。

赤白之痢，世人莫不曰“赤为阳为热，白为阴为冷”或曰“无积不成痢”。若以冷热之法互治，必难取效。不究其原，何由可疗？且四时八风之中人，五运六气之相胜，夏秋人多痢疾。内经曰：“春伤于风，夏生飧[①]泄。”其可拘于无积不成痢之说，岂一岁之中，独于夏秋[②]人皆有积乎？盖风邪入胃，木能胜土，不为暴下，则成痢疾；赤白交杂，此为阴阳不分；法当分正阴阳为主。

夹热而痢者，则痢下红色。此风能动血也。

治法：推三关　六腑　清心经　和阴阳　推大肠　脾土　八卦　肾水　揉脐及龟尾

① “飧”，原本作“食”。据扫叶山房本、人卫本改。

② “秋”，原本作“积”。据扫叶山房本、人卫本改。

夹冷而痢者，则下纯白冻，或白上有粉红色，或似猪肝瘀血，皆为阴症，盖血得寒则凝故也。

治法：推三关　八卦　脾土　大肠　和阴阳　天门、虎口　揉脐及龟尾

疟疾门[①]

夏伤于暑秋成疟，间日连朝不少差；

解表去邪须次第，再宜养胃固脾家。

夏伤于暑，秋必病疟，谓腠[②]理开而汗出遇风，或得于澡浴，水气含于皮肤，因卫气不守，邪气并居，其疾始作。伸欠寒栗、腰背俱痛，骨节烦疼，寒去则内外皆热，头疼而渴。乃阴阳二气交争，虚实更作而然。阴气独胜则阳虚，故先寒战栗；阳气独胜则阴虚，故先热。阴盛阳虚，则内外皆寒；阳盛阴虚，则内外俱热。阴阳各衰，卫气与病气相离则病愈；阴阳相抟，卫气与病气再集则病复。各随其卫气之所在，与所中邪气相合而然也。

疟疾兼呕吐、肚疼者。

治法：推三关　脾土　分阴阳　揉脐　运八[③]卦

痰疟一日一发者。

治法：推三关　肺经　分阴阳　八卦　按弦搓摩

久疟不退，而脾气虚弱者。

治宜补脾土二百　分阴阳一百　运八卦二百

邪疟至晚发者。

① “门”，原本脱。扫叶山房本同。据人卫本补。

② “腠”，原本作“凑”。扫叶山房本同。据人卫本改。

③ “八”，原本脱。扫叶山房本同。据人卫本补。

治宜推三关五十　脾土一百　分阴阳三百　八卦　六腑二百　天门入虎口

瘅疟，但热无寒者。

治宜推三关　脾土　分阴阳　八卦　肺经　六腑　间使　内关各一截　天门入虎口　斗肘

疳疾门[1]

五疳五脏五般看，治法详推事不难；

若见面黄肌肉瘦，齿焦发竖即为疳。

大抵疳之为病，皆因过餐饮食，于脾家一脏有积。不治，传之余脏而成五疳之疾。若脾家病去，则余脏皆安。苟失其治，日久必有传变，而成无辜之疾，多致[2]不救。可不慎哉！

治宜推三关　六腑　脾土　运八卦　大肠　五经　心经　清天河水　肶门　运水入土

积症门

头[3]疼身热腹微胀，足冷神昏只爱眠；

因食所伤脾气弱，下宜[4]迟缓表宜先。

夫[5]儿所患积症，皆因乳哺不节，过餐生冷坚硬之物，脾胃不能克化，积滞中

① “门”，原本脱。扫叶山房本同。据人卫本补。

② “致”，原本作“负”。据扫叶山房本、人卫本改。

③ “头”，原本为空格。扫叶山房本同。据人卫本补。

④ “宜”，原本为空格。扫叶山房本同。据人卫本补。

⑤ “夫”，原本为空格。扫叶山房本同。据人卫本补。

脘，外为风寒所袭。或因[①]夜卧失盖，致头疼，面黄，身热，眼胞微肿，肚腹膨胀，足冷，肚热，喜睡，神昏，饮食不思，或呕或哕，口噫[②]酸气，大便酸臭。此为陈积所伤，先宜发表，后宜攻积。

治宜推三关　六腑　多补脾土　掐四横纹　补肾水　分阴阳　掐大肠　揉版门　小横纹　运八卦退艮重　二[③]扇门　天门入虎口

发热、腹痛，加水里捞明月。大便秘结，多推六腑、小横纹，揉掐肾水。腹痛、泄泻，掐一窝风，揉脐及龟尾。

痞症门[④]

本因积久成顽结，男左女右居腹胁[⑤]；

俗云“龟痨[⑥]”不须听，化癖[⑦]调脾自安贴[⑧]。

夫痞与否同，不通一也。小儿乳哺不节，久停于脾[⑨]，不能克化，结成痞癖，突于胁下，或左或右，俗云“龟痨”。其疾皆因积滞蕴作，致有寒热，肚腹疼痛，昼凉夜热。气实者先攻其痞，后投补益；气虚者先与调固脾胃，神色稍正，饮食进多，再宜[⑩]攻之。若面黄，唇白，发竖，肌瘦，乃为虚极，不可轻下，但徐徐调理为上。

治宜推三关　脾土　大肠　肺经　四横纹　版门　精宁　二扇门　清肾水　运五经　小横纹　运八卦　小天心　黄蜂入洞　赤风摇头　久揉脾土

① “因”，原本作“困”。据扫叶山房本、人卫本改。
② “噫”，原本作“臆”。据扫叶山房本、人卫本改。
③ “二”，原本作“三”。扫叶山房本、人卫本同。据文义改。
④ “门”，原本脱。扫叶山房本同。据人卫本补。
⑤ “女右居腹胁”，原本作“女右居取胁”五字。扫叶山房本作“旁骨如痛胁” 五字。据人卫本改。
⑥ “痨”，原本为墨钉。据扫叶山房本、人卫本改。
⑦ “癖”，原本为墨钉。据扫叶山房本、人卫本改。
⑧ “贴”，原本作“祜”。扫叶山房本同。据人卫本改。
⑨ “脾”，原本作“脒”。据扫叶山房本、人卫本改。
⑩ “再宜”，原本作“系当”二字。扫叶山房本作“后宜”二字。据人卫本改。

痫症门[1]

惊传三搐后成痫，嚼沫牙关目上翻；
明辨阴阳参色脉，不拘轻重总风痰。

古人议痫最多，大抵胎内受惊，及闻大声大惊而得。盖小儿神气尚弱，惊则神不守舍，舍空则痰涎归之而昏乱，眩晕颠倒，口眼相引，目直上视，手足搐搦，背脊强直，或发时作牛、马、猪、羊、鸡、犬之声，便致僵仆，口吐涎沫，不省人事。凡得此症，大属风痰郁结，上迷心包。宜多投疏风化痰，顺气镇惊之剂。更须临症参详，乃无失也。

治宜推三关　六腑　肺经　补脾土　天门入虎口　揉斗肘　掐扳门　精宁　窝风　运天心　掐五指节　分阴阳　运八卦　赤凤摇头　按弦搓摩　威灵穴　揉中指　掐总筋　灸昆仑

咳嗽门

咳嗽虽然分冷热，连声因肺感风寒；
眼浮痰盛喉中响，戏水多因汗未干。

夫咳嗽者，未有不因感冒而成也。《经》曰："肺之令人咳何也？岐伯曰：皮毛者，肺之合也。皮毛先受邪气，邪气得从其合，则伤于肺，是令嗽也。"乍暖脱衣，暴热遇风，汗出未干，遽尔戏水，致令伤风咳嗽。初得时面赤、唇红、气粗、发热，此是伤风，痰壅作嗽。若嗽日久，津液枯耗，肺经虚矣。肺为诸脏华盖，卧开而坐合，所以卧则气促，坐则稍宽。乃因攻肺下痰之过，名曰"虚嗽"。又当补脾而益肺，藉土气以生金，则自愈矣。

治宜推三关　六腑　肺经往上一百二十　二扇门　二人上马　五总六转六掐　多

[1] "门"，原本脱。扫叶山房本同。据人卫本补。

揉肺俞穴　掐五指节　合谷　运八卦　多揉大指根　掐精宁穴　涌泉，天门入虎口　肱门

痰壅气喘，掐精灵穴，再掐肱门。

痰结壅塞，多运八卦。

干咳，退六腑。

痰咳，退肺经、推脾、清肾、运八卦。

气喘，掐飞经走气并四横纹。

肿　胀　门①

古今议肿是脾虚，大抵多从湿热为；

十种根因各调治，详分补泻在临机。

古方有十种论症，然脉浮为风虚，沉伏为水病；沉则脉络虚，伏则小便难，即为正水。脾脉虚大，多作脾肿。因循不治，乃致②水肿。盖脾属土，喜燥而恶湿，土败不能制水，则停蓄不行，留滞皮肤，故作浮肿。初得病时，是眼胞早晨浮突，至午后稍消。然此症夏与秋冬治之颇易，惟春不然；盖四时之水，无如春水泛溢，兼肝木旺而脾土受克，不能制水，所以难疗。进退不常，须徐徐调理取效。大凡小儿浮肿，先用发散，然后行泻法。

治宜推三关一百　推脾土一百　黄蜂入洞十下　运五经五十　二扇门二十　掐威灵二十　天门入虎口二十　斗肘二十　以上泻法,泻后补法:推脾土一百　分阴阳一百　补肾一百　运土入水四十　天门入虎口　斗肘各二十

春夏用水，秋冬用姜、葱、真麻油推之。再用酒一盏，飞盐少许，皂角一片为末，黄土一钟，同炒，布包倒合掌心，掐大指节，即消。

① “门”，原本脱。扫叶山房本同。据人卫本补。

② “致”，原本作“放”。扫叶山房本同。据人卫本改。

目 疾 门

小儿两目忽然红，盖因肝脏热兼风；
散风清火斯为妙，痘后须知宜别攻。

火眼之症，治宜补肾五百，推天河五百，六腑五百，分阴阳三百，运八卦二百，推脾土一百，水底捞明月一百，合谷、曲池、肩井各一截。

风眼之症，治宜推三关三百，揉肾三百，掐五指节一百，分阴阳三百，八卦一百，推天河二百，六腑一百，水底捞明月一百，合谷、曲池、肩井各一截。

杂 症 门

小儿头疮，治宜推三关一百、推肺一百、分阴阳一百、推脾一百、揉太阳一百、揉阳池一百。

小儿口内生疮，治宜退六腑一百、分阴阳一百、捞明月二十、清天河一百、清肾水二十、凤凰单展翅十下。

小儿偏坠，治宜推三关五十、推肾四百、揉肶门二百、分阴阳二百、八卦二百、天河二百、三阴交一截、承山穴一百。外用艾茸为囊，将肾子兜之，甚效。

小儿聤耳[①]流脓，治宜推三关一百、六腑一百、推脾十五。将耳珠揉，行前补后泻法二十。

小便黄赤，可清之。治宜清肾水自[②]肾指尖推往根下为清也，掐小横纹，二人上马，运水入土。如大小便俱闭，只宜分阴阳为主。

小儿眉目不开，治宜掐阳池穴宜久揉久掐，再推四[③]横纹。

① "小儿聤耳"，原本作"小耳停耳"四字。扫叶山房本作"小儿停耳" 四字。据人卫本改。
② "自"，原本作"白"。据扫叶山房本、人卫本改。
③ "四"，原本作"五"。扫叶山房本同。据人卫本改。

小儿口渴咽干者，气虚火动也。清天河为主。

小儿四肢厥冷，治宜推三关、补脾土为主。

小儿口哑不能语言，乃痰迷心窍也。清肺经为主。

小儿手不能伸屈者，风也。宜威灵穴揉之。四肢软者。血气弱也。宜补脾土，掐四横纹。手掐拳者，心经热也。急掐捞明月，及运八卦。

小儿头痛，揉脐及阳池、外劳宫。头向上者，宜补脾土、运八卦为主。

杂症推拿大法[①]

惊风不省人事。灸上星、涌泉、大指甲侧。

发热，目上视，宜泻心经，掐中平穴、横门、中指，俟眼正起指。

眼左视，掐右端正穴；右视。掐左端正穴。中指中节外边是。

吐血，两大指甲后一韭叶，即母腮穴。许平掐。

汗多是肾虚。多推补肾水，汗即止。

日间病重者，宜抑阳。

夜间病重者，宜抑阴。

子后火盛者，是阳火，宜泻之。午后火盛者，是阴火，宜补之。

先热后寒者，阴干阳。宜先泻[②]后补。

先寒后热者，阳干阴。宜先补后泻。

推浮肿者，脾土[③]宜补，阴阳宜分，肾水宜先补后泻。用灯火太阳、五心、脊骨上各灸，愈。

揉五指节，化痰用之。

推三焦，治心气冷痛。

推命门，止腰痛，补下元。

推横纹，通上[④]下之血气。

---

① “杂症推拿大法”，原本脱。扫叶山房本、人卫本同。据目录补。

② “泻”，原本为空格。据扫叶山房本、人卫本补。

③ “土”，原本作“上”。扫叶山房本同。据人卫本改。

④ “上”，原本作“土”。扫叶山房本同。据人卫本改。

推肶门，止小肠之寒气。

揉小天心，治肾水枯短。

截三关，袪腰背之风寒。

截风池，止眼瘴、头疼。

截昆仑，救半身不遂，大小便涩。

截曲池，通肺腑气血。治麻痹、半身不遂。

泄，龟尾骨上一燋。大便多而秽者不可止。

吐，心窝上下四燋。

口水多，推脾土。

脚软，鬼眼一燋。

手软倒蹭，后拐节弯上一燋。

内热外寒者，掐肾水即止。

外热内寒者，掐阳筋，汗出为度。

头软，心脐上下一燋。

作寒，掐心经转热。

作热，掐肾经转凉。

口不开，多揉脾，心口一燋。亦有心窝揉者。又有研朱砂一分，吹鼻，即开。

上吐下泻，多推胃与阴阳，灯火五心提之，肚上五火，背上[①]五火，效。

无门有纹，如针入眼，五色皆主死。

凡推法必似线行，毋得斜曲，恐动别经而招患也。

治鼻干，年寿推下两宝瓶效。或曰多推肺经，以鼻乃肺窍故也。

久揉脾土、后心，以肚响应之，谓之“内消”。

脊骨自下缓缓推上，虽大人可吐也。

小儿望后跌，承山掐之。

三里属胃，久揉止肚疼。大人胃气痛者通用。

小儿望前扑者，委中掐之。亦能止大人腰背疼。

便秘者，烧酒在肾俞推[②]上龟尾，推膀胱，推下承山。但脚里边在承山旁抽骨处，亦要推下。而推此顺气之法，无急胀之患。若泄泻亦要逆推，使气升而泄可止。

---

① “上”，原本作“土”。据扫叶山房本、人卫本改。

② “推”，原本作“雅”。扫叶山房本同。据人卫本改。

两手抄停，食指尽处为列缺，止头疼。中指尽处为外关，止腰背痛。大人通用。

掐靠山即合谷、少商、内关。劓疟用之。

掐精灵，治气喘、口歪、眼偏、哭不出声、口渴。

掐总经、推天河，治口内生疮、吐热、人事昏沉。

掐大指母腮穴，止吐血。

掐涌泉，治痰壅上。重则灸之。

揉二大指头顶，向外转三十六，随掐之。主醒脾消食。

推毕，掐劳宫，所以定气。

版门推上[①]横门[②]可吐，横门推下版[③]门可泄。二穴许对掐之。

运水入土，治身弱、肚起青筋。曰“水盛土枯”。

运土入水，治外由作胀、眼睁。曰“土盛水枯”。

危症，先劈面[④]吹气一口，若眼皮连动，睛活转可救。若鱼目，脾绝不治。

生血顺气，天门入虎口、揉斗肘。

推惊，不可拘推三回一之说，但推中回几下便是。

论穴有分寸者，以小儿中指屈中节度之为寸，折半为五分，非尺之谓。

惊之义，惊之为言“筋”也，筋见是也。

当时被吓，补瞳子髎，以两手提耳三四次，效。

小儿坏症一十五候

眼生赤脉水火困绝也贯瞳仁，囟门肿起又作坑心绝[⑤]；

指甲黑色肝绝鼻干燥肺绝，鸦声肺绝忽作肚青筋脾绝；

虚舌出口心绝咬牙齿咬人，肾绝，目多直视五脏俱绝不转睛；

鱼口肺绝气急肺绝啼不得，蛔虫既出脾胃俱绝死形真；

手足掷摇经过节，灵丹妙剂也无生。

---

① “上”，原本作“土”。据扫叶山房本、人卫本改。

② “门”，原本作“曰”。据扫叶山房本、人卫本改。

③ “版”，原本作“fee”。扫叶山房本同。据人卫本改。

④ “面”，原本作“而”。据扫叶山房本、人卫本改。

⑤ “绝”，原本脱。扫叶山房本同。据人卫本补。

断小儿面色恶症死候

齿如黄熟豆，骨气绝，一日死。面青、目陷，肝气绝，二日死。面白、鼻入奇轮，肺气绝，三日死。面黑、耳黄、呻吟，肾气绝，四日死。面上死筋，心气绝，五日死。口张、唇青、尾枯，脉绝，六日死。面目四肢肿，脾绝，九日死。

大凡病儿足趺[①]耳肿，大小便不禁，皆死候也。忽作鸦声者，是大肠绝也，不治。鱼口气粗，出而不返者，是肺绝也，不治。肝藏血，目乃肝之外应，爪甲青黑，血脉不荫，及目无光彩，筋缩则两手抱头，是肝绝，不治。眼青属肾，肾有两筋，自背脊直至脑门，贯其二睛；肾绝，两目向上，目不动者，不治。肾乃骨之主，肾绝则齿痒，咬牙咬人者，不治。鼻乃肺之外应，孔干黑燥，是肺绝，不治。面色黑黔者，不治。唇乃脾之外应，唇缩而不盖齿者，是脾绝，不治。胃主肌肤四肢，胃绝则毛发竖，手足不能收管者，不治。四肢汗出如油，是荣卫俱绝，阴阳离，津液散于四肢，如粘胶者，不治。头偃于后，天柱骨痿，心绝，颈骨不载，不治。或以为五软，非也。心主血，舌乃心之外应，舌短则语言不明，心绝则血不流行，身不温暖，及囟门凸起，或陷作坑，目多直视，是皆必死，不治。饮水不歇，是肺胃俱绝，其水直下大肠中去，必死。痢如死鹅鸭血者，是心绝；或臭秽如糟汤血水者，不治。

凡有顽涎出口鼻者，是风痰塞关窍，血脉不行；不纳汤药者，不治。心寒者，脉绝也，故令肺胀，不治。喉中拽锯，口吐白沫，是风痰闭窍，面色青黑、五孔干燥，不治。

以上诸症，是脏腑俱败，荣卫相离，气脉不生，皆不治之症。向有其症而救之，十或一二者也。

① “趺”，原本作“跌”。扫叶山房本、人卫本同。据文义改。

卷下

初 生 门

开乳方

初生小儿，对昼，先以甘草煎汁，进一二匙以下胎毒，然后进乳。

洗三方

用苦楝皮煎水洗之，可免疮疥虫虱之患。

延生第一方

小儿脐带落时，将瓦焙干为末，每一分配飞过朱砂五厘。以生地黄、宣黄连、当归身煎浓汁一二蚬壳，和前末抹儿口中或乳头上，一日服完。次日大便下污浊之物，终身可无痘疹疮毒之患。真延生第一妙方也！

胎 毒 门

红褐散

初生小儿脐带落后，风水侵脐，以致湿烂。

红色绒褐不拘多少，灯上烧灰为细末，敷于脐上，外以太乙膏贴之。

龙骨散

龙骨不拘多少，入炭火内煅令通红，取出冷定，研为细末，敷于脐上。外以膏药贴之。

蝎梢散

治百日内撮口、脐风及胎风。

蝎梢四十九个　僵蚕四十九个　片脑少许　麝香少许

先将薄荷叶包扎蝎、蚕在内，炒薄荷叶干为度，共研细入脑、麝再研匀。用紫雄鸡肝煎汤调下。

按：脐风、撮口，若两眉青色、脸赤、腹胀者，不可治也。

大连翘饮

治胎中受热，生下遍体赤色，大小便不利，及重舌、木舌、鹅口、疮疡等症。

柴胡　防风　荆芥　连翘　黄芩　山栀　木通　滑石　车前　瞿麦　蝉蜕　赤芍　甘草

五福化毒丹

治胎热、目闭、颊赤、鹅口、疮疡、重舌、木舌、喉痹、垂痈、游风、丹毒、二便闷结。

玄参三两　桔梗三两　甘草七钱　牙硝五钱　青黛一两　人参七[①]钱　茯苓一两五钱

末之，炼蜜为丸，如芡实大，朱砂为衣，薄荷汤下。疮疹后余毒上攻，口齿臭烂，生地黄汁化下。

小儿上有白点，如粟米状，名曰“鹅口”。以青布醮苦茶刮去恶血，不至落下喉中，即以金[②]墨涂之。又以甘草、黄连汁，和朱砂末、生蜜，饮之解毒。

水雄散

治小儿鹅口、马牙、重舌、木舌。

雄黄一钱　硼砂一钱　甘草末五分　冰片一分

为末，擦口内。

① “七”，原本作“北”。据扫叶山房本、人卫本改。

② “金”，扫叶山房本同。人卫本作“釜”。

钩藤汤

治初生小儿啼哭，而手足拳缩、身弯如虾者，盘肠瘹也。

钩藤钩一钱　枳壳五分　延胡索五分　甘草二分

上用水半钟，煎至二分，不拘时服。

惊风门

至圣宝命丹

治胎惊、搐搦、痰盛，及一切急慢惊风。

天南星炮　僵蚕炒，去丝嘴　防风各五钱　全蝎三十个，去毒，酒洗，焙干　白附子炮　天麻煨　蝉蜕各四钱　雄黄一钱　麝香少许

上为末，蜜丸一钱重，朱砂、金箔为衣，薄荷、灯心汤化下。

抱龙丸

治伤风、瘟疫、身热、昏睡、气粗、风热、痰实壅嗽、惊风潮搐，及虫毒[①]、中暑。沐浴惊悸之后，并宜预服。

牛胆南星四两　天竺黄一两　朱砂　雄黄各五钱　麝香另研，一钱

上研极细，加麝再研匀，以甘草膏和为丸，皂荚子大，薄荷汤下。

黄连安魂丸

外物惊者，元气本不病，此方治之。

黄连酒炒，一钱五分　朱砂细研　生地黄　当归各一钱　甘草炙，五分

上为细末，蒸饼为丸，如绿豆大。每服十丸，津下。

参苏饮

解惊风烦闷，痰热作搐，咳嗽气逆，脾胃不和。

① “毒”，原本作“青”。据扫叶山房本、人卫本改。

人参　紫苏　前胡　干葛　半夏　赤茯苓各七钱五分　枳壳　橘红　桔梗　甘草各五钱

上锉碎。每服二钱，水一钟，煎七分。无时温服。

木通散

小儿心肝有热，惊悸。用此药泻肝风，降心火，利惊热。

羌活　山栀子各二钱　大黄煨　木通　赤茯苓　甘草各一钱

上锉碎。每服二钱，入紫苏叶二片，水一钟，煎五分。不拘时服。

加味导赤散

利小便，去心热，定惊悸，止搐搦。

生地黄上　木通上　防风中　甘草中　山栀子中　薄荷叶下　麦冬中

入灯心、竹叶同煎。

通关散

治小儿惊风搐搦，关窍不通，牙关紧急。

南星炮　僵蚕炒　各一钱　麝香一字　牙皂角二定　略烧存性，为末　赤足蜈蚣一条，炙

上为末，以手点姜汁，蘸药少许擦牙。或用物引滴入药两三点，涎自出，口自开。

天麻防风丸

治惊风身热、气喘、多睡、惊悸、手足搐搦。

天麻　防风　人参各一两[①]　甘草　朱砂水飞　雄黄各二钱五分　蝎尾炒　僵蚕炒　各五钱　牛黄　麝香各一钱

上为末，炼蜜丸，樱桃大，朱砂为衣。每服一丸，薄荷汤下。

① “两”，扫叶山房本同。人卫本作“钱”。

镇肝丸

治急惊风，目直上视、抽搐、昏乱、不省人事。是肝经风热也。

天竺黄　生地黄　当归　竹叶　草龙胆　小川芎　大黄煨　羌活　防风各二钱五分

上为细末，炼蜜丸，如芡实子大。每服二丸，砂糖水化下。

珍珠丸

治惊风，痰热壅盛，及吊肠、锁肚、撮口，绝效。

南星炮　天麻煨　白附子炮　各一钱　腻粉五分　巴霜一字　芫荑炒，去壳　全蝎面炒　滑石水飞　各一钱五分

上为末，糊丸，粟米大。一岁五七丸，二岁十丸，大小加减。薄荷汤点茶清送下。

定志丸

治惊风已退，神志未定。以此调之。

琥珀　茯神　远志肉姜制，焙　人参　白附子炮　天麻　天门冬　甘草炙　枣仁炒

上为末，炼蜜丸，皂子大，朱砂为衣。每服一丸，灯心、薄荷汤下。

保生锭

通治急慢惊风，痰涎壅塞、口眼歪斜、四肢搐搦、天瘹惊惕，并睡中惊跳、夜啼惊哭，及跌扑惊恐。并宜服之。

代赭石醋煅，七次　蛇含石醋煅，七次　各二两　僵蚕　胆南星　钩藤钩　白茯神各一两　全蝎　天麻　枳实各五钱　白附子炮　薄荷叶各四钱　天竺黄六钱　朱砂五钱　雄黄三钱　冰片一钱　麝香四分

上为末，水煮糯米糊和成锭，每锭重五分，薄荷汤化服。慢惊，枣汤化服。夜啼不安，灯心汤下。

宁志丸

治心经血虚，惊悸恍惚。服之安神定志。

人参　白茯苓　茯神　柏子仁　琥珀　当归　枣仁　远志各五钱　乳香　朱砂　石菖蒲各三钱

上为末，蜜丸桐子大。每服二三十丸，食远枣汤送下。

醒脾散

治吐泻日久，转成慢惊，神昏、目慢、多困、有痰。

人参　白术　木香　白茯苓　白附子炮　天麻　全蝎炙　僵蚕炒，去丝　各等分

上为末。每服一钱，姜一片，枣一枚去核，煎汤调下。

补脾益真汤

治胎气素弱而成阴痫，气逆涎潮、眼目直视、四肢抽掣。或因变蒸客忤，及受惊误服凉药所作。

官桂　当归　人参　黄芪　丁香　诃子　陈皮　厚朴姜制　甘草炙　草果　肉豆蔻面包煨　茯苓　白术　桂枝　半夏汤泡　附子炮　各五钱　全蝎炒

上吹咀。每服三钱，加全蝎一枚，水一盏半，姜一片，枣一枚，煎六分，稍热服。服讫令揉心腹，以助药力。候一时方与乳食。渴者，加人参、茯苓、甘草，去附子、丁香、肉蔻。泻者，加丁香、诃子肉。呕吐，加丁香、半夏、陈皮。腹痛，加厚朴、良姜。咳嗽，加前胡、五味子，去附子、官桂、草果、肉蔻。足冷，加附子、丁香、厚朴。恶风自汗，加黄芪、桂枝。痰喘，加前胡、枳实、赤茯苓，去附子、丁香、肉蔻、草果。气逆不下，加前胡、枳实，去当归、附子、肉蔻。腹胀，加厚朴、丁香、枳壳。

小儿误服凉药，或用帛蘸水缴口，因此伤动脾胃，或泄泻，或腹胀，或腹中响。

小儿囟颅高急，头缝青筋，时便青粪[1]。

小儿肥壮，而粪如清涕，或如冻汁。

小儿时时扎眼，粪便青白沫，时有干硬。

以上五证，忽然呕吐者，必成阴痫，即慢惊是也。小儿头虽热，眼珠青白而足冷，或腹胀，或口破烂，或泄泻，或呕吐，或口渴，或目赤而足冷者，皆无根之火逆也，速服补脾益真汤。

---

① “粪”，原本为空格。据扫叶山房本、人卫本补。

术附汤

白术四两　甘草炙，二两　附子炮，去皮脐，一两

上为末。每服三钱，姜三片，枣一枚，水煎服。

按：附子温中回阳，为慢惊之圣药也。如元气未脱，用之无有不效。

聚宝丹

治慢惊。

人参　茯苓　琥珀　天麻　僵蚕　全蝎炙　防风　胆星　白附子生用　乌蛇肉酒浸，焙　各一钱　朱砂五分　麝香少许

上为末，炼蜜丸，桐子大。每服二丸，菖蒲汤下。

生附四君子汤

治吐泻、不思乳食。凡虚冷病，先与数服，以正胃气。

人参　白术　附子　木香　茯苓　橘红　甘草各等分

上为末。每服五分，姜枣汤下。

醒脾丸

治小儿慢脾风，因吐利后，虚困昏睡，欲生风痫。

厚朴　白术　天麻　全蝎　硫黄入豆腐中煮三五沸　防风　官桂　人参各一钱

上为细末，酒浸蒸饼和丸，如芡实大。每服一丸，温米饮汤化下。

夺命散

大能控风涎。不问急慢惊风，痰盛壅塞，其响如潮，药难下咽，命在须臾。先用此药入喉，痰即坠下。功有万全，夺天地之造化也。

青礞石一两　入罐子内，同焰硝一两，炭火煅通红，须硝尽为度，候冷如金色，取用

上为细末，急惊风，痰壅上、身热如火，用生薄荷自然汁，入蜜调，微温服之。良久，其药自裹痰坠下，从大便出，如稠涕胶粘，乃药之功也。次服退热、祛风、截

惊等药。慢惊风，亦以痰涎朝上[①]，塞住咽喉，药食俱不能入，医者技穷势迫，以待其尽。但用此药。以青州白丸子再研为末，煎如稀糊，熟蜜调下，其涎即坠入腹。次服术附等药。

青州白丸子

治小儿惊风、大人诸风。

半夏生，七两　南星生，三两　白附子生，二两　川乌生，五钱，去皮脐

上为末，以生绢袋盛，井花水摆出，如有渣滓更研，再入绢袋摆尽为度。于瓷盆中日晒夜露，至晚撇去旧水，别用井花水搅，又晒。至来天早，再换新水搅。如此法春三夏五，秋七冬十日，去水晒干如玉片，研细糯米煮粥清，丸如绿豆大。每服三五丸，薄荷汤下。瘫风，酒下。并不拘时。

琥珀抱龙丸

抱龙之义，抱者保也，龙者肝也。肝应东方青龙木，木生火，所谓生我者父母也。肝为母，心为子，母安则子安。心藏神，肝藏魂，神魂既定，惊从何生？故曰“抱龙丸”。理小儿诸惊，四时感冒风寒，瘟疫邪热，致烦躁不宁，痰嗽气急，及疮疹欲出发搐，并宜可投。

真琥珀一两五钱　天竺黄一两　檀香细锉　人参去芦　白茯苓去皮　各一两五钱　粉草三两，去节　枳壳去穰，麸炒　枳实去穰，麸炒　各一两　朱砂五钱　先以磁石引去铁屑，次用水、乳钵内细研，取浮者飞过，净器内澄清，去上余水，如法制以朱砂尽，晒干用　山药十两　珍珠五钱　牛黄一钱　胆南星一两　金箔四百片

上研极细末，炼蜜为丸，每丸五分重。其药性温平，不寒不燥，驱风化痰，镇心解热，安魂定惊，和脾健胃，添壮[②]精神。薄荷汤下。伤风发热、鼻塞、咳嗽，葱白汤下。痘疹见形、惊跳，白汤下。因着惊发热，睡卧不宁，灯心汤下。夏月发热、呕吐，麦门冬汤下。因吃母发热病乳，致身热不宁，甘草汤下。脾胃不和，头热，黄瘦，懒食，砂仁汤下。痰涎壅盛，生姜汤下。并不拘时服。初生数日者，每丸作四次服，或三分之一，或半丸。数岁者，每服一丸。量儿大小加减可也。

---

① “上”，原本作“土”。据扫叶山房本、人卫本改。

② “壮”，原本作“减”。扫叶山房本同。据人卫本改。

诸 热 门

生犀散

治心经虚热。

生犀角镑，取末，二钱　地骨皮　赤芍药　柴胡　干葛各一两　甘草炙，五钱

上为细末。每服二钱，水一盏，煎七分，温服。

地骨皮散

治虚热潮作，应时而发，如潮信之不失其期也。亦治伤寒吐热及余热。

知母　甘草炙　半夏　银柴胡　人参　地骨皮　赤茯苓各等分

如有惊热，加蝉蜕、天麻、黄芩。若加秦艽，名“秦艽饮子”。

十味人参散

治潮热、身体倦怠。

柴胡　甘草　人参　茯苓　半夏　白术　黄芩　当归　白芍　葛根

加姜三片，水煎服。

大柴胡汤

解利风热，痰嗽、腹胀，及里症未解而潮热。

柴胡四两　黄芩　白芍各一两半　大黄　半夏制　各七钱半　枳实七钱　甘草一两　小方故多用

上锉剂。每服二钱，水一盏，姜二片，煎七分，温服。无时。

天竺黄散

治小儿惊风热。

天竺黄　川郁金　山栀子　僵蚕炒，去丝嘴　蝉蜕去土　甘草等分

上为末。每岁五分，熟水、薄荷汤皆可服。不拘时。

甘露散

治小儿惊热，通利小肠，去惊涎，清心止烦，安神稳睡。

寒水石研，软而微青，中有细纹者是　石膏研　各二两　甘草末一两

上为末，和匀。量儿大小，或一钱或五分，热月冷服，寒月热服。用薄荷汤，或灯心汤调服。被惊，心热不宁，睡卧不安，皆可服。小便不通快，麦门冬、灯心汤调下。加朱砂名“加砂甘露散”。一方有赤茯苓一两，尤妙。

四顺清凉散

治三焦积热、遍身红肿、口唇生疮、惊痰潮热、大便秘结。

当归　赤芍药二钱①　川大黄一钱五分　炙甘草五分

上为末，每服一钱，薄荷汤下。如小便不通，灯心汤下。

栀子清肝②散

治三焦及足少阳经风热，耳内作痒、身热生疮，或胸间作痛、寒热往来。

柴胡　黑栀　丹皮各一钱　茯苓　川芎　芍药　当归　牛蒡炒　各七钱　甘草三分

上水煎服。

柴胡清肝散

治肝胆三焦风热怒火，或乍③寒乍热，或身热、头发疮毒等症。

柴胡一钱五分　黄芩炒　人参　川芎各一钱　黑栀一钱五分　连翘　甘草各五分　桔梗五分

上水煎服。

---

① “钱”，原本脱。据扫叶山房本补。

② “肝”，原本作“用”。据扫叶山房本、人卫本改。

③ “乍”，原本作“年”。据扫叶山房本、人卫本改。

滋肾丸

治肾热。

黄柏酒拌炒焦，三钱　知母二钱　肉桂五分

上为末，水法丸，桐子大。每服二十丸至三十丸，空心白汤送下。

牛黄凉膈丸

治风壅痰实，蕴积不散，头痛、面赤、心烦、潮热、痰涎壅塞、咽膈不利、睡卧不安，口渴、唇焦、咽痛、颊赤、口舌生疮。

牛黄一钱　甘草一两　寒水石　牙硝枯　石膏各一两[①]　紫石英　片脑　麝香各五分　胆星七钱五分

上蜜为丸，重三分。薄荷、人参汤，嚼下一丸。

三黄丸

治三焦积热、眼目赤肿、头项肿痛、口舌生疮、心膈烦躁、大小便秘涩、五脏实热，或下鲜血、疮疖热毒。

黄连　黄芩　大黄煨　各等分

上为末，炼蜜丸，桐子大。每服一二十丸，白汤送下。

火府丹

治小儿壮热。

生地黄　木通　甘草　黄芩

上水煎服。

金莲饮子

治小儿壮热、潮热、眼赤、口疮、心烦躁闷、咽干多渴。

防风　甘草炙　连翘　柴胡　山栀子各等分

上为末。每服二钱，水煎服。

---

① “两”，原本脱。据扫叶山房本补。

栀子仁汤

治阳毒吐热、骨节疼痛，下后热不退者。

栀子仁酒炒　赤芍　大青　知母各一两　升麻　黄芩　石膏各二两　柴胡一两五钱　甘草五钱　杏仁二两，去皮尖，炒微黄

上为粗末。每服三钱，生姜三片，水煎服。

五物人参汤

治肚热、咳嗽、心腹胀满。

人参去芦　甘草各半两　麦门冬去心　生地黄各一两半　茅根半握

上为粗末。每服二三钱，水煎服。

柴芩汤

治小儿温壮伏热来去。

柴胡三钱五分　麦门冬　人参去芦　赤茯苓　甘草各二钱五分　黄芩五钱

上锉散。每服二三钱，加小麦二十粒，竹叶三片，水煎服。

三黄犀角散

治温壮心热、神志不安、大腑秘结。

大黄酒浸，蒸　黄芩　黄栀子　犀角屑　钩藤钩　甘草

各等分，为末。每服五分，热汤调下。量儿加减。

地骨皮散

治小儿骨蒸、寒热往来、心膈烦悸，及伤寒后余热未解。

柴胡去芦　地骨皮各二两　知母　甘草炙　龟甲醋炙黄　黄芩　人参各二钱半　赤茯苓五钱

上锉碎。一岁二钱，水六分，姜、梅各一片，煎三分，不拘时服。

香[1]犀饮

治骨蒸潮热、盗汗、咳嗽、少食、多渴、面黄肌瘦、肚急、气粗。虚热、余热通用。

犀角屑　胡黄连各五钱　白茯苓　人参　川芎　秦艽　甘草　地骨皮　羌活　柴胡　桔梗各一两

上锉散。每服二三钱，乌梅、竹叶各少许，水煎服。

绛雪丹

治小儿烦热。

芒硝一两　朱砂一两

上为末，饭丸芡实大。三岁一丸，砂糖水化下。

竹叶石膏汤

治小儿虚羸少气、气逆欲吐、四体烦热。

石膏三两　半夏制　人参各七钱五分　麦门冬去心，一两　甘草炙，七钱五分　竹叶半把

上锉碎。每服二钱，加粳米三四十粒，生姜一片，水煎服。

龙胆丸

治小儿食后多发热，至夜则凉。此血热症。疳热亦治。

宣黄连去毛　赤芍各五钱　草龙胆去苗　青皮去穰　各一钱　槟榔一[2]个,大者　麝香少许

上为末，猪胆汁入少面糊为丸，萝卜子大。每二三十丸，米饮汤空心服。

六合汤

治小儿血热，每日巳午时发热，遇夜则凉。

当归　大黄　川芎　熟地黄等分

① “香”，扫叶山房本、人卫本作“灵”。

② “一”，原本为空格。据扫叶山房本、人卫本补。

水煎服。

四物二连汤

治血虚劳，五心烦热，昼则明了，夜则发热，胁肋刺痛；并一身尽热、日晡肌热。

当归身　生地黄　白芍药　大川芎　宣黄连　胡黄连

各等分，水煎服。

保和丸

治脾胃不和、饮食停滞、胸胀肚痛、嗳气、吞酸、身热、肚痛、或吐或泻。用此去滞消食，退热宽中。

山楂肉二两　神曲　麦芽　陈皮　半夏　茯苓　砂仁　香附各一两　莱菔子　连翘各五钱

水法为丸，白滚汤下。

当归补血汤

治肌热、躁热、目赤、面红、烦渴，昼夜不息；其脉洪大而虚，重按全无。此脉虚、血虚也，若误服白虎汤必死，宜此主之。

黄芪二钱　当归一钱

上用水钟半，煎五分服。

补中益气汤

治中气虚弱、体疲食少，或发热烦渴等症。

人参　黄芪各八分　白术土炒　甘草炙　陈皮各五分　升麻　柴胡各二分　当归三分

上姜枣水煎服。

加味逍遥散

治肝脾血虚、发热等症。

当归　甘草炙　白芍酒炒　茯苓去皮　白术炒　柴胡各一钱　丹皮　山栀炒　各七钱　去丹皮、山栀即逍遥散

上水煎服。

惺惺散

治变[1]蒸发热、咳嗽痰涎、鼻塞声重。

人参　白术　甘草　桔梗　白茯苓　天花粉　细辛根　白芍各一钱　薄荷少许

上用水姜煎服。

柴胡散

治变蒸骨热、心烦、啼叫不已。

人参去芦　甘草炙　麦门冬去心　各二钱　草龙胆酒[2]炒黑　防风各一钱　柴胡五分

上锉碎，每服一钱，水煎服。

平和饮子

治变蒸于三日后，三日进一服，可免百病。百日[3]内宜服。

人参去芦　甘草炙　各五分　白茯苓去皮，一钱　升麻煨，三分

上㕮咀，用水煎，不拘[4]时候服。禀受弱者，加白术一钱，肥大壮实者不用。

参杏[5]膏

治小儿变蒸潮热。

人参去芦　杏仁去皮尖　川升麻[6]制[7]　各五分　甘草二钱

---

① “变”，原本为空格。据扫叶山房本、人卫本补。

② “酒”，原本作“馕”。据扫叶山房本、人卫本改。

③ “日”，原本作“月”。扫叶山房本同。据人卫本改。

④ “拘”，原本作“拇”。据扫叶山房本、人卫本改。

⑤ “参杏”，原本此二字为空格。据扫叶山房本、人卫本补。

⑥ “麻”，原本为空格。据扫叶山房本、人卫本补。

⑦ “制”，原本作“两”。据扫叶山房本、人卫本改。

上为末。百日以前，每服一字，用[①]麦门冬去心煎汤，食远服。

伤　寒　门

冲和散

治四时感冒，初起遍身拘急、寒热交作、无汗、头疼、身痛、鼻塞、咳嗽。

白芷　防风　陈皮　羌活　川芎　杏仁　半夏制　各一钱　紫苏叶五钱　甘草七分

上为粗末。每服二三钱，加葱头一个，生姜一片，煎服。

羌活散

治伤风、伤寒、时气，头疼发热、身体烦痛、痰壅咳嗽、鼻塞、失音、声重，及时行下痢，赤白并治。

人参　羌活　赤茯苓　柴胡　前胡　独[②]活　桔梗　枳壳　川芎　甘草　苍术各等分

上锉剂。每服二钱，水一盏，姜二片，薄荷三片，煎七分服。

麻黄汤

发热、头痛、恶寒、无汗。

紫苏一钱　干葛　麻黄各八分　陈皮　升麻　川芎　白芷　赤芍药　香附　甘草各五分

姜一片，葱白一寸，水煎服。

桂枝汤

发热、头痛、有汗、恶风。

桂枝七分　赤芍一钱　甘草五分

① “用”，原本作“田”。据扫叶山房本、人卫本改。
② “独”，原本作“浊”。据扫叶山房本、人卫本改。

姜一片，水煎服。

升麻汤

治汗出未透，热留于胃，而皮肤发斑者；及时行瘟疫，并痘疹疑似之间，皆宜服之。

升麻　葛根　白芍　甘草

上用水一钟，姜一片，煎服。

小柴胡汤

治寒热往来、口干、作呕。

柴胡一钱五分　人参　半夏六分　甘草五分　黄芩一钱

姜三片，水煎服。

大柴胡汤

治伤寒邪热固结、大便不通，用此利之。

柴胡　黄芩　枳实　赤芍　半夏　熟大黄

各等分，水煎服。

柴芩汤

治寒热往来、泄泻、呕吐。

柴胡一钱五分　泽泻一钱　人参五分　黄芩一钱　半夏七分　甘草三分　白术　赤茯苓　猪[①]苓各八分

有汗加桂皮五分，加姜二片、枣二枚，水煎服。

黄连解毒汤

治伤寒大热不止、烦躁、口渴、喘满、蓄热等症。

黄连　黄芩　山栀仁　柴胡　连翘

① “猪”，原本作“偖”。据扫叶山房本、人卫本改。

上锉一剂，水煎服。

白虎汤

治伤寒身热而渴、有汗不解、脉来洪数而实。里有热乃可服。

知母　石膏　甘草

加粳米一撮，水煎，待米熟去渣，温服。如口渴兼发赤斑，依本方加人参，名“白虎化斑汤”。

小陷胸汤

治小结胸，心下痞满而软，按之则痛。

黄连二分　半夏五分　栝蒌仁三分　枳实二分

上锉一剂，生姜皮一片，水煎服。

开胸散

治伤寒结胸。

柴胡　黄芩　半夏　枳实　桔梗　黄连　栝蒌仁　山栀仁　甘草

上锉一剂，生姜一片，水煎服。

解[①]热下痰汤

治伤寒结胸[②]，有痰有实有气滞，咳嗽失声等症。

紫苏子　白芥子　枳实　黄芩　黄连　黄柏　栝蒌仁　石膏　杏仁　乌梅　桔梗

生姜一片，水煎服。

伤寒潮热、痰壅咳嗽，男妇大小皆可用。

郁金三钱　石膏煅，一两

上为末。每服一二匙，清茶送下。

---

① “解”，原本为空格。据扫叶山房本、人卫本补。

② “胸”，原本作“服”。据扫叶山房本、人卫本改。

呕吐门

和中清热饮

治热吐。

黄连姜炒，一钱　半夏姜制，一钱　茯苓一钱五分　陈皮　藿香　砂仁各七分

水煎，徐徐服之。

温中止吐汤

治寒吐。

白豆蔻　茯苓各一钱　半夏五分　生姜三片

水煎，磨沉香四分，热服。

香薷饮

治小儿感冒暑热、干呕无物。

白扁豆姜汁炒，去皮，二钱　厚朴姜汁炒，四钱　黄连炒，一钱五分　香薷八钱

上锉散，水煎，不拘时候服。

丁香丸

治呕吐不止。

丁香　半夏生，去皮　各①等分

上用生姜汁浸一宿，晒干为末，以生姜汁煮糊为丸，如黍米大。用姜枣汤下。

六君子汤

治虚吐不止、脉沉细、有寒。

人参　白茯苓　陈皮　甘草　半夏各一钱　白术一钱

① “各”，原本此字上有“剂”字。扫叶山房本同。据人卫本删。

上锉二剂。生姜二片，黑枣一枚，同煎服。

定吐紫金核

治小儿胃寒、呕吐不止。

沉香一钱　人参　白术　藿香叶　半夏　木香　丁香各二钱五分

共为末，煮面糊为丸，如芡实大，朱砂为衣，阴干。用时以大枣一枚去核，纳药一丸于内，湿纸包，煨熟，嚼化服，用米饮压之。

麦门冬散

治热吐不止、心神烦热。

麦门冬　淡竹茹各五钱　甘草炙　人参　茅根　陈皮各一钱

上为粗末。每服二钱，水一钟，姜少许，煎五分，稍热频服。

消食丸

治小儿乳哺不调，饮食过度，冷气积于脾胃，宿食不消，致令呕也。

缩砂仁　橘红　三棱煨　莪术煨　神曲炒　麦芽炒　各五钱　香附子炒，一两

上为末，面糊丸绿豆大。食后紫苏汤下二十丸。

泄　泻　门

清热止泻汤

治热泻。

白茯苓　滑石各一钱　白术六分　泽泻七分　川黄连姜炒，四分

加生姜二片，煎服。

温脾止泻汤

治寒泻。

白术土炒　白茯苓各一钱　肉果面裹煨，五分　甘草炙，二分　肉桂三分

加生姜二片，煎服。

安胃醒脾汤

治吐泻兼作，脾胃俱受病。

白术　白茯苓各一钱　滑石水飞　砂仁炒　各七分　木香五分

姜枣煎服。停食，加枳实、山楂、神曲、麦芽。夹惊，加胆星、天麻。风，加防风、干葛。暑，加香薷、扁豆。虚，加人参。内有热，加黄连。口渴，加乌梅肉。吐不止，加藿香。泻不止，加升麻。

香橘饼

止积泻、伤冷。

木香　青皮　陈皮各二钱五分　厚朴姜汁炒，七钱　神曲炒　麦芽炒　各五钱　三棱炮，三钱　香附　砂仁各五钱　甘草一钱

上为末，炼蜜丸，姜汤下。

五苓散

治小儿大便泄泻、小便不通。

白术　茯苓　猪苓　泽泻　肉桂减半

上锉剂，水煎服。

香砂平胃散

治感冒时气、瘴疠不和、伤食停滞、泄泻如水、心腹胀满、或时作痛、小便不利、身热、口渴。

苍术　厚朴姜汁炒　各二两　陈皮二两　甘草一两五钱　木香　砂仁各一两

上为末，姜枣汤下。

藿香正气散

治感冒寒暑、霍乱转筋吐泻，及伤寒头痛、憎寒、壮热。

大腹皮黑豆水洗净　白茯苓　紫苏　藿香　苍术　半夏各三两　白芷　厚朴　陈皮各二两　桔梗　甘草各一两

上为粗末，每服二钱，加姜枣，水煎温服。

六和汤

治冒暑，霍乱吐泻。

香薷　白扁豆姜汁炒，去皮。各一钱五分　赤茯苓　藿香　川厚朴姜汁炒　木瓜　砂仁去壳，研　各七分　半夏制　杏仁各八分　人参三分　甘草五分

生姜为引，水煎服。

玉露丸

治夏月中暑热泻。

白石膏煅通红，一斤　白龙骨煅红，一两　枯矾一两　泽泻一两　甘草五钱

上为末，糯米糊为丸。每服一钱，灯心汤下。

益元散

治小儿伏热泄泻、小便短赤、烦躁啼哭、满头疖痱、赤游丹毒等症。

滑石水飞，六两　甘草末一两　朱砂五钱

上用灯心汤调服，三伏天，水调服亦佳。如水泻不止，每益元散二钱，加五倍子末七分，灯心汤下。如泻而肚不痛、人事困倦，每益元散二钱，加白术末、山药末各一钱，灯心汤下。中暑吐泻，每益元散二钱，加藿香三分、丁香一分，淅米泔调下。

理中汤

治中寒吐痢、手足厥冷。

白术　干姜　人参　甘草炙①

加附子，名“附子理中汤”。

---

① “炙”，原本作“名”。据扫叶山房本、人卫本改。

上用水煎熟，加煨姜汁服之。

四神丸

治脾胃虚弱、泻利、腹痛、饮食不思，每至五更连泻数次。

补骨脂四两，盐水炒　肉豆蔻面裹煨，去油　五味子各三两　吴茱萸汤泡三次，炒，一两

上为末。用红枣五六十枚，生姜六两，用水煮熟，去姜用枣，去皮核为丸，如桐子大。每服三五十丸，白汤送下。

人参理脾丸

治泻痢日久、脾气虚弱、食少倦怠、面色痿黄、四肢无力、元气欲脱。

白术四两　人参　山药炒　扁豆姜汁炒　白茯苓　苡仁炒　神曲炒　各二两　陈皮　砂仁　甘草炙　各一两

炼蜜为丸，姜枣汤下。

参苓白术散

治小儿脾胃虚弱、元气不足、呕吐泄泻、自汗盗汗、饮食少思、中满痞噎。此药中和不热，久服养气育神，醒脾悦色。

人参　白术　茯苓　山药　甘草各二两　白扁豆姜汁炒　薏苡仁　莲子　砂仁　桔梗各一两

上为末，姜枣汤下。

久泻不止，大法补虚消积。

《凤髓经》云："脾中有积热迟留，至使终年泻不休；项软见人多哽气，更兼清水鼻中流；少间有似黄金色，若有垂肠更不收；形症又看胸膈上，胸前深赤汗[1]如油；唇赤生疮眼脉赤，若不调脾命即休。"

① "赤汗"，原本作"亦汁"二字。据扫叶山房本、人卫本改。

七味千金散

治痢下日久不瘥。

宣黄连八分　龙骨煨　赤石脂煅　厚朴姜汁炒　乌梅肉各二分　阿胶炒，三分　甘草炙，一分

上为末，米汤下。

腹　痛　门

益黄散

治脾胃虚寒[①]，腹痛、下痢。

陈皮一两　青皮　诃子肉　甘草炙　各五钱　丁香二钱

上为细末。每服二钱，水一盏，煎六分，食前服。

调中丸

治脾胃虚寒、下痢而腹痛。

白术土炒　人参　甘草炒　各五钱　炮干姜四钱

上为末，炼蜜丸，桐子大。每服一二十丸，食前温水化下。

当归散

凡小儿夜啼、面青、手冷、不吐乳，是脏寒腹痛也，宜此方服之。

当归去芦头[②]　白芍炒　人参各一钱　甘草炙，三分　桔梗　陈皮各一钱

上吹咀，煎五分，时时少服，愈。

七气散

治七情相干，阴阳不升降，气道壅滞，攻冲作疼[③]。

① “寒”，扫叶山房本同。人卫本作“热”。
② “头”，原本作“页”。据扫叶山房本、人卫本改。
③ “疼”，扫叶山房本同。人卫本作“痛”。

青皮　陈皮　桔梗　蓬术　官桂　益智仁各一两　甘草　半夏制　各七钱五分　香附子一两五钱

上为细末。每服一二钱，姜枣汤下，不拘时服。

三棱散

治积气肚疼[①]。

砂仁　甘草　益智仁　三棱　蓬术　青皮各等分

上为末，白汤下。

使君子丸

治腹内诸虫作疼[②]、口吐清水。

使君肉薄切，焙　槟榔　酸石榴皮洗净[③]，锉，焙　大黄半生半熟　各七钱五分

上除槟榔锉晒不过火，余三味再焙，同槟榔为末，沙糖水煮，面糊为丸，麻仁大。每服三十丸至五十丸，淡猪肉汁空心下。或鸡汁亦好。

乌梅散

治腹痛，及初生婴儿脐下冷痛等疾。

乌梅去核　玄胡索　粉草半生半炙　各五钱　乳香　没药　钩藤各三钱五分

上㕮咀。每服二钱，水一盏，煎[④]八分，空心服。

莪术丸

治诸般停滞、疳积发热、泻痢酸馊、水谷不化、肚腹疼痛。

莪术炮，锉　三棱炮，锉　净香附醋浸七日，慢火煮干再焙　各四两　槟榔一两，薄锉　生牵牛末一两，另研　青木香去芦　谷芽净洗，焙干　青皮去白　各五钱　荜澄茄　丁香　南木香另研　各四两[⑤]

① “疼”，扫叶山房本同。人卫本作“痛”。
② “疼”，扫叶山房本同。人卫本作“痛”。
③ “净”，原本作“牟”。扫叶山房本同。据人卫本改。
④ “煎”，原本作“前”。据扫叶山房本、人卫本改。
⑤ “另研。各四两”，原本无此五字。扫叶山房本同。据人卫本补。

上除槟榔、丁香、木香不过火，及牵牛末，余七味锉焙，仍[①]同槟榔、木香、丁香为末，临入牵牛末和匀，水煮面糊丸，绿豆大。每服三十丸至五十丸，无时。用淡姜汤或温茶、酒皆好。儿小者，丸粟米大，粒数下法如前。

和中散

和胃气，止吐泻，定烦渴。治腹痛思食。

人参去芦　白茯苓　白术　甘草锉，炒　干葛锉　黄芪　白扁豆炒　藿香叶各等分

上为细末，每服三钱，水一盏，红[②]枣二个去核，姜二片，煎八分，食前温服。

小儿未能语，啼哭不能辨者，当以手候其腹，如有实硬处，即是腹痛。外治之方，研生姜取汁，暖令温，调面成糊，涂纸贴脐心，立定。

痢　疾　门

大黄汤

红痢初起，腹痛、后重，宜[③]此下之。

大黄三钱，三岁以下者二钱，弱者一钱　赤芍二钱[④]　当归一钱　槟榔　黄连　枳壳各七分

水姜煎服，以利为度。

芩壳汤

白痢初起，腹痛、后重，用此下之。

大黄一[⑤]钱　黄芩　枳壳　苍术　陈皮各八分　厚朴　槟榔　木香　莪术

水煎服。

---

① “仍”，原本作“艿”。据扫叶山房本、人卫本改。

② “红”，原本为空格。据扫叶山房本、人卫本补。

③ “宜”，扫叶山房本作“用”。

④ “赤芍二钱”，扫叶山房本“赤芍”二字为空格，“二钱”作“一钱”二字。人卫本作“赤芍一钱”四字。

⑤ “一”，扫叶山房本、人卫本均作“二”。

加减黄芩芍药汤

调血和气。

白芍二钱　当归　黄连　厚朴　黄芩各一钱五分　槟榔　枳壳各七分　木香五分，磨入

血痢，加生地、地榆。白痢，加青皮、苍术。水煎服。

香连丸

治暑热伤脾、停积成痢、赤白相杂、里急后重、肚腹作痛、胀满恶心等症。

川黄连二十两，用吴萸十两同拌炒，拣去吴萸　广木香　川厚朴姜汁炒　广陈皮　陈枳壳麸炒　山楂去子　白芍药酒炒　各五两

上为末，醋糊水法为丸。

参连散

治下利日久、胃中虚热、噤口不食、呕秽恶心。此药解毒清热，开胃进食。

人参一钱　老莲肉去皮心，二钱　黄连七分　木香五分

上为末，陈米汤化下。

徐中垣先生家传香连散。

通治赤白痢疾。

当归酒洗　苍术米泔水浸，炒　杏仁去皮尖　红花酒洗　大黄酒蒸，晒干，再蒸九次为度　黄连吴萸汁拌炒　羌活各一两　木香五钱

上为末。每服一钱，白滚汤调下。胃口不开，老莲肉去心，煎汤调下。

便红散

治饮食不节，杂进无度，致伤脾阴，大便下血之症。

红曲、薏苡仁各等分，炒为末。每用一钱，空心米汤下。

疟疾门

驱疟散

治疟疾初起、寒热往来、头痛、烦渴、胸膈胀满等症。

知母　羌活　前胡　黄芩　苍术　陈皮　厚朴　茯苓　藿香各一钱　半夏　柴胡各一钱　甘草三分

上研为末。每服二钱，水钟半，姜一片，煎服。

食疟

腹膨、食少，或时作痛。

麦芽　神曲　槟榔　草果　柴胡　苏叶　苏梗各一钱

加姜一片，水煎服。

痰疟

咳嗽、喘急。

川芎　柴胡　贝母　知母　橘红　黄芩　苏子各一钱

水煎服。

风疟

头痛、骨节疼，或鼻塞气粗。

羌活　防风　苏叶　川芎　柴胡　白芷等分　甘草减半

水煎服。

惊疟

寒热发搐。

茯神　远志去心　麦门冬去心　柴胡　半夏姜制　各一钱　甘草二分

水煎服。

阴疟

至晚即发，累月不已。

人参　芍药　川芎　柴胡各一钱　甘草炙　红花各三分

水煎服。

截疟仙枣

治小儿疟疾，三发过，以此枣截之。

大北枣二枚去核，每个内放蓖麻子仁三粒，临发日五更咽下，以白滚汤送之。

痎[1]疟

久久不愈，胁下有块，俗名“疟母”。服鳖甲丸。

鳖甲酒炙，半片　蓬术醋煮，三两　青皮醋煮，三两　穿山甲土[2]炒，二两

上为末，用醋煮当归为膏，拌药丸如黍米大。每服二钱，用川芎、芍药、柴胡各一钱，人参五分，煎汤送下。

疳疾门

茯苓丸

治心疳、惊疳。

茯神　琥珀　黄连　芦荟　赤茯苓各三钱　远志姜制　菖蒲一钱　麝香少许　虾蟆炙　钩藤皮各二钱

上为末，米糊丸，如麻子大。每服十丸，薄荷汤下。

① “痎”，原本作“核”。据扫叶山房本、人卫本改。
② “土”，原本作“上”。据扫叶山房本、人卫本改。

芦荟丸

治肝疳，杀虫，和胃止泻。兼治脊疳。

芦荟研　胡连　川连　芜荑去扇　青皮　木香　鹤虱微炒　雷丸破开，白者佳；赤色者杀人，不用　等分　麝香少许　砂仁减半

上为末，米糊丸，绿豆大。每服一二十丸，米饮汤下。

清肺饮

治肺疳热，䘌穿鼻孔，汁臭，或生瘜肉。

紫苏　前胡　黄芩　当归　连翘　防风　赤茯苓　生地　天门冬去心　甘草炙　桔梗各一两　桑皮炒，五钱[①]

上细锉。每服二钱，水煎，食后服。

消疳肥儿丸

治小儿脾疳，面黄、肚大、水谷不化、大便酸臭、小便米泔、好吃泥土、茶米、瓦灰之类。

黄连　神曲　青皮各一两　麦芽五钱　木香二钱五分　槟榔五钱　肉豆蔻面裹煨，三钱　使君子肉五钱　山楂肉一两

上为末，炼蜜为丸，圆眼肉大。每服一丸，米汤化下。

消食饼

治小儿脾胃虚弱，时常伤食，面黄肌瘦、肚大腹胀。常服此饼，健脾消食。

山药炒　白茯苓去皮　神曲炒　莲子去皮心　麦芽炒　扁豆炒，去壳

上各为末。每服四两，和炒面一斤，以砂糖和，作饼食之。

猪肝散

治肝经积热，眼生白膜、怕日羞明、摇头、咬甲、肚大青筋、发竖、黄瘦。名曰“肝疳”。

---

① “钱”，原本作“一”。据扫叶山房本、人卫本改。

石膏煅，一两　石决明煅，三钱　海螵蛸滚水泡，一钱五分　辰砂水飞，一钱

共研细末。一二岁者，每次用药五分，以公猪肝尖[1]四两，竹刀切开，入药末于内扎之。将第二次淘米水煮，肝汤俱食，极效。

九味地黄丸

治肾疳[2]。

熟地四两　赤茯苓　山茱萸肉　川楝子　当归　川芎　丹皮　使君子肉　干山药各二钱[3]

上为末，蜜丸桐子大。每服七八十丸，空心温酒下。

走马牙疳方

五倍子焙　人中白　枯矾　绯丹焙紫色　轻粉少许　片脑少许

上共研匀，敷患处。

痞积门

和脾化积汤

治小儿一切诸积。后备加减法。

山楂　枳实　蓬术　厚朴　白术　甘草　陈皮

乳积，加砂仁、香附。气积，加木香、苏梗。惊积，加茯神、远志。虚积，加白术、茯苓。实积，加槟榔、牵牛。表有热，加柴胡、黄芩。里有热，加黄连、木通。小便不利，加滑石、泽泻。大便不通，加大黄、枳壳。寒月，加益智、草豆蔻。

消积化聚丸

治五积六聚，痞癖攻痛。

---

① “尖”，原本作“失”。扫叶山房本同。据人卫本改。
② “疳”，原本作“五”。扫叶山房本作“肝”。据人卫本改。
③ “各二钱”，原本脱此三字。扫叶山房本同。据人卫本补。

三棱　白术炒　茯苓　黄连　干漆炒，去煅尽　木香　益智炒　归尾酒洗　麦芽微炒　各三两　红花　砂仁炒　门冬　枳壳炒　穿山甲烧灰　青皮　柴胡　神曲炒　各二两　蓬术　槟榔炙　桃仁　香附姜汁拌炒　鳖甲醋炙　各四两

上末，蜜丸重三钱，空心陈米汤下。

遇仙丹

治一切五积六聚、食积、气积。

白丑取头末，四两，一半生，一半炒[①]　槟榔　牙皂　莪术　茵陈各五钱

上为末，醋糊为丸。每服五七分，白汤送下。

琥珀膏

大黄　朴硝各一两

为末。以大蒜捣贴之。

五色保童丸

治小儿一切所伤。痰涎壅塞、胸膈不利、乳食不消、变生癖积、胁肋片硬、按之疼痛。及治一切急慢惊风、发搐、痰涎壅塞。

青丸子

青黛另研　南星姜制　各五钱　巴霜五分

红丸子

朱砂水飞　半夏姜制　各五钱　巴霜五分

黄丸子

大黄煨　郁金各五钱　巴霜五分

白丸子

白附子生　寒水石煅　各五钱　巴霜五分

黑丸子

五灵脂炒　全蝎炒　各五钱　巴霜五分

---

① “炒”，扫叶山房本同。人卫本作“熟”。

上前五色药，各另研为细末，入巴霜五分，研匀，面糊丸，粟米大。一岁服五丸，乳汁送下。量大小加减，或姜汤下。急惊风，金钱薄汤[①]；慢惊，生姜、全蝎汤。

化痞阿魏膏

羌活　独活　赤芍　穿山甲　玄参　官桂　生地　大黄　白芷　天麻　两头尖[②]各五钱　木鳖子十枚，去壳　红花四钱　乱发一团　槐　柳　桃枝各三钱

上用香油二斤四两，煎黑去渣，入发煎化；仍去渣，徐下黄丹十两，煎软[③]硬得中；入芒硝、阿魏、苏合香油、乳香、没药各五钱，麝香三钱，调匀即成膏矣。将帛绢摊，贴患处。内[④]服丸药。黄丹须用山东者效。

凡贴膏药，先用朴硝随患处铺半指厚，以纸覆上，用热熨斗熨良久。如硝耗再加，熨之二时许，方贴膏药。

痫症门

五色丸

通治五痫。

朱砂研，五钱　水银一分　雄黄熬，一分　铅三两，同水银熬　珍珠末研，一两

上为末，炼蜜丸，如麻子大。每服三四丸，金银、薄荷汤下。

散风丹

治小儿风痫。先用此药。

牛胆南星二钱　羌活　独活　防风　天麻　人参　川芎　荆芥穗　细辛各一钱

上为末，炼蜜为丸，如梧子大。每服二丸，用薄荷、紫苏汤，不拘时送下。

---

① "金钱薄汤"，扫叶山房本同。人卫本作"金银薄荷汤"五字。
② "尖"，原本为空格。扫叶山房本同。据人卫本补。
③ "软"，原本作"饮"。扫叶山房本同。据人卫本改。
④ "内"，原本为空格。扫叶山房本同。据人卫本补。

独活汤

治小儿风痫。解表通里。

独活　麻黄去节　川芎各一钱　大黄　甘草炒　各五分

上锉碎。每服二钱，用水一钟，生姜二片，煎至四分[1]，不拘时温服。

牛黄丸

治小儿风痫迷闷、抽掣涎潮。

牛胆南星　全蝎焙，去毒　蝉壳各二钱五分　防风　牛黄　白附子生　直僵蚕炒，去丝嘴　天麻各一钱五分　麝香五分

上为末。以煮枣去皮核取肉，和水银半钱，研极细，次入药末，和丸如绿豆大。每服三四丸，用荆芥、生姜煎汤送下，不拘时服。

七宝镇心丸

治小儿惊痫、心热。

远志去心，姜制，炒　雄黄　铁粉　琥珀各二钱　朱砂一钱　金银箔四片　麝香少许

上为细末，煮枣取肉为丸，如梧子大。每服三五丸，煎去心麦冬汤化下，不拘时服。

清心丸

治小儿躁闷、项背强直、腰背反张、时发时醒、大人中风、小儿惊风。

牛黄一两二钱，研　麝香研　龙脑另研　羚羊角末　各一两　当归去芦　防风去芦　黄芩　麦门冬去心　白芍药　白术各一两半　柴胡去苗　杏仁去皮尖双仁，麸炒黄，另研　桔梗　白茯苓去皮　芎䓖各一两二钱半　阿胶锉碎末，蛤粉炒　肉桂去粗皮　大豆卷碎炒　各一两七钱半　蒲黄炒　人参去芦　神曲炒　各二两半　甘草炒，五钱　雄黄八钱，飞，另研　白蔹　干姜各七钱半　金箔一千二百片，留四百片为衣　犀角末二两　干山楂十两　大枣一百枚，蒸熟，去皮核，烂研成膏入药

上除枣、杏仁及牛黄、麝香、雄黄、龙脑四味，另为细末，入前药和匀，炼蜜

[1] "分"，原本为空格。据扫叶山房本、人卫本补。

与枣膏为丸，每两作十丸，用金箔为衣。每服一丸，温白汤化下，食后服。小儿惊痫，即酌度多少，以竹叶煎汤，温温化下。

咳嗽门

苏陈九宝饮

治小儿咳嗽声重、自汗、头疼。

苏叶　杏仁　半夏　桑白皮　陈皮　前胡各一钱　甘草　大腹皮　薄荷　桂枝各七分

渴加花粉。汗多，去紫苏。姜葱水煎服。

加味二陈汤

咳嗽有痰、气急而喘。

陈皮五分　半夏　胆星　枳实　杏仁各七分　栝蒌仁三分　麻黄　甘草各二分　石膏八分

火盛，加芩、连。有汗，去麻黄。水二钟，姜一片，煎服。

利痰方

南星　玄明粉各一两　郁金　硼砂各三钱　白矾五钱

上为末。腊月黑牯牛胆拌套阴干，量病轻重，淡姜汤下。

陈孟昭先生白杏汤

定喘止嗽。

款冬七分　杏仁去皮尖，五粒　桑皮蜜炙，七分　苏子炒，七分　陈皮七分　北五味三分　麻黄五分　甘草三分　白果肉七枚，捣碎

加姜、枣，煎服。

泻白散

治小儿肺实咳嗽、闷乱喘促、渴饮水浆。

桑白皮蜜水炒，一两　地骨皮二两　甘草五钱

上为粗末。每服二钱，水一钟，粳米一撮，同煎五分，食远服。

阿胶丸

肺虚而咳嗽、嗽动汗出、大便不固，此方敛之。

阿胶蛤粉炒　百合各一两　五味子　甘草炙　款冬花蜜水炙　乌梅肉炙，五钱　粟壳蜜炙，三钱

上为末，炼蜜丸芡实大。每服一丸，五更白汤下。

贝母散

治火嗽、痰嗽，多日不愈。

贝母去心，一钱　桑白皮一钱　五味子十粒　甘草五分　知母二分　款冬花一钱五分　杏仁一钱，去皮尖

上锉一剂，姜一片，水煎服。

肿 胀 门

塌气丸

治饮水过多，停积于脾，故四肢浮肿。宜服此以消之。

萝卜子　赤小豆　陈皮各一钱　木香二分　甘草五分　黑丑一钱

上为末，糊丸如绿豆大。三岁者服三十丸，米饮汤下。

推气丸

陈皮　槟榔　枳实　黄芩　黑丑　蓬术　青皮各等分

上为末，炼蜜丸如龙眼大。每服一丸，姜汤下。

补中行湿汤

治诸般虚肿、小水不利者。

陈皮　甘草　苍术　厚朴　白术　人参　茯苓　猪苓　泽泻　肉桂

水一钟，姜三片，灯心十二根，煎五分，不拘时服。

匀气散

治脾肺气逆、喘嗽、面浮、小便不利。

桑白皮　桔梗　赤茯苓　熟半夏　陈皮　甘草　木通　泽泻　藿香

水一钟，姜一片，灯心二十根，煎五分，不拘时服。

荣卫饮子

治小儿气血俱虚，四肢头面俱浮，以至喘急者服之。

川当归　熟干地黄　川芎　白芍　人参　白术　茯苓　甘草　枳壳　黄芪　陈皮

水二钟，煎五分，不拘时服。

杂症门

眼痛者，火盛也。小儿患眼肿痛，不可妄投寒凉之药，宜拔毒膏主之。

拔毒膏

用淮地黄一两，新汲水浸透，捣烂贴脚心涌泉穴。布[①]包，佳[②]效。

通天散

治小儿风火赤眼，痛痒肿胀。

① “布”，原本作“在”。据扫叶山房本、人卫本改。
② “佳”，原本作“住”。扫叶山房本同。据人卫本改。

牙硝五钱　雄黄三钱，水飞

共为细末，每用[①]少许吹鼻中。流出清水，双目流泪，即效。

丹瘤者，流也。片片如脂，游走而不定之谓也。始于胎毒，后因烘衣受热而得，故从心腹而发于四肢者易治，从四肢而入心腹者难治。入心、入腹、入囊，作胀、作泻、舌干、神乱者，则不可救矣。

黄连法

牛肉切成薄片，晒半干，用黄连煎浓汁，将牛肉片投入黄连汁内，泡片时，以牛肉贴丹瘤上，干再换易。数次即效。

白玉散

寒水石、滑石等分为末，鸡子清调敷患处。

又方

绿豆粉二钱　伏龙肝五钱　水粉五钱

共为末，鸡蛋清调敷。

消毒散

金银花　当归　赤芍　生地　牛蒡子　连翘　防风　天花粉　羌活　犀角屑

上用水一钟，灯心二十根，煎五分，不拘时服。上身者，加川芎、桔梗；下身者，加木通、黄柏。

脓耳者，少阳风热炽盛而上升也。小儿耳中出脓臭烂，或作疼痛，日久不愈，令儿耳聋。治宜疏热散风，外以黄连散主之。

① “用”，原本作“服”。扫叶山房本同。据人卫本改。

黄连散

枯白矾　龙骨煅　黄丹水飞　胭脂　海螵蛸水泔浸

上为细末，加麝香少许，再研。先以纸条捻干脓水，后以药吹入。切要避风。

口舌生疮者，心脾蓄热也。舌本乎心，口属乎脾；二经郁热，则口舌生疮，各宜推类而治之。其脉左寸洪数，心经实热；右关沉实，脾经实热。治宜清凉之剂。脾虚中气不足，口疮服凉药不愈者，内以理中汤，外以阴阳散主之。

冰硼散

治口舌生疮破烂、重舌、木舌。

硼砂五钱　辰砂一钱　冰片一分

共为末，搽口内。

大连翘饮、五福化毒丹俱见胎热门，**理中汤**见泄泻门

阴阳散

川黄连、干姜各等分，为末敷之。

加味甘桔汤

治小儿咽喉肿痛、风热等毒。

桔梗一钱　防风　荆芥　薄荷叶　甘草　黄芩各五分

上锉剂。水煎，食后服。

碧雪散

治心肺积热，上攻咽喉，肿痛闭塞，水浆不下。

真青黛　硼砂　焰硝　蒲黄　甘草各等分

吹入咽喉，吐去涎痰即效。

黄水疮，多生小儿头面，或耳，或眉目，或口鼻，黄水流至即生，以蛤粉散敷之，效甚。

蛤粉散

蛤粉　煅石膏　黄柏末各一钱　轻粉五分

上为末，以麻油调搽二三次，即愈。

治小儿赝头疖，脓血不止，挤去一泡，复起一泡

松香四两　铜绿八钱　杏仁七十五粒，去皮尖　木鳖子五个，去壳　乳香五钱　没药五钱　血竭一钱　轻粉一钱　蓖麻子去壳取仁，一钱

同捣千余下，成膏贴之。

治小儿头上白秃疮

寒水石煅过，少加枯矾、花椒、松花、蛤粉共为末，麻油调敷，即效。

治小儿脱肛

先以葱汤熏，或以陈壁土熏洗，后用五倍子烧灰存性，托上。

治小儿诸骨鲠喉

灯心以竹筒填满，烧灰，用米汤化开，调灌下。勿犯牙，即效。

又方

以象牙末吹之，妙。

治小儿遗尿

破故纸盐水炒为末，每用一钱，滚汤调下。

治小儿痰核

五倍子煎化，滤去渣，加入牛皮胶同熬成膏，敷上，纸盖之。

瘰疬方

肥皂子烧灰存性，为末。每服二钱，好酒调下。

又方

马鞭草不拘多少，日日煎酒饮之。或煎汤，随意饮之。

治癣方

芦荟、甘草、枯矾、飞丹共为末，米醋调敷。

治小儿冻烛[①]方

白芷、肉桂、狗骨共为末，烛油调敷。

治漆疮方

用螃蟹一个，捣碎搽敷，神效。内服通圣散。

治蛇虫咬毒，才作服之。

青黛、雄黄各等分，研细。每服二钱，新汲水调下。

治蜘蛛咬成疮

雄黄一钱　麝香半分

上为末，用蓝靛汁和，涂疮上。如无靛汁，以青黛五分，入水内和，涂之即效。

治烫火伤

用槐角子烧灰为末，香油调敷[②]。

---

① “烛”，扫叶山房本同。人卫本作“瘃”。
② “敷”，原本作“莛”。人卫本作“上”。据扫叶山房本改。

幼科推拿秘书

辑 清·骆如龙

校注 罗桂青 李磊

校勘说明

《幼科推拿秘书》，又名《幼科推拿全书》《推拿秘书》，清·骆如龙撰，成书于清康熙三十年（1691 年），初刊于清雍正三年（1725 年）。骆如龙，字潜庵，历阳（今安徽和县）人，生平不详。该书五卷，卷一列《保婴赋》等歌赋及杂论儿科诊法；卷二述推拿穴位；卷三论各种推拿手法；卷四为多种病症的推拿治法；卷五载儿科药方。全书内容丰富，叙述儿科病症及推拿治法甚详，是清代小儿推拿的重要著作。现存有多种清刊本及多种排印本。

本书以乾隆五十年（1785 年）金陵四教堂刻本为底本（以下称原本），以 1931 年商务印书馆铅印本（以下简称商务本）为对校本进行校勘。兹将有关校勘事项说明如下。

1. 原书竖排，兹改为横排。

2. 原书重新标点。

3. 原书中的古今字、通假字、异体字、俗体字等，一律改为现今的通行字。

4. 原书中表示上下之意的“右”字一律径改为“上”字。

5. 原书中的明显错讹字，径改不出校注。

6. 原书中插图比照原图重新绘制。

目录

序①

余先严潜庵大人曰："育养小儿，难事也。读《康诰》'保民如保赤'，诚求可知矣。盖因体骨未全，血气未定，脏腑薄弱，汤药难施。一有吐泻、惊风、痰喘、咳嗽诸症，误投药饵，为害不浅。惟推拿一法，相传上帝命九天玄女，按小儿五脏六腑经络、贯串血道，因其寒热温凉，用夫推拿补泻，一有疾病，即可医治，手到病除，效验立见，洵保赤之良法也。但此专用医者之精神力量，不若煎剂丸散，三指拈撮，便易后事，故习学者少而真传罕觏矣。予得此良法秘书已久，历试都验，不忍私藏，意欲公世；因而手著，最为详晰，分为五卷，附以祝由。俾养育之家，开卷了然，随用立效；育婴秘法，尽载斯编。编订于康熙辛未平分日也，因序于历阳秩城丹台之书屋。"以待梓迄今。雍正三年乙巳中秋，不肖男民新自颍州学退老过白下，敬捡付梓，以慰先严少怀之志。适浙友孙子荆山见而亟赞之，曰："上帝命九天玄女达救婴儿之洪恩，永济勿替矣！"

① "序"，原本脱。商务本无此序。据文义补。

推拿秘书卷之一

保　婴　赋

人禀天地，全而最灵。原无夭札，善养则存。始生为幼[①]，三四为小。七龆八龀，九童十稚。惊痫疳癖，伤食中寒。汤剂为难，推拿较易。以其手足，联络脏腑。内应外通，察识详备。男左女右，为主看之。先辨形色，次观虚实。认定标本，手法祛之。寒热温凉，取效指掌。四十余穴，有阴有阳。十三手法，至微至妙。审症欲明，认穴欲确。百治百灵，万不失一。

保　生　歌

要得小儿安，常带饥与寒；

肉多必滞气，生冷定成疳；

胎前防辛热，乳后忌风参；

保养常如法，灾疾[②]自无干。

变　蒸　论

小儿有变蒸热症。变蒸者，所以变化脏腑，坚强骨脉。是阴阳正气，阳气行于旦，变人物之情性；阴气行于夜，变人物之形体。故小儿自初生至四岁、八岁，三十二日一变蒸，而肾气足。八八六十四日再变蒸，则膀胱气足。以后每增四八则一蒸，使

---

① “幼”，原本作“黄”。据商务本改。

② “疾”，商务本作“病”。

五腑气俱足。到三百二十日，凡十蒸[①]变，则诸脏气足。小蒸既毕，然后大蒸。又积至二百零六日[②]，大蒸三遍毕，然后出蒸。是一岁零七个月，大小蒸俱毕。或一日二日发热，此不可推。痘疹亦然。推则拂乱其气，反受其伤。故下手要观五色、辨音、细问、切脉、察病数件，庶不有误也[③]。

察儿病症秘旨

小儿之疾，大半胎毒，小半食伤；外感风寒之症，什一而已。儿在胎中，母饥亦饥，母饱亦饱；辛辣适口，胎热即随；情欲动中，胎息辄[④]噪；专食煎炒，恣味辛酸，喜怒不常，皆能令子受患。母若胎前不能谨节，产后不能调养，惟务姑息，不能防微杜渐，未满百日，遽与咸酸之味；未及周年[⑤]，辄与肥甘之物；则百疾由是而生焉。小儿脾胃，本自娇嫩，易于损伤。乳食伤胃，则为呕吐。乳食伤脾，则为泄泻。吐泻既久，则成慢惊。乳食停积，则生[⑥]湿痰。痰则生[⑦]火，痰火交作，则为急惊，或成喉痹。痰火结滞，则成吊痫，或为喘嗽。胎热胎寒，禀受有病。脐风、撮口者，胎元有毒也。鹅口、口[⑧]疮，胃有湿热也。重口、木舌，脾经有实火也。走马、牙疳，气虚湿热也。爱吃泥土，脾脏、心生疳热也。胎惊夜啼，邪火入心也。变蒸发热，胎毒散而五脏生也。丹毒者，火行于外也。蕴热者，火积于中而外邪乘也。睡惊者，内火动也。喉痹者，热甚也[⑨]。眼痛者，火动也。脓耳者，肾气上冲也。鼻塞者，因冒风寒也。头疮者，胎毒热攻也[⑩]。脐风者，中痰、中湿也。尾骨痛者，阴虚痰也。诸虫痛者，胃气伤也。阴肿痛者[⑪]，寒所郁也。盘肠气痛者，冷滞脾胃也。便血者，热传心肺也。淋疴者，热郁膀胱也。吐血生肿者，荣卫气逆

① “蒸”，原本脱。据商务本补。
② “二百零六日”，商务本同。按三大蒸实为二百五十六日。
③ “庶不有误也”，商务本此五字下有“上唇尖有米粒又黄泡者即是”十二字注文。
④ “辄”，商务本作“即”。
⑤ “年”，商务本作“岁”。
⑥ “生”，原本作“主”。据商务本改。
⑦ “生”，原本作“主”。据商务本改。
⑧ “口”，原本脱。据商务本补。
⑨ “也”，原本脱。据商务本补。
⑩ “也”，原本脱。据商务本补。
⑪ “者”，原本脱。据商务本补。

也。小便不通者，无阴有阳也。大便不通者，无虚有实也。解颅、鹤节者，胎元不全也。行迟、发迟者，血气不完也。龟胸者，肺热满胸也。龟背者，风邪入脊也。语迟者，邪乘心也。齿迟者，肾不足也。疟疾者，膈上痰结也。痢疾者，食积腹中也。咳嗽者，肺气伤也。喘气者，痰气盛也。心痛者[①]，虫所啮也[②]。腹痛，食所伤也。内伤发热，口苦、舌干也[③]。外感发热，鼻塞、声重也。腹胀者，脾胃虚弱也。水肿，水旺土亏也。疸黄者，脾胃弱[④]而有湿热也。故调理脾胃，医中之王道也。节戒饮食，却病之良方也。惊疳积热，小儿之常病也。恒居时，常观其脾，微有青黑，即推数百，去其青黑之气，再加补脾手法，可保小儿常安。此为要着，不可忽也。然推脾必要补，泻而不补，则脾愈弱。擦龟尾亦要补，如不补，则泻不止。脾上用功，手法之要务也。痢痞痰疳，小儿之重症也。医家慎之[⑤]《病源论》得精细，入手者所宜留心！

观形察色审病歌

观形察色辨因由，阴弱阳强发碍[⑥]柔；
若是伤寒双足冷，要知有热肚皮求；
鼻冷便知是痘疹，耳凉知是风热投；
浑身皆热伤风症，下冷上热食伤仇。

病源论望闻问切

儿有大小之不同，病有浅深之不一。形声色脉之殊，望闻问切之间，若能详究于斯，可谓神圣工巧者矣。盖望者，鉴貌辨其色也。假如面部，左腮属肝，右腮属

① “者”，原本脱。据商务本补。
② “也”，原本脱。据商务本补。
③ “也”，原本脱。据商务本补。
④ “弱”，商务本作“虚”。
⑤ “医家慎之”，商务本此四字下有“《病源论》得精细，入手者所宜留心”十三字注文。
⑥ “碍”，原本作“硬”。据商务本改。

肺，额属心，鼻属脾，颏属肾脏；肝病面青，肺病面白，心病面赤，脾病面黄，肾病面黑；是乃望而知之也。闻者，听声知其症也。假如肝病声悲，肺病声促，心病声雄，脾病声慢，肾病声沉，属于脏；大肠病声长，小肠病声短，胃病声速，胆病声清，膀胱病声微，属于腑；是乃闻而知之也。问者，问究其病源也。好食酸，肝病；好食辛，肺病；好食苦，心病；好食甘，脾病；好食咸，肾病；好食热，内寒；好食凉，内热；是乃问而知之也。切者，切脉察病也。三周以下儿有病，男左女右看三关；寅是风关卯是气，辰是命关医难治；虎口有筋往上接，看之须要分五色；红黄安乐五脏和，青紫定是受风吓。是乃切而知之也。此其大略也。

看食指定症诀附①

虎口有三关，
紫热红伤寒，
青惊白是疳，
黑即人中恶，
黄者是脾端。

三关者，即风、气、命三关也。

五指定症歌

五指梢头冷，惊来不可当；
若逢中指热，必定是伤寒；
中指独自冷，疹痘症相传；
男女分左右，分明仔细看。

① “看食指定症诀附”以下至“应看是水惊”，原本脱此一百二十四字。据商务本补。

手探冷热定症诀

儿心若热跳，定然是着惊；
热而不跳者，可知是风伤；
虽冷又翻眼，应看是水惊。

视　　法

潜庵曰：“医家看病，望闻问切，有此四法，然必以望为先。故推拿小儿，亦先有视法。”

视　初　生

小儿初生，五官宜赤。耳、目、口、鼻、天庭，五官也。初生气血满足，其色纯赤，故曰“赤子”。若一门山根、二门印堂、三门发际，有白气多夭。坎上坎下有黑气，是气血不足；见于口唇上下，亦主夭。惟鼻梁上有骨筋，直上大天心，为补骨插天；寿而且贵，主一世无痫惊。

视　周　岁

正口常红，无疾；白虚，黑危。人中黑，腹痛有虫；点点黑，吐痢。山根紫，伤乳食；青，多病。印堂黄白，吉；青红，惊。额青，惊；红，热。眉红，夜啼、烦躁。两眼黑睛黄，伤寒；白睛黄，伤食。

五 视 法

一视两目：目乃五脏精华所聚，遍身神气所钟，最宜睛珠黑光满轮，精神明爽，长寿之相也；虽有疾病，亦易痊愈。若白珠多，黑珠昏，或黄或小，此父母先天之气薄弱；禀受既亏，自多灾患。

二视囟门：此禀父精母血而成，充实逼仄，其儿必寿；若虚软不坚，多生疾病。至囟门不合，名曰“解颅”。黑陷者必死，不必治。

三视形貌：凡口小鼻蜗，眉心促皱，皮肤涩滞，虽不夭而多病。若儿口大鼻端，眉清目秀，部位相等，福寿之基也。

四视毛发：毛发受母血而实，故名“血余”。母血充实，儿发明色黑光润；母血虚弱，儿发黄枯，定生疳痍之患。

五视耳门：小丁双尖方牌者主寿，单尖者必夭。若初生时，外视单尖，内按有双骨，随后长起，亦自不妨。总之双尖方块者，容或不寿；至单尖，必不能长大。医家视此，决定存亡。

面部察色秘旨

青主肝，红主心，白主肺，黑主肾，黄主脾。青兼红，是肝与心之疾。面色青者，痰也。红者，热也。白者，寒也。黑者，肾败也。黄者，脾气伤也。热主心有火，哭主肝有风，笑主脾有痰，啼主肺有伤，冷主胃有湿[①]，睡主肾有亏。

面色黄疳疾，青黑是惊风；
吐泻面黄白，伤寒定紫红；
痢疾眉头皱，惊风两颊红；
渴来唇带赤，热甚眼朦胧。

① “湿”，原本作“涩”。商务本同。据文义改。

探病秘旨

天中气色清明[①]，即或生病必轻；
头圆骨耸方平平，荔枝阴囊寿庆。
眼赤肝家有热，鼻青[②]肺内受寒；
牙齿臭烂毒难堪，热在肾经须看。
两目流泪痒涩，邪风早已在肝；
疮满口中热毒干，五腑俱可成疳。
冷嗽肺气伤湿，风嗽心热何疑？
肠脏伤而多泻痢，冷物食积脾虚。
水泻冷多浮肿，水积肠脏虚鸣；
疳盛淋涩少精神，大小不通热甚。
小肠肿为下阴，冷气传于膀胱；
食伤冷物哑声音，心热相传成病。
吃作鱼羊肉咸，沫延漫而齁鮎。
遂为多嗽与多喘，肺家虚热为患。
粪门肿肠热结，因食冷物积成；
粪中带血热肠存，霍乱阴阳感应。
上下气苦不顺，郁逆必须运和；
阴阳不和虚汗多，分理阴阳莫错。
热留脏中不解，定然渴噪不宁；
赤泻热痛欠安身，痢疴久而沉闷。
龟胞脉穴风热，脐烂咎在安归？
客风冷水之披靡，心热睡语惊飞。
手足四肢逆冷，惊风[③]因而大剧；

① “明”，原本作“朗”。据商务本改。
② “青”，原本作“清”。据商务本改。
③ “风”，原本作“足”。据商务本改。

鹅口木舌心热知，冷汗夜啼梦呓。
乃是心惊被喝，身生此症须知；
气逆淋涩遇尿啼，体热肠蒸肝气。
脾虚谷食不消，胃冷饮食难进；
眼转气虚吐弱甚，慢脾惊候一定。
面上已无血色，痰又满在咽喉；
慢惊风症使人愁，渴燥血热脏留。
肚大面青黄瘦，热疳冲于四肢；
医家审定实与虚，补泻全凭法治。

推拿小儿总诀歌附①

推拿小儿如何说？只在三关用手诀；
掐在心经与劳宫，热汗立至何愁雪；
不然重掐二扇门，大汗如雨便休歇；
若治痢疾并水泻，重推大肠经一节；
侧推虎口见工夫，再推阴阳分寒热；
若问男女咳嗽诀，多推肺经是法则；
八卦离起到乾宫，中间宜手轻些些；
凡运八卦开胸膈，四横纹掐和气血；
五脏六腑气候闭，运动五经开其塞；
饮食不进儿着吓，推动脾土就吃得；
饮食若进人事瘦，曲指补脾何须歇；
直指推之便为清，曲指推之为补诀；
小儿若作风火吓，多推五指指之节；
大便闭塞久不通，盖因六腑有积热；
小横肚角要施工，更掐肾水下一节；
口出臭气心经热，只要天河水清澈；

① “推拿小儿总诀歌附”，原本脱此节。据商务本补。

上入洪池下入掌，万病之中都去得；
若是遍身不退热，外牢宫上多揉些；
不问大热与小炎，更有水底捞明月；
天门虎口斗肘诀，重揉顺气又生血；
黄蜂入洞医阴病，冷气冷痰俱治得；
阳池穴掐心头痛，一窝风掐肚痛绝；
威灵总心救暴亡，精宁穴治打逆噎；
男女眼若往上翻，重掐小天心一穴；
二人上马补肾经，治得下来就醒些；
男左女右三关推，上热退下冷如铁；
寒者温之热者清，虚者补之实者泻；
仙人留下救儿诀，后学殷勤谨慎些。

观面部形色五脏秘旨

心经有冷目无光，面赤须言热病当；
赤见山根惊四足，疾成虚肿起阴阳。

解曰：太阳黑，目无光彩，此心经冷也。两颊赤色，乃心经热也。山根赤色，心经受风。下准头主恶邪。又若三阴三阳虚肿，心有痰也。

肝经有冷面微青，有热眉胞赤又临；
发际白兮惊便入，食仓黄是积沉深。

解曰：面青为肝经受冷，主发热惊风。眉上肿有赤纹，此是肝经有热。若发际并印堂略白，此乃肝惊也。腮上有黄色，主肝有痰也。

脾冷因知面色黄，三阳有白热为殃；
青居发际主惊候，唇口皆黄食疾伤。

解曰：面黄，印堂反白者，此脾冷也。三阳上有白色者，乃脾热也。发际及印堂色青者，此脾惊也。上下唇黄，乃脾经受病也。

肺寒面白冷为由，热赤人中及嘴头；
青在山根惊要起，热居发际痰为仇。

解曰：白色在面皮，及人中青者，肺受冷也。若人中、嘴头有赤色，此乃肺有热也。山根有青色，肺受惊也。发际有赤色，内有痰也。

面黑当知肾脏寒，食仓红是热须看；
风门黄色言[①]惊人，两目微沉痰所干。

解曰：面有黑色，肾受寒也。食仓红，肾受热也。风门有黄色，肾有惊也。两目微沉，痰在肾也。

审 音 论

凡小儿声音大而响亮[②]，乃五脏六腑气血充盈，儿必易长成人。如生来不曾大声啼哭，此必有一脏阴窍未通，神气未足；或声如啾唧咿唔之状，儿必不寿。故望之后，又必闻而辨之。诗云："要知儿病生与死，总观面色并审音；唇青耳黑儿难救，哭声不响赴阴君。"

辨小儿声音秘旨

五音以应五脏。金主声响，土主声浊，木主声长，水主声清，火主声燥。

闻声察病歌

心主声从肺出，肺绝啼哭无声；
多啼肝胆客风惊，气缓神疲搐盛。

① "言"，商务本作"为"。
② "亮"，商务本此字下有"者"字。

音哑邪热侮肺，声清毒火无侵；
痛声直来泪不淋，鸦声黄泉有分。
轻声儿气必弱，重浊惟痛与风；
狂声高喊热在中，声战寒气已重。
声急连连不绝，多泪必是神惊；
声带闷塞痰在心，喘气噎难顺行。
肝病声悲肺促，脾慢心病声雄；
小肠声短大不同，大肠声长较纵。
肾病声沉胃速，胆清膀胱声微；
重浊沉静疳积亏，聆音病知源委。
伤风必多喷嚏，呵欠倦怠神伤；
撮口鸦声气急扬，仆跌受喝惊张。

切脉察病歌

三周以下儿有病，男左女右看三关；
寅是风关卯是气，辰是命关医难治。
虎口有筋往上接，看之须要分五色；
红黄安乐五脏和，青紫定其受惊吓。
入掌生枝恐不祥，筋透三关命必亡；
初关乍入宜推早，次节相侵亦可防若筋冲三关，又分丫枝，其症十死一生，惟久咳不在此论。
筋赤定然因膈食，筋青端的水风伤；
筋连大指阴症候，筋若生花主不祥阴者，寒深入也。花生寅、卯位，主虫。又主脏败。凶。
筋带悬针主吐泻，筋纹向外命难当；
四肢瘫软腹膨胀，吐乳却因乳食伤丫鱼刺，伤风。向外者，冲过命关，向大肠倒去。

辨指筋纹① 秘诀歌

小儿三关食指，男左女右先详；
初风中气命三关，风关惊起小恙。
侵气病可进退，命关逆候多亡；
生又珠点透三关，蒿里歌声恸唱。
三关筋色纯黑，死期不日可伤；
弓反里外更难当，恶候筋纹此样。
食指筋纹五色，红寒紫热须详；
伤食青紫气虚烦，青黑逆多惆怅。
小儿指纹青色，多因胎气无全；
深青夜卧不安然，腹病微青必见。
黑气盘肠内吊，牵抽发搐连绵；
黄兼面白泻来缠，紫赤伤风不免。
指筋若有红色，惊入脾窍分明；
红微下痢腹中寒，吐泻脾虚食禁。
三关深红筋见，身强发热常惊；
纹弓余食膈中停，面黄脾经积病。
三关纹生紫色，胎惊热毒熏蒸；
惊时啼哭又呻吟，多因紫青筋甚。
微紫筋因伤热，弓纹吐泻频频；
紫青黑色带悬针，曲指风热为病丫悬针，主水泻。水，川字，主痰涎轻症。

脉　法　歌

小儿六岁须凭脉，一指三关定数息；

① “筋纹”，原本作“经”。商务本作“径纹”二字。据文义改。

迟冷数热古今传，浮风沉积当先识；
左手人迎主外邪，右手气口主内疾；
外邪风寒暑湿侵，内症乳食痰兼积；
洪紧无汗是伤寒，浮缓伤风有汗液；
浮而洪大风热甚，沉而细滑积乳食；
沉紧腹中痛不休，沉弦喉内作喘急；
紧促之时疹痘生，紧数之际惊风疾；
虚软慢惊作瘛疭[①]，紧盛风痫发搐掣；
软而细者为疳虫，劳而实者必便结；
滑主痰壅食所伤，芤脉必主于失血；
虚而有气为之惊，弦急客忤君须识；
大小不均为恶候，三至为脱二至卒；
五至为虚四至损，六至平和曰无疾。
七至八至病尤轻，九至十至病势急；
十一二至死无疑，此诀万中无一失。

凡小儿三岁以上，用一指按寸、关、尺三部，常以六七至为平脉。添则为热，减则为寒，浮洪风盛，数则多惊，沉滞为虚，沉实为积。

坏症十五候

眼生赤脉贯瞳仁瞳仁属肾。肾有两筋，自背[②]脊直至脑门，贯其二睛。心与肾交，水火相济。若水火两绝，则赤脉贯矣，

向上直瞻不转睛向上直视不动，肾腑俱绝；

手足不收毛发竖胃主肌肤四肢。胃绝，则毛发竖，手足不能收管，

囟门肿起又作坑心主血。心绝，血不上行；

天柱骨痿头偃后心绝。不治之症，

① “瘛疭”，商务本此二字下有“音计纵，小儿风病”七字注文。
② “背”，原本作“有”。据商务本改。

咬牙出舌语不明舌乃心之外应。心绝，血不流行，虚舌出口，或舌短不语；

齿或咬人肾脉绝肾乃骨之主，齿乃骨之余。绝则齿痒，咬牙，或咬人。肾绝，心亦绝，

鼻孔干燥黑来侵鼻乃肺之外应。燥黑则肺绝；

鱼口气粗啼不得肺为气主。肺绝，则气出不返；或气急难啼，鱼口，一张一闭，

大肠脉绝忽鸦声忽作鸦声，则大肠绝矣。鸦声，变声不止；

两手抱头目无彩肝藏血，目乃肝之外应。血脉不荫，则指甲青黑，及目无光彩。筋缩，则两手抱头。肝绝，

指甲黑色又伤青；

喉中拽锯口吐沫凡有涎出口鼻，是风痰塞关窍，血脉不行，不纳汤药，面色青黑，五孔干燥，不治之症，

风疾闭窍面黑形；

心寒脉绝令肺胀，

饮水直下胃无存肺胃俱绝，饮水不歇，直下大肠中去。必死之症；

痢如死鸭鹅之血心绝，

臭秽血水糟汤临脏腑俱败；

四肢[①]汗出如油出荣卫俱绝，阴阳离[②]，津液散于四肢。如胶粘者，不治，

手足掷摇那得生心绝？

面黑唇缩不盖齿脾绝，

蛔虫口出死形真脾绝。

五脏气脱凶死诀

摇头直视心气脱，

青共唇腮肝气脱，

雨汗大喘肺气脱，

唇缩脐翻脾气脱，

瞑目遗溺肾气脱。

① “肢”，原本作“脂”。据商务本改。

② “离”，原本作“杂”。商务本同。据文义改。

穴象手法卷之二

穴道图像

潜庵曰："推拿一书，其法最灵。或有不灵，认穴之不真耳。即如头为诸阳之首，面为五脏之精华，十指联络于周身之血脉。穴不真则窍不通，窍不通则法不灵。故予于斯书，首著诀法总[①]纲，次详全身经穴，而图像昭焉，手法明焉，百病除焉。"

穴在头脑者

百会穴在头顶毛发中，以线牵向发前后左右量之

囟门穴在百会前。即泥丸也

中庭穴在发际上边些

天庭穴即"天门"。又名"三门"

天心穴在额正中，略下于天庭

两额在太阳之上

印堂在两眉中心。名"二门"

额角左为太阳，右为太阴

风府在脑后枕骨下。俗名"脑窝"

天柱即颈骨也

① "总"，原本作"丝"。据商务本改。

穴在面者

山根在两眼中间，鼻梁骨。名“一门”

三阳左眼胞

三阴右眼胞

准头名“年寿”①

龙角一名“文台”。在左耳鬓毛中

虎角一②名“武台”。在右耳鬓毛中③

风门在两耳门外

风池在目上胞。一名“坎上”

气池在目下胞。一名“坎下”

左颊、右颊在两颧之旁

两颐在上④口唇两旁。即腮也

水沟在准头下，人中是也

食仓穴在左右两颐下

承浆穴在下颏地角

穴在手指者

少商穴在大拇指尖

商阳穴在食指尖。指根下一节横纹是风关，从掌上巽宫来。二横纹是气关，三横纹是命关

中冲穴在中将指尖

关冲穴在无名指尖

---

① “名‘年寿’”，商务本此三字下有“即鼻也”三字。
② “一”，原本脱。商务本同。据文义补。
③ “中”，原本脱。商务本同。据文义补。
④ “上”，原本作“下”。据商务本改。

少冲穴在小拇指尖

大肠穴在食指外边

小肠穴在小拇指外边

四横纹在食、将、无名、小指中四[①]道小横纹。除去大指，故名四

穴在阳掌者

内牢宫[②]在手心正中。属凉

八卦将指根下是离宫，属心火。运八卦必用大指掩掌[③]，不可运，恐动心火

坎宫紧与离宫相[④]对，在小天心之上，属肾水

乾宫名“天门”。一名“神门”。在坎宫之右

小天心在坎宫下中门

阳池穴、阴池穴在小天心两旁

胗门穴在大指下，一块平肉如板。属胃

大横纹在手掌下一道横纹

浮心穴在大横纹左边

肾经穴在大横纹右边

二人上马穴在小指旁三[⑤]、四横纹，及掌乾宫旁

水底穴在小指旁，从指尖到乾宫外边皆是，属肾水

虎口穴在大、食二指丫叉[⑥]处，筋通三关处

① “四”，原本作“三”。据商务本改。
② “宫”，原本作“穴”。据商务本改。
③ “掌”，原本作“拿”。据商务本改。
④ “相”，原本脱。据商务本补。
⑤ “三”，原本作“二”。据商务本改。
⑥ “叉”，原本脱。据商务本补。

穴在阳膊者

总筋穴在大横纹下。指之脉络皆总于此，中四指脉总于此

内间史穴在总筋下寸许。一名“内关候”

天河穴在内间史下，自总筋直往曲池

曲池穴在手湾处。一名“洪池”

经渠穴在浮心一边，内间史旁

列缺穴在经渠下，天河旁

鱼脊穴阳池旁边一小窝处，乃大指散脉处

三关穴在手膊上旁边

六腑穴在手膊下旁边

穴在阴掌者

外牢宫在手背正中。属暖

合骨穴在手背，大指、食指两骨丫叉相合之间

威灵穴在外牢右边骨缝处

精灵穴在外牢左边骨缝处

一扇门在食、将二指下夹缝处，威灵穴之上

二扇门在无名、小指根两夹缝中

大陵位①穴在外牢下，手背骨节处

穴在阴膊者

一窝风穴在大陵位下，手膊上。与阳膊总筋下相对

① “位”，商务本无。

阳池穴在外间史下

外间史穴在一窝风下，与内间史相对。一名“外关候”

肩井穴在肩膊眼窝内

斗肘穴在手肘曲处，高起圆骨处

穴在前身者

人迎[①]穴喉之左右

膻中穴在人迎[②]下正中，与背后风门相对。皆肺家华盖之系

天枢穴在膻中穴下两旁，两乳之上

乳穴在两乳下

鸠尾穴掩心骨尽处

肚脐穴[③]一名“神阙”

中脘穴胃藏饮食处

期门穴在两胁下软处。吸气之所

关元穴脐下宽平处。与下气海相连

丹田穴即“气海”也

肚角穴腰下两旁往丹田处也

肾囊卵胞也

穴在脊背者

风门穴在脊骨二节下

中枢穴在脊骨七节之上

七节骨穴与心窝相对

---

① “人迎”，原本作“迎人”。商务本同。据文义乙转。

② “人迎”，原本作“迎人”。商务本同。据文义乙转。

③ “肚脐穴”，原本脱。据商务本补。

心俞穴在七节骨左寸许

肺俞穴在七节骨右寸许

腰俞穴对前两腰旁

膀胱穴在左股上

命门穴在右股上

龟尾穴一名“闾尾[①]”。脊骨尽头处也

穴在腿足[②]者

鬼眼穴在膝头处膝眼

委中穴在膝湾陷处

前承山穴一名“子母穴”。在下腿之前，与后承山相对。一名“中肿穴”

后承山穴一名“后水穴”。在腿肚上，如鱼肚一般。一名“鱼肚穴”

百虫穴在大腿之上外边

三里穴在膝头之下

外鬼眼穴在膝外眼陷中

鬼胀穴在后腿肚旁

解溪穴在脚面上湾处，与下中指相对

仆参穴在脚后根上。一名“鞋带穴”

大敦穴在足大指上[③]

涌泉穴在脚板心中处

① “尾”，原本作“星”。据商务本改。

② “腿足”，原本作“足下”二字。据商务本改。

③ “上”，原本脱。据商务本补。

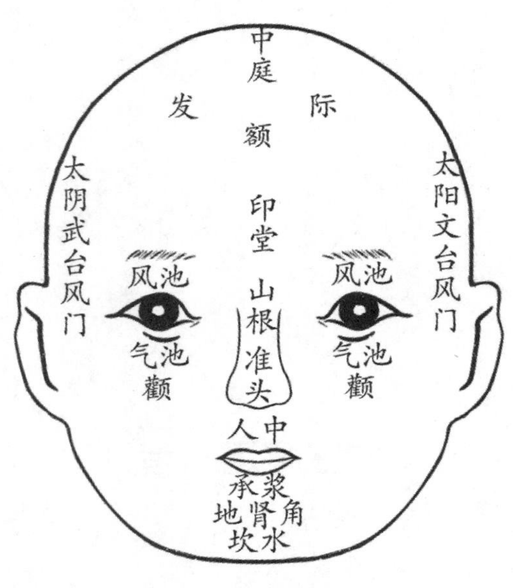

图一　正面图（一）

面部气色十二经总现处[1]。五位色青，惊积不散。五位色红，伤寒痰壅，积成[2]惊悸。五位色黄，食积痞痞。五位色白，气不充实，滑泻吐痢。五位色黑，脏腑欲绝，疾危症恶。面青眼青，肝病。面赤唇红，心病。面黄鼻黄，脾病。面颊白色，肺病。五脏各有所属，细探其色，即知表里虚实盈亏。其寒热补泻之法，可考而知也。

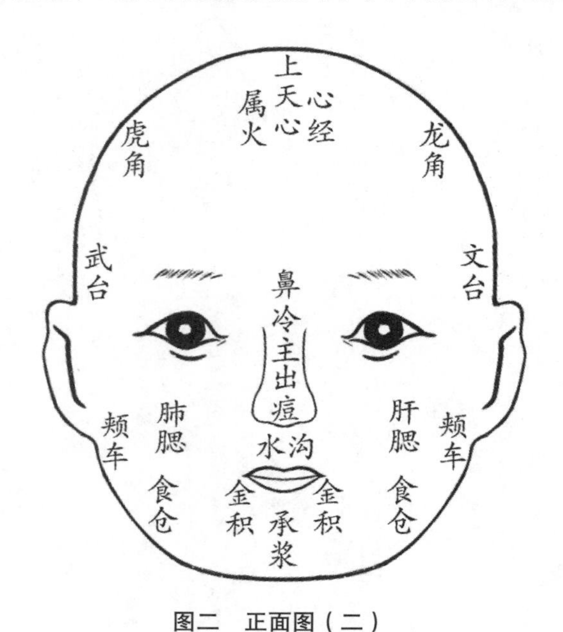

图二　正面图（二）

① “处”，商务本无。
② “成”，原本作“盛”。据商务本改。

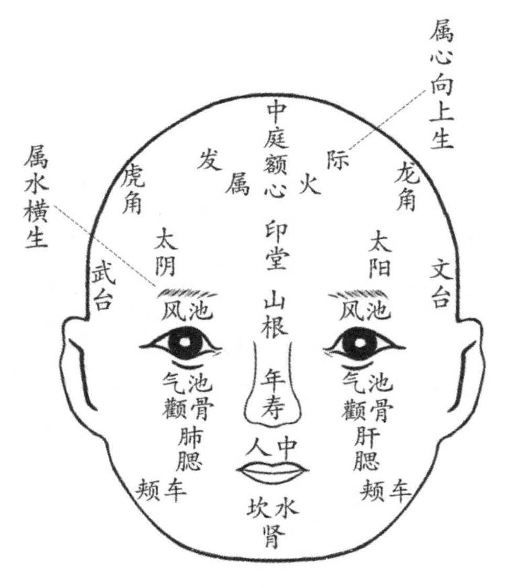

图三　正面图（三）

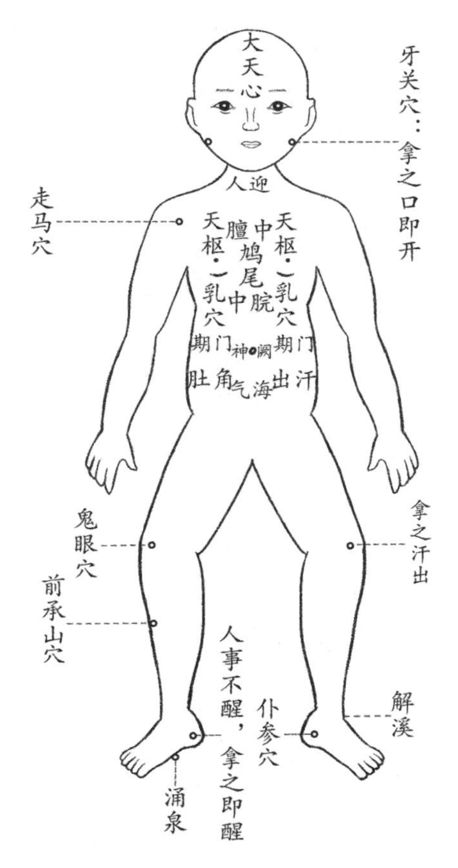

图四　正面图（四）

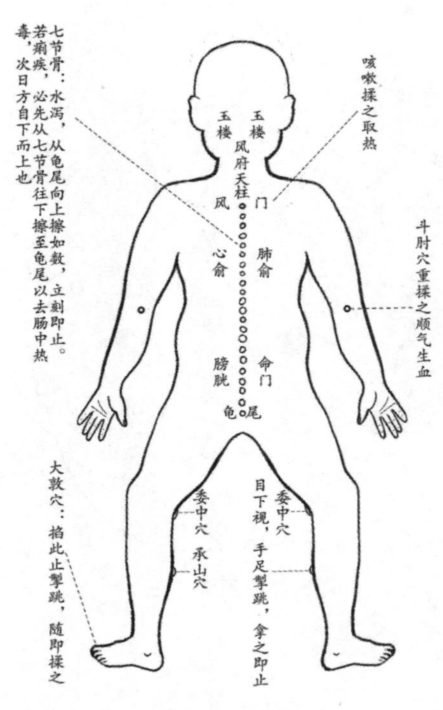
七节骨：水泻，从龟尾向上擦如数，立刻即止。
若痢疾，必先从七节骨往下擦至龟尾以去肠中热
毒，次日方自下而上也
咳嗽揉之取热
玉楼
玉楼
风府
天柱
风
门
心俞
肺俞
斗肘穴重揉之顺气生血
膀胱
命门
龟
尾
大敦穴：掐此止掣跳，随即揉之
委中穴
承山穴
委中穴
目下视，手足掣跳，拿之即止

图五　背面图

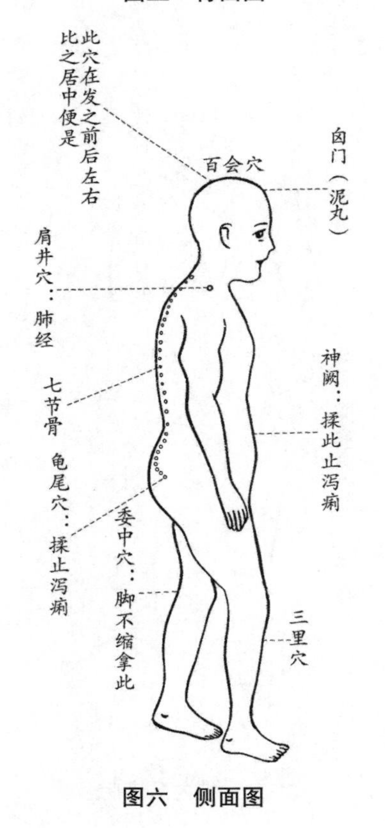
此穴在发之前后左右
比之居中便是
百会穴
囟门（泥丸）
肩井穴：肺经
七节骨
神阙：揉此止泻痢
龟尾穴：揉止泻痢
委中穴：脚不缩拿此
三里穴

图六　侧面图

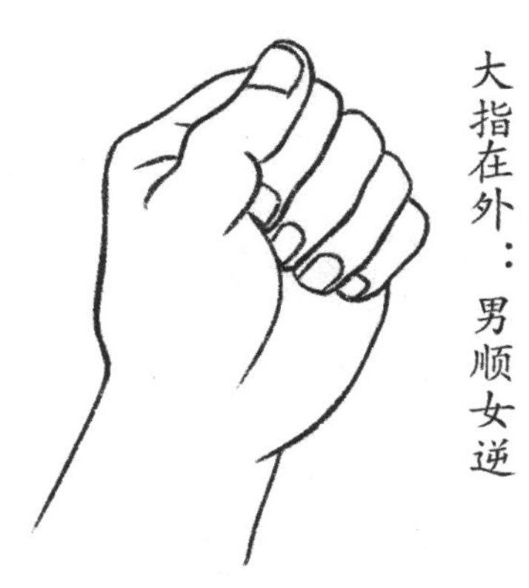

图七　大指在外男顺女逆

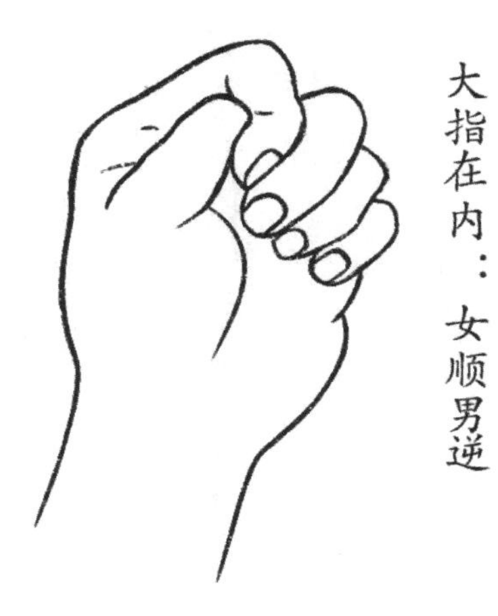

图八　大指在内女顺男逆

图九　大指内叉诸病恶症

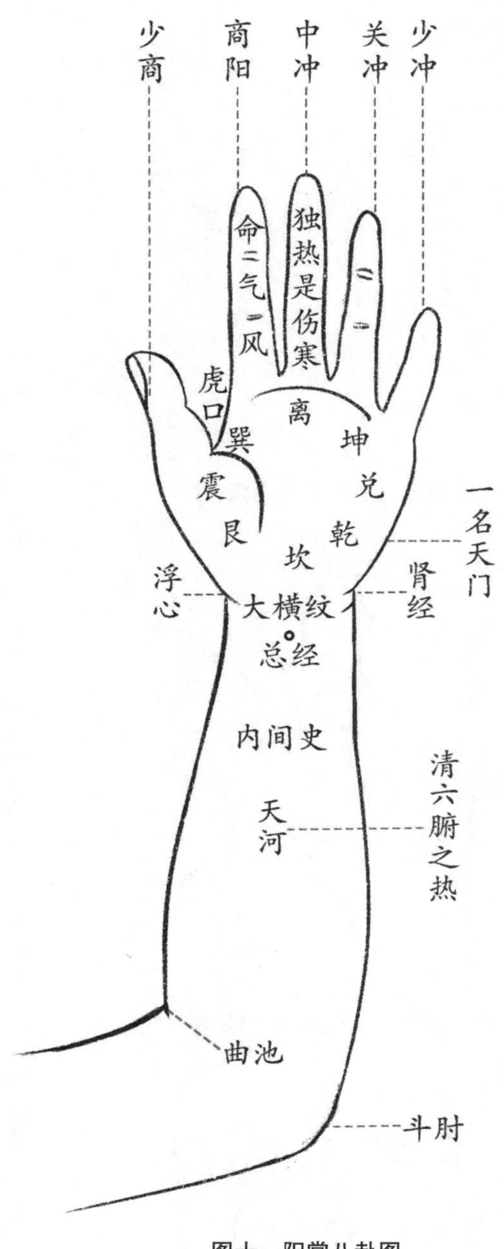

图十　阳掌八卦图

五指经络内外秘旨随手形象开附于后。

中指名为“将指”，属心。心气通于舌，络联于将指，通背左筋心俞穴、手中冲穴、足涌泉穴。

大拇指下一指，名为“食指”，属肝。肝气通于目，络联于食指，通于小天心穴、足太溪穴。

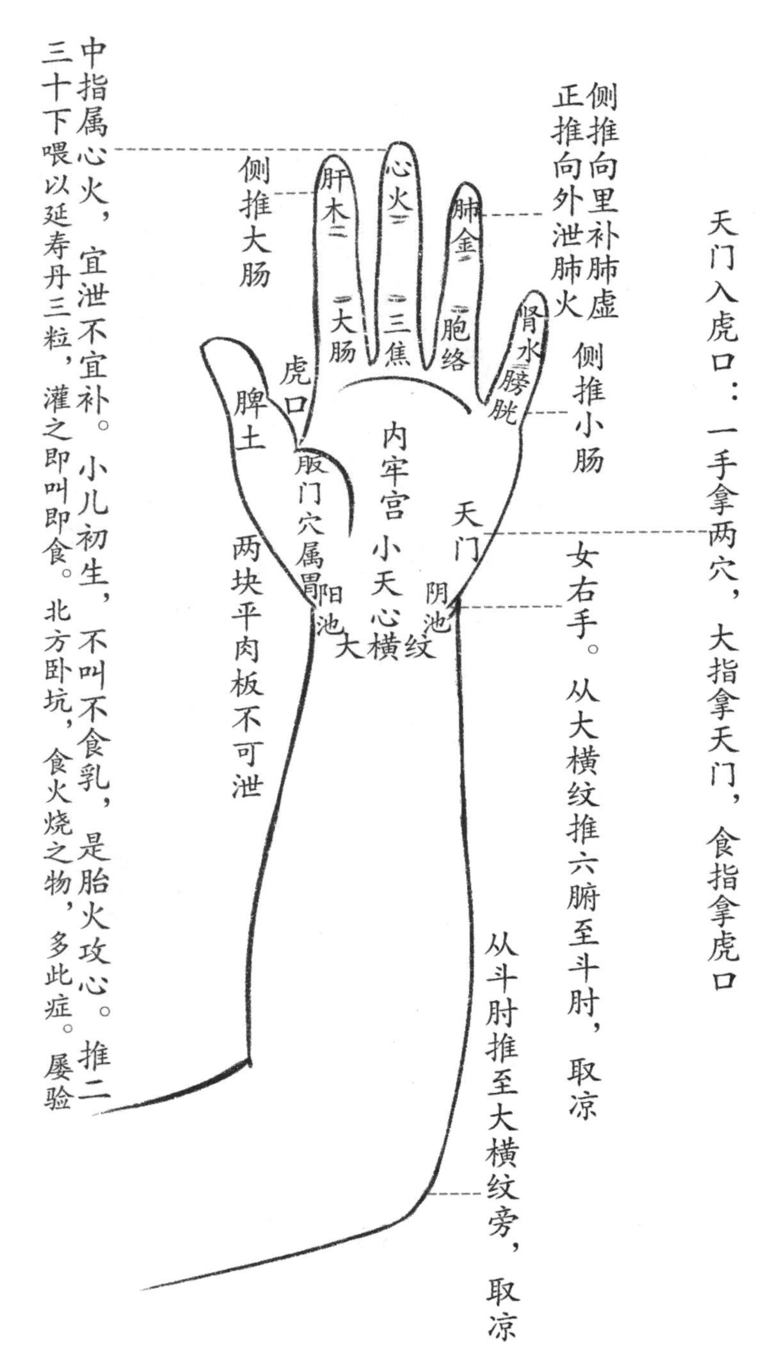

图十一　阳掌脾土肝木心火肺金肾水图

大拇指属脾土。脾气通于口，络联于大指。通背右筋肺俞[①]穴、手列缺穴、足三里穴。

① “肺俞”，原本作“天枢”二字。商务本同。据文义改。

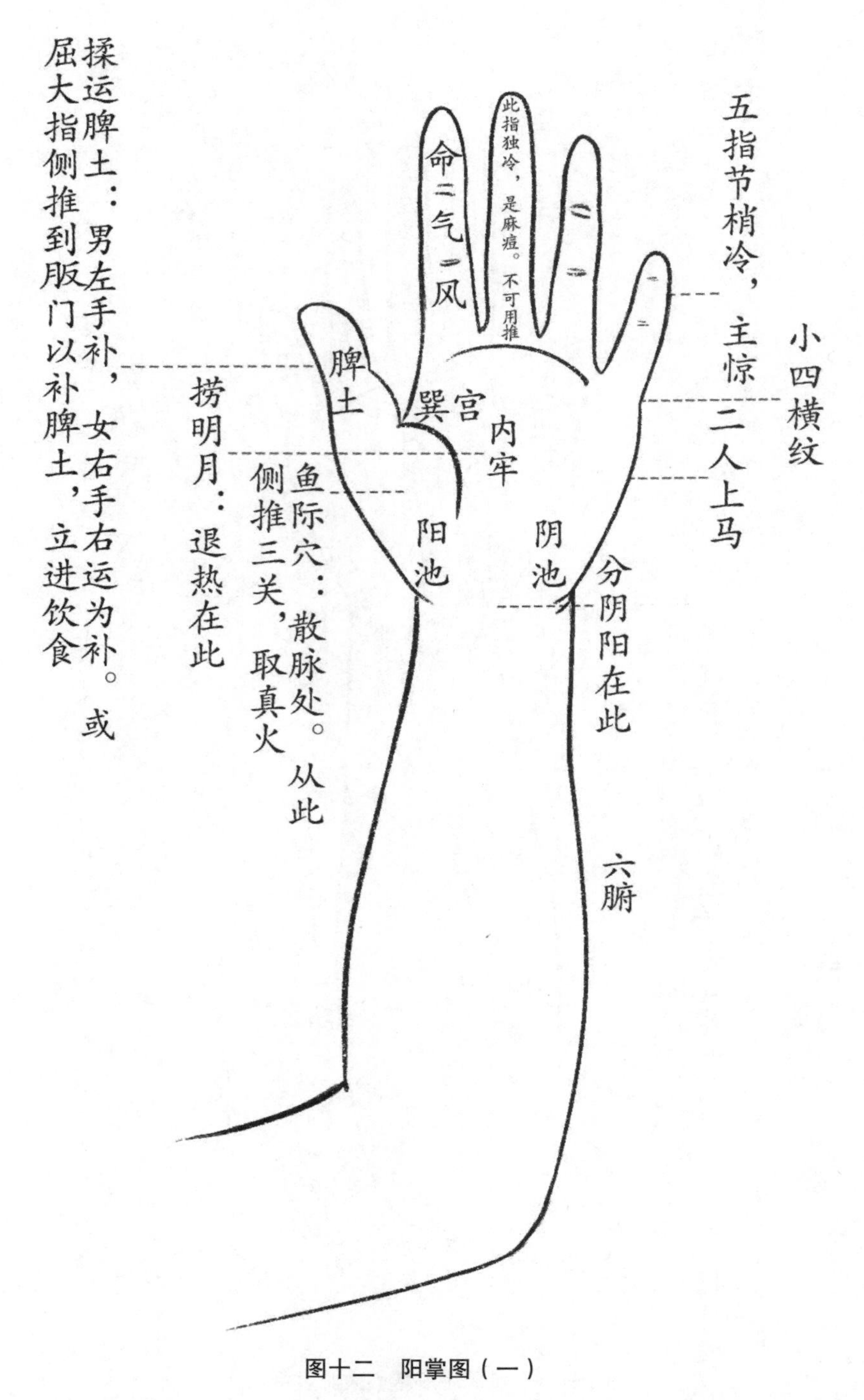

图十二　阳掌图（一）

小指上一指，名为“无名指”，属肺。肺气通于鼻，络联于无名指。通胸前膻中穴、背后风门穴。

小指属肾。肾气通于耳，络联于小指。通目瞳仁、手合骨穴、足大敦穴。

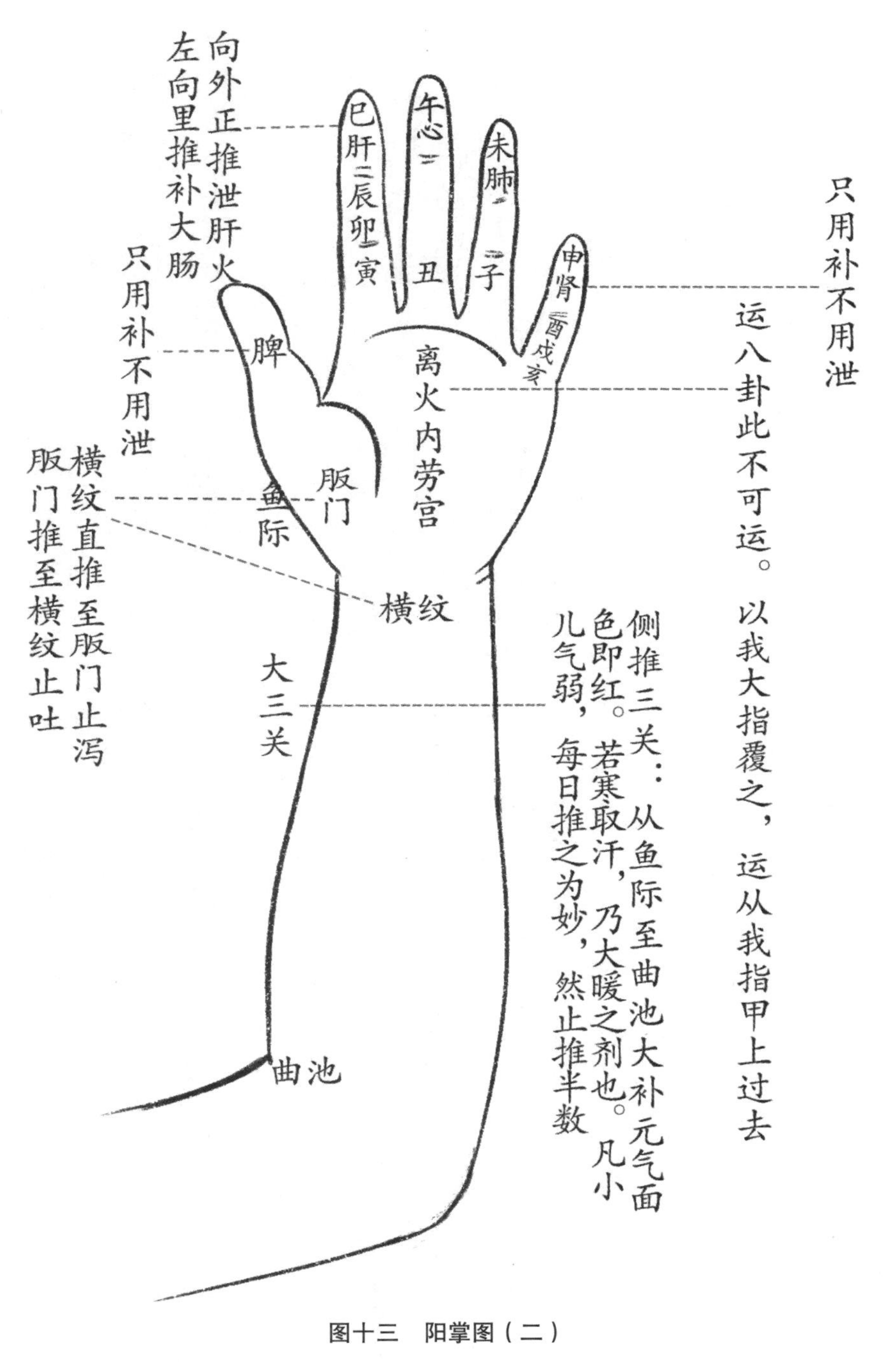

图十三　阳掌图（二）

大肠筋在食指外[①]边，络联于虎口，直到食指侧巅。小肠筋在小指外边，络联于神门，直至小指侧巅。

① “外”，原本脱。据商务本补。

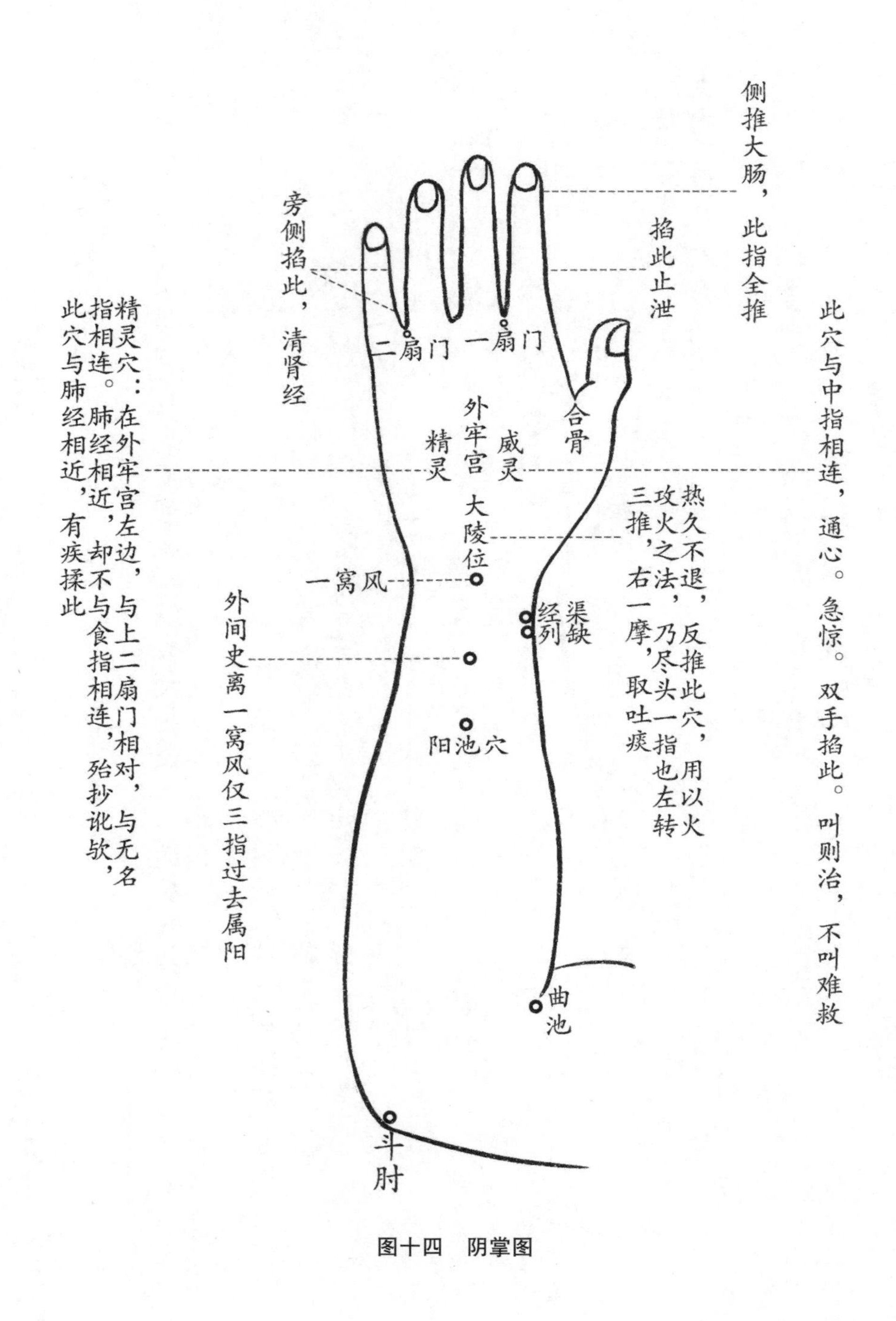

图十四　阴掌图

五 指 歌

五指梢头冷，惊来神不安；

若还[①]中指热，必定是伤寒；

中指独自冷，麻[②]痘症相当；

男左女分右[③]，医家仔细看。

按穴却病手法论

潜庵曰："仙女传救婴儿妙法，实语先天机微。左旋右揉，推拿掐运，诸穴手法，至妙至精。苟缺一穴，而众穴不灵；稍少一法，而妙法不真。医家必深思其义蕴，而详究其指归，乃为有济。然法虽有定，变通在人。标本先后、轻重多寡之间，用手法而不泥乎法，神乎法而不离乎法，神而明之，存乎一心，所当兢兢致意者尔。"

手法秘旨

凡观小儿病症，男观左手右脚，女观右手左脚。必察何经络，得其症候，方知道推某筋，掐某处，久揉验。总要先看儿虚实，而手法推数[④]即以[⑤]定之；一岁三百，不可拘也[⑥]。又要审定主穴，某病症以某穴为主，则众手法该用者在前，而此主穴在后，多用工夫，从其重也。盖穴有君臣，推有缓急，用数穴中有一穴为主者，而一穴君也，众穴臣也，相为表里而相济者也。故赤子之病，有一视而愈者，亦有推数穴而不愈者，是不明于察形辨症之主穴也。有一穴而治数病者，有数穴而治一病者，有一手而拿两穴者，有两手而拿一穴者，有病轻而推数穴不愈者，有重病而推二三穴即愈者，总恃人神明其源而精详乎其极也。故云："病轻一时松，病重对[⑦]日功。"若平日有惯病者，推毕后，必用总收手法，其疾方永久不犯。用手法者慎思之。

---

① "还"，商务本作"逢"。
② "麻"，商务本作"疹"。
③ "男左女分右"，商务本作"男女分左右"五字。
④ "推数"，商务本作"推之数目"四字。
⑤ "以"，商务本作"一"。
⑥ "不可拘也"，商务本此四字下有"此二句所谓用法而不泥乎法也，可证诸家某穴推若干数之谬"注文二十五字。
⑦ "对"，商务本作"费"。

分补泻左右细详秘旨歌

补泻分明寒与热，左转补兮右转泻；
男女不同上下推，子前午后要分别；
寒者温之热者凉，虚者补之实者泻；
手足温和顺可言，冷厥四肢凶莫测；
十二经中看病源，穴真去病汤浇雪。

又补泻辨

补者，往指根里推也。如推脾土，须屈小儿大指，从指之外边，侧推到版门，此为补，伸儿指者非也。泻者，向指根往外推也。推脾不宜，惟推肝、肾、肺以泻火，如此。

掐运推拿辨

掐者，用大指甲将病处掐之，其掐数亦如推数。运者，运五经、八卦也。五经用食、将指平行，八卦用大指肉侧行。惟离宫属火，不可运，医者拿小儿手，即自以大指按覆之。推者，以指推去而不返，返则向外为泻。或用大指，或用三指，穴道不同，惟心经无推。揉者，揉天枢，用大、将二指，双指齐揉。中脘，全掌揉。曲池、阳池，将指揉。脐与龟尾，皆搓掌心，用三指揉之，或用二指，视小儿大小。

详观筋色属五行生克掐法秘旨

赤筋，乃浮阳，属火，应心与小肠。主霍乱。外通赤龙燥热。乾宫掐之，则阳火即散。青筋，乃青阳，属木，应肝与胆。主温和。外通眼目。赤滥多泪，坎位掐之，则目自明。黄筋属土，居中五行，应脾胃。主温暖。肠鸣、霍乱、吐泻、痢疾，皆中界总筋处掐之。淡黄筋，居中属火土，应三焦。主半寒半热、生壅塞之症，宜中宫内牢掐之。白筋，乃浊阴，属金，应肺与大肠。外通鼻。主腹满、脑昏、生痰，宜界外指臂掐之，立效。黑筋纯阴，属水，应肾与膀胱。外通两耳。主冷气昏沉，宜向边位小指侧掐之。

大[①]补泻抑法

子后火盛者，是阳火，宜泻之。午后火盛者，是阴火，宜补之。

先热后寒者[②]，是阴干阳，宜先泻后补。先寒后热，是阳干阴，先补后泻。

日间病重者，宜抑阳。夜间病重者，宜抑阴。

论穴分寸

屈小儿中指节，度之为寸，折半为五分。非分寸之谓也。

三关六腑秘旨歌

小儿元气胜三关，推动三关真火燃。

真火熏蒸来五脏，小儿百脉皆和畅。

元气既足邪气退，热极不退六腑推。

若非极热退愈寒，不如不退较为安。

六腑愈寒疾愈盛，水火相交方吉庆。

解曰：推三关取热，退六腑取凉，犹医家大寒大热之剂。若非大寒大热，必二法交用，取水火相济之义也[③]。

① “大”，商务本无。
② “者”，商务本无。
③ “之义也”，原本脱此三字。据商务本补。

取温凉汗吐泻秘旨

凡身热重者，但捞明月，或揉涌泉，引热下行；或揉脐及鸠尾。

又方，用芽茶嚼烂，贴内间史穴上。又方，用靛搽手足四心。又用水粉乳调搽太阳、四心。即退热矣。

凡身凉重者，揉外牢宫，揉肱门穴，揉二扇门，推三关，揉阳位。

又方，用蕲艾揉细，火烘敷脐，立热。

凡要取汗者，推三关，揉二扇门，用黄蜂入洞为妙。

凡要止汗者，退六腑，补肺经。如不止，方用浮小麦煎汤灌之，立效。至无疾自汗，乃小儿常事，不可过疑。

凡取吐泻者，外牢推至大陵位，取吐方知为第一；大陵反转至牢宫，泻下心火无止息；左转三来右一摩，此是神仙真妙诀。

凡止吐泻者，呕吐乳食真可怜，肱门来到至横纹①；横纹若转肱门去，吐泻童子可安宁②；其间口诀无多记，往者俱重过者轻。

此合上外牢二法，俱圆推。男左转，女右转，去重回轻。此一节须详究。

各穴用法总歌须熟读细玩

心经一掐外牢宫，三关之上慢从容；

汗若不来揉二扇，黄蜂入洞有奇功从容者，慢缓则周到有力，此取汗要诀。

肝经有病人多痹，推补脾土病即除；

八卦、大肠应有用，飞金走气亦相随痹者，昏睡也。眼翻③沉迷，人事不知④，以补脾土、运八卦为主。

---

① “肱门来到至横纹”，商务本作“肱门来至横纹中”七字。

② “可安宁”，商务本作“得平安”三字。

③ “翻”，商务本作“昏”。

④ “人事不知”，商务本无此四字。

咳嗽痰涎呕吐时，一经清肺次掐离；

离宫推至乾宫止，两头重实中轻虚咳者，肺管有风。久咳，肺系四垂不收。推肺、肾为主，久者不易治。

饮食不进补脾土，人事瘦弱可为之；

屈为补兮清直泻，妙中之妙有玄机以补脾为主。

小水赤黄亦可清，但推肾水掐横纹；

短少之时宜用补，赤热清之得安宁以肾水为主。

大肠有病泄泻多，侧推大肠久按摩；

分理阴阳皆顺息，补脾方得远沉疴。

小肠有病气来攻，横纹、版门推可通；

用心记取精灵穴，管教却病快如风。

命门有病元气亏，脾土大肠八卦为；

侧推三关真火足，天门斗肘免灾危。

三焦有病生寒热，天河六腑神仙诀；

能知取水解炎蒸，分别阴阳掐指节。

膀胱有病作淋疴，补水八卦运天河；

胆经有病口作苦，重推脾土莫蹉跎。

肾经有病小便涩，推动肾水即清澈；

肾脉经传小指尖，依方推掐无差忒。

胃经有病食不消，脾土大肠八卦调；

胃口凉时心作哕[①]，版门温热始为高。

心经有热发迷痴，天河水过作洪池；

心若有病补上膈，三关离火莫推迟总筋、天河为主，二人上马，补肾水。

肝经有病人闭目，推动脾土效最[②]速；

脾若热时食不进，再加六腑病除速退肝病以脾土为主，运五经、清天河、飞金走气次之。

① “哕”，原本作“岁”。据商务本改。

② “最”，商务本作“即”。

手法治病歌

水底明月最为凉，清心止热此为强；
飞金走气能行气，赤凤摇头助气良。
黄蜂入洞最为热，阴症白痢并水泻；
发汗不出后用之，顿教孔窍皆通泄。
大肠侧推到虎口，止吐止泻断根源；
疟痢羸瘦并水泻，心胸痞满也能痊。
掐肺经络节与离，推离往乾中要轻；
冒风咳嗽并吐逆，此筋推掐抵千金。
肾水一纹是后溪，推下为补上为清；
小便闭塞清之妙，肾经虚损补为能。
六腑专治脏腑热，遍身潮热大便结；
人事昏沉总可推，去火浑如汤泼雪。
总筋、天水皆除热，口中热气并刮舌；
心惊积热火眼攻，推之即好真妙诀。
五经运通脏腑塞，八卦开通化痰逆；
胸膈痞满最为先，不是知音莫与泄。
四横纹和上下气，吼气、肚痛掐可止；
二人上马清补肾，小肠诸病俱能理。
阴阳能除寒与热，二便不通并水泻；
诸病医家先下手，带绕天心坎水诀。
人事昏迷痢疾攻，疾忙急救要口诀；
天门双捏[1]到虎口，斗肘重揉又生血。
一掐五指节与离，有[2]风被喝要须知；
小天心能生肾水，肾水虚少推莫迟。

---

① “捏”，商务本作“掐”。
② “有”，原本作“行”。据商务本改。

胝门专治气促攻，扇门发热汗宜通；
一窝风能治肚痛，阳池穴上治头疼。
外牢治泻亦可用，拿此又可止头疼；
精灵穴能医吼[①]气，威灵卒死能回生。

推五脏虚实病源治法歌[②]

心实叫哭兼发热，饮水惊搐唇破裂；
天河六腑并阴阳，飞金水底捞明月。
虚则困卧睡不安，补脾便是神仙诀；
左转心经与牢宫，再分阴阳三五百。

肝实顿闷兼[③]呵欠，目直项急叫多惊；
右转心经[④]推六腑，天河明月两相亲。
虚则咬牙迷多欠，补肾三关掐大陵；
揉按中指单展翅，再把阴阳着意[⑤]分。

脾实困睡频频饮，身中有热觉沉疴；
推脾推肺推六腑，运水入土[⑥]并天河。
虚则有伤多吐泻，左转心经热气呵[⑦]；
赤凤摇头并运卦，阴阳外间使宜多。

肺实闷乱兼喘促，或饮不饮或啼哭；

① “吼”，原本作“孔”。据商务本改。
② “歌”，原本脱。据商务本补。
③ “兼”，商务本作“并”。
④ “经”，原本作“惊”。据商务本改。
⑤ “意”，商务本作“力”。
⑥ “土”，原本作“火”。据商务本改。
⑦ “呵”，商务本作“疴”。

濡肺阴阳六腑河，八卦飞金与合骨。
虚则气短喘必多，哽气长出气来速；
补脾运卦分阴阳，离轻乾重三百足。

肾主瞳仁目畏明，又无光彩少精神；
解颅死症头下窜，白精多过黑瞳睛。
面皮皖白宜推肺，肾脾兼补要均停；
重耳中渚揉百次，尿黄清肾却通淋。

惊风定生死秘旨歌

急惊父母惶恐，慢惊医者[①]担心；
不语口闭眼翻睁，下手便掐威灵。
两手大指齐掐，手嫩隔绢方轻；
一声显叫得欢欣，不醒还须法应。

囟陷不跳必死，开而跳者还生；
再掐中冲要知音，知痛声音动听。
太溪眼可掐动，肾头掐亦苏醒；
两乳穴下探死生，舍此何须又论！

手法同异多寡宜忌辨明秘旨歌

小儿周身穴道，推拿左右相同；
三关六腑要通融，上下男女变通[②]男左手，女右手。男从左手外往里推为补，从里往外推

① “者”，商务本作“家”。
② “通”，原本作“动”。据商务本改。

为泻[①]。推女相反，在右手。

脾土男左为补，女补右转为功；
阴阳各别见天工，除此俱该同用。
急惊推拿宜泻，痰火一时相攻；
自内而外莫从容，攻去痰火有用。
慢惊推拿须补，自外而内相从；
一切补泻法皆同，男女关腑异弄。
法虽一定不易，变通总在人心；
本缓标急重与轻，虚实参乎病症。
初生轻指点穴，二三用力方凭；
五七十岁推渐深；医家次第神明。
一岁定须三[②]百，二周六百何疑？
月家赤子轻为之，寒火多寡再议。
年逾二八长大，推拿费力支持；
七日十日病方离，虚诳医家谁治？
禁用三关手法，足热二便难通；
渴甚腮赤眼珠红，脉数气喘舌弄。
忌用六腑手法，泻青面皖白容；
脉微呕吐腹膨空，足冷眼青休用。
小儿可下病症，实热面赤眼红；
腹膨胁满积难通，浮肿痄腮疼痛下者，六腑也。
小便赤黄壮热，气喘食积宜攻；
遍身疮疥血淋浓[③]，腹硬肚痛合用。
不可下有数症，囟陷肢冷无神；
不时自汗泻频频，气虚干呕难忍。
面白食不消化，虚疾潮热肠鸣；

① “泻”，商务本作“清”。
② “三”，原本作“二”。据商务本改。
③ “浓”，商务本作“漓”。

毛焦、神困、脉微沉，烦燥、鼻壅[1]、咳甚。

用汤时宜秘旨歌[2]

春夏汤宜薄荷，秋冬又用木香；

咳嗽痰吼加葱姜，麝尤通窍为良。

加油少许皮润，四六分做留余；

试病加减不难知，如此见功尤易手法一岁，虽云三百，然必轻者四分，重者六分，以待加减。

四季俱用葱姜煎汤，加以油麝少许，推之。

① “壅”，商务本作“塞”。
② “歌”，原本脱。据商务本补。

推拿手法注释卷之三

分 阴 阳

阴阳者，手掌下，右阴池穴、左阳池穴也。其穴屈小儿四指拳过处，即坎宫小天心处。以我两手大拇指，从小天心处两分推之。盖小儿之病，多因气血不和，故一切推法，必先从阴阳分起，诸症之要领，众法之先声。推此不特能和气血，凡一切膨胀泄泻，如五脏六腑有虚，或大小便不通，或惊风痰喘等疾，皆可治之。至于乍寒乍热，尤为对症，热多则分阳从重，寒多则分阴从重，推者必审其轻重而用之。凡症必先用此法，用时医者正好察色审音，探问因由，而斟酌其对症之手法也。

合 阴 阳

合者，以我两大指从阴阳处合来。盖因痰涎涌甚，先掐肾经取热[③]，然后合阴阳照天河极力推去，而痰即散也。

小 天 心

因额上有大天心，故此阴阳中间名“小天心”。临坎水。小水赤黄，揉此以清肾水之火。眼翻上下，掐之甚妙。若绕天心，则已在分阴阳之内矣。

③ “热”，商务本此字下有“当作凉”三字注文。

运八卦

八卦在手掌上。中指根下是离宫，属心火。此宫不宜[1]运，恐运动心火。运法必用我大指覆按之，然后以我食指头，从乾宫向兑、坤小指边左旋到坎，归乾，为一运。其运至离宫，则从我[2]大指甲上过去[3]。此法开胸化痰，除气闷满胀，至于吐乳食，有九重三轻之法。医者分阴阳之后，必次及于此。

运五经

五经者，五指头之经络也。心经在将指，肝经在食指，脾经在大拇指，肺经在无名指，肾经在小指。运者以我食指运小儿五指头肉上。此法能治大小便结，开咽喉胸膈中闷塞，以及肚响、腹胀、气吼、泄泻诸症。盖五脏之气，运动即能开利。

运水入土泻

土者，胃土也，在扳门穴上，属艮宫。水者，肾水也，在小指外边些。运者以我大指，从小儿小指侧巅，推往乾、坎、艮也。此法能治大小便结、身弱、肚起青筋、痢泻诸病。盖水盛土枯，运以润之，小水勤动[4]甚效。

① “宜”，商务本作“可”。
② “我”，商务本无。
③ “去”，原本作“矣”。据商务本改。
④ “动”，原本脱。据商务本补。

运土入水补

土者，脾土也，在大指。水者，坎水也，在小天心穴上。运者，从大指上，推至坎宫。盖因丹田作胀、眼睁，为土盛水枯，运以滋之，大便结甚效。

侧推大肠到虎口

大肠穴，在儿[①]食指外旁[②]。虎口在大、食二指掌丫处。侧推者，以我大指从儿食指旁尖推往虎口。盖因赤白痢、水泻，皆属大肠之病，必推此以止而补之，且退肝胆之火。推者必多用工夫。若大肠火结，退六腑足矣，不必清[③]。

推 脾 土

脾土，在大拇指上罗纹。男左旋，女右旋。而程公权云："不如屈小儿大指内推为补，直指外推为清。"盖因小儿虚弱，乳食少进，必推此有效。至痰食诸疾[④]，又必先泻后补。总之人一身以脾土为主，推脾土以补为主。清之省人事，补之进饮食。万物土中生，乃一身之根本，治病之要着也。

推 肾 水

肾水，在小拇[⑤]指外旁，从指尖一直到阴池部位。属小肠肾水。里推为补，外推

① "儿"，商务本此字上有"小"字。
② "旁"，商务本作"边"。
③ "清"，商务本作"推"。
④ "疾"，商务本作"症"。
⑤ "拇"，原本作"指"。据商务本改。

为清。清者，因小儿小水赤黄。补者，因肾水虚弱。清退脏腑热，补因小便短少。

推肝木

肝木在食指。肝属木[①]，木生火，肝火动，人眼目昏闭，法宜清。诸病从火起，人最难平者肝也。肝火盛则伤脾，退肝家之热，又必以补脾土为要。

推心火[②]

心属中指，指根下离宫属火。凡心火动，口疮、弄舌、眼[③]大小眦赤红、小水不通，皆宜推而清之。至于惊搐，尤宜清此心经内一节，掐之止吐。

推肺金

肺金在无名指，属气。止咳化痰，性主温和。风寒入肺固嗽[④]，伤热亦嗽。热宜清，寒亦宜清。惟虚宜补，而清之后亦宜补。凡小儿咳嗽痰喘，必推此。惊亦必推此。

推离往乾

离在将指根下，乾在二人上马之左旁。以我大指，从儿离宫推至乾宫，打个圆圈。离、乾从重，中要轻虚，男左女右。盖因冒风咳嗽，或吐逆，掐肺经指节之后，必用此法为主。

---

① “肝属木”，原本作“木属肝”三字。据商务本改。
② “推心火”，商务本此三字下有“宜清不宜补，补则于人不利，宜切记”十四字注文。
③ “眼”，原本作“根”。据商务本改。
④ “嗽”，原本作“嫩”。据商务本改。

二人上马

二人者，我之大、食二指也。上马者，以我大指尖，按儿神门外旁；又以我食指尖，按儿小指根横纹旁，掐之。清补肾水，治小肠诸气，最效。若单掐肾水一节横纹，退潮热立效。又苏胃气，起沉疴。左转生凉，右转生热。

掐四横纹

四横纹，在食、将、无名、小指指根下横纹。一名“小横纹”。小者，对坎下大横纹而言也。四者，四指也。掐者，以我大指掐之。按穴不起，手微动，却有数，其数如推运之数。盖因脏腑有热、口眼歪斜、嘴唇破烂，掐此退热除烦，且止肚痛。

点内牢

内牢在手心处，属凉。捞明月在此。点者，轻轻拂起，如蜻蜓之点水。退心热极[①]效。

揉外牢

外牢在手背居中，紧与内牢对，故亦名“牢宫”也。属热，揉之取汗。能治粪白不变、五谷不化、肚腹泄泻诸病。又大热不退，揉此退之，是以火攻火之道也。一云：“左转生凉，右转生热。”

① “极”，商务本作“甚”。

外牢推至大陵位

大陵位在外牢下，手背末骨节处，在一窝风之上。从外牢推至大陵位者，取小儿吐痰。又大陵反转至外牢，以泻心热。然以我手大指，左转三来，又必向右转一摩。左从重，右从轻，以取吐泻，神效。但此九重三轻手法，最易忽忘，须用心切记，方不错乱。若错乱，即不能吐矣。

版门直推到横纹[①]

版门穴，在大指下[②]，高起一块平肉如板处。属胃脘。横纹者，大横纹也，手掌下一道大横纹。版门直推到横纹，止吐，神效。横纹推转到版门，止泻，神效。若吐泻并作，先推止吐一半，然后合推。版门推去重[③]，若横纹推转轻[④]。治气促气攻之症，推此即通快。吼胀亦揉版门。

拿 总 经

总经在小天心下，内间史上。五指诸筋经络总由此散去，故名“总经”。小儿惊风，手足掣跳，横拿一个时辰。如不止，再掐大敦穴。大敦在足大指。男掐右足，女掐左足。若鹰爪惊，本穴掐后就揉。

① “版门直推到横纹”，商务本此七字下有“止吐止泄，此为要着，神效。有谓取吐取泄者，则谬妄可恨矣”二十三字注文。

② “下”，原本作“小”。据商务本改。

③ “版门推去重”，商务本此五字下有“止吐”二字注文。

④ “若横纹推转轻”，商务本此六字下有“止泄”二字注文。

掐 心 经

心经在将指尖中冲穴。小儿惊死，先掐此以试之，叫一声可治。如不叫，再掐威灵穴以试之。

双手掐威灵

威灵穴，在外牢右边，与上一扇门相对。双手以我两大指甲与甲合，一齐着力，按穴掐之。如小儿手嫩，以绸绢隔之，掐虽重而不伤儿手。此治小儿急惊，一搐一死。有声治，无声不治。

掐 精 灵

精灵穴，在外牢左边，与上二扇门相对。掐此穴揉之，治小儿痰涌气促气急，用此法即散。

揉 扇 门

一扇门穴，在食、将两指根夹缝中。二扇门穴，在无名、小指夹缝处。以我两大指肉掐揉之，治小儿汗不出[①]、热不退。

① “出”，原本作“日”。据商务本改。

侧推大三关

大三关者，对风、气、命食指上小三关而言也，属真火元气[①]。其穴从鱼际穴[②]，往膀上边，到手湾曲池，故曰“侧”。其推法，以我二指或三指，从容用力，自鱼际推到曲池。培补元气，第一有功。熏蒸取汗，此为要着。男子左手，从鱼际推到曲池。女子从曲池推往鱼际，在右手。皆大补之剂，大热之药也。

退六腑

六腑穴，在膀之下，上对三关。退者，从斗肘处向外推至大横纹头。属凉。专治脏腑热、大便结、遍身潮热、人事昏沉、三焦火病，此为要着。若女子，则从大横纹头向里推至斗肘以取凉，在右手。医家须小心记之，不可误用，男女惟此不同耳。

合上二法，大寒大热遍用。若补元气，必相济而用，未可偏也，但推数多寡之不同耳。

揉上天心

上天心者，大天心也，在天庭中。小儿病目，揉此甚效。以我大指按揉之，眼珠上视，往下揉；眼珠下视，往上揉；两目不开，左右分[③]揉。口眼歪斜，亦必揉[④]此。

---

① “气”，商务本此字下有“也”字。
② “鱼际穴”，原本作“鱼脊火”三字。据商务本改。
③ “分”，原本脱。据商务本补。
④ “揉”，原本作“掐”。据商务本改。

清 天 河

天河穴，在膀膊中，从坎宫小天心处，一直到手湾曲池。清者，以我手三指或二指，自大横纹推到曲池，以取凉退热，并治淋疴、昏睡。一切火症俱妙。

揉 中 脘

中脘，在心窝下。胃府也，积食积滞在此。揉者，放小儿卧倒仰睡，以我手掌按而揉之，左右揉，则积滞食闷即消化矣。

揉 涌 泉①

涌泉穴，在脚心中不着地处。左揉止吐，右揉止泻。男依此，女反之。男右脚，女左脚。退烦热亦妙，引热下行。

掐 一 窝 风

一窝风穴，在大陵下些，中间。掐此能止肚痛，或久病慢惊皆可。

掐 揉 阳 池

阳池穴，在一窝风之下。掐此专治头疼。

① “揉涌泉”，商务本此三字下有“久揉亦能治眼病”七字注文。

掐内间史

内间史穴，在总经下寸许，天河路上。掐此剿疟。

揉膻中、风门

膻中，在胸前堂骨洼处。风门，在脊背上，与膻中相对。揉者，以我两手按小儿前后两穴，齐揉之。以除[①]肺家风寒邪热、气喘咳嗽之症。

掐五指节

掌背后五指节掐之，去风化痰，苏醒人事，通关隔闭塞。

拿仆参穴

一名“鞋带”。在脚后脚根上。惊死，重拿即醒，久拿必活。

揉天枢

天枢穴，在膻中两旁两乳之上。揉此以化痰止嗽。其揉法，以我大、食两指，八字分开，按而揉之。

① “除”，原本作“阴”。据商务本改。

掐解溪

解溪穴，在脚面上湾处。小儿内吊惊，往后仰，掐之即揉。

拿委中

委中穴，在腿湾中。小儿脚不缩，重拿之。向前仆，掐之。

拿承山

承山穴，在腿肚中。一名“鱼肚穴”。一把拿之。拿此穴，小儿即睡。又治喘，掐之即揉。男右女左。

揉脐及鸠尾

鸠尾在心窝上，掩心骨是也。脐乃肚脐。一名“神阙”。揉者，以我右掌，从小儿关元，右拂上至鸠尾，左旋而下，如数周回。盖小儿天一真水在此，取水来克火之故也。身热重者，必用此法。须用三指方着力，若手心则不着力矣。寒掌热[①]指，乃搓热手心揉脐也。

① “热”，原本作“无”。据商务本改。

十三大手法推拿注释

天门入虎口、重揉斗肘穴

此顺气生血之法也。天门即神门，乃乾宫也。斗肘，膀膊下肘后一团骨也。其法，以我左手托小儿斗肘穴，复以我右手大指叉入虎口，又以我将指管定天门，是一手拿两穴、两手三穴并做也。然必曲小儿手揉之，庶斗肘处得力，天门、虎口处又省力也。

打马过天河

此能活麻木[①]，通关节脉窍之良法也。马者，二人上马穴也，在天门下。其法，以我食、将二指，自小儿上马处打起，摆至天河；去四回三，至曲池内一弹，如儿辈嘻戏打披之状。此法惟[②]凉去热。

黄蜂入洞

此寒重取汗之奇法也。洞在小儿两鼻孔，我食、将二指头，一对黄蜂也。其法，屈我大指，伸我食、将二指，入小儿两鼻孔内揉之，如黄蜂入洞之状。用此法汗必至，若非重寒阴症，不宜用，盖有清天河、捞明月之法在。

水底捞明月

此退热必用之法也。水底者，小指边也。明月者，手心内牢宫也。其法，以我手拿住小儿手指，将我大指，自小儿小指旁尖，推至坎宫，入内牢轻拂起，如捞明月之状。再一法，或用凉水点入内牢，其热即止。盖凉入心肌，行背上，往脏腑。大凉之法，不可乱用。

飞金走气

此去肺火、清内热、消膨胀、救失声音之妙法也。金者，能生水也。走气者，气

① “木”，原本作“没”。据商务本改。
② “惟”，商务本作“退”。

行动也。其法性温。以我将指蘸凉水置内牢宫，仍以将指引劳宫水上天河去。前行三次，后转一次。以口吹气微嘘跟水行，如[①]气走也。

按弦走搓摩[②]

此运开积痰、积气、痞疾之要法也。弦者，勒肘骨也，在两胁上。其法，着一人抱小儿坐在怀中，将小儿两手抄搭小儿两肩上，以我两手对小儿两胁上[③]搓摩至肚角下，积痰、积气自然运化。若久痞，则非一日之功，须久搓摩乃效。

二 龙 戏 珠

此止小儿四肢掣跳之良法也。其法性温。以我食、将二指，自儿总经上，参差以指头按之，战行直至曲池陷中，重揉。其指头如圆珠乱落，故名“戏珠”。半表半里。

双 龙 摆 尾

此解大小便结之妙法也。其法，以我右手拿小儿食、小二指，将左手托小儿斗肘穴，扯摇如数，似双龙摆尾之状。又或以我右手拿儿食指，以我左手拿儿小指，往下摇拽，亦似之。

猿 猴 摘 果

此剿疟疾，并除犬吠、人喝之症之良法也。亦能治痰气，除寒退热。其法，以我两手大指、食指提孩儿两耳尖，上往若干数；又扯两耳坠，下垂若干数；如猿猴摘果之状。

揉脐及龟尾并擦七节骨[④]

此治泻痢之良法也。龟尾者，脊骨尽头闾尾穴也。七节骨者，从头骨数下第七

---

① “如”，原本作“加”。据商务本改。

② “按弦走搓摩”，商务本此五字下有“此法治积聚屡试屡验”九字注文。

③ “上”，原本作“止”。据商务本改。

④ “揉脐及龟尾并擦七节骨”，商务本此十字下有“此治痢疾水泄神效”八字注文。

节也。其法，以我一手，用三指揉脐；又以我一手，托揉龟尾。揉讫，自龟尾擦上七节骨为补。水泻专用补。若赤白痢，必自上七节骨擦下龟尾为泻。推第二次，再用补。盖先去其大肠热毒，然后可补也。若伤寒后骨节痛，专擦七节骨至龟尾。

赤凤摇头

此消膨胀、舒喘之良法也。通关顺气，不拘寒热，必用之法。其法，以我左手食、将二指，掐按小儿曲池内，作凤二眼。以我右手仰拿儿小、食、无名、中四指摇之，似凤鸟摇头之状。

凤凰单展翅

此打噎能消之良方[①]也，亦能舒喘胀。其性温，治凉法。用我右手单拿儿中指，以我左手按掐儿斗肘穴圆骨，慢摇如数，似凤凰展翅之象。除虚气虚热俱妙。

总收法

诸症推毕，以此法收之。久病更宜用此，方永不犯。其法，以我左手食指，掐按儿肩井陷中，乃肩膊眼也。又以我右手紧拿小儿食指、无名指，伸摇如数。病不复发矣。

十三手法歌

齐拿天门虎口，重揉斗肘并做；
麻木[②]关节要通活，打马须过天河。
黄蜂入洞热汗，水底捞月凉寒[③]；
飞金走气化风痰，按弦搓摩积散。
积痰积食搓走，二龙戏珠温和；
双龙摆尾解结疴，截疟猿猴摘果。
欲止小儿痢泻，揉脐并及龟尾；

① “方”，商务本作“法”。
② “木”，原本作“没”。据商务本改。
③ “凉寒”，原本作“寒凉”二字。据商务本乙转。

赤凤摇头喘胀为，消噎展翅单飞。
拿儿无名食指，伸摇尽力用功；
有食先掐肩井中，总收久病宜用。
永除小儿惯疾，要将百穴全拿；
若有一二法少差，未及年逾又发。
十三手法却病，仙传留救儿[①]童；
医者深思神会通，浮气粗心休用。

① “儿”，原本作“现”。据商务本改。

推拿病症分类卷之四

胎　毒　门

胎毒者，胎中受母热毒致生病症。三朝、一七、十日、半月之内，最难救治；五六日尤难。速服延寿丹豆大三粒，即愈。

哑　口

哑口者，受母胎中热毒，心寒气蔽，落地无声。此时不暇用推法，速服延寿丹少许，即愈。

口　禁

儿生三日，不哭不乳，是云“口禁”。此胎受火毒，攻心传肺，故饮食不进，啼哭无声。速服延寿丹少许，即愈。

脐　风

儿生一七之内，肚胀腹硬、脐围浮肿、口撮眉攒、牙关不开，名“脐风撮口症”。盖因脐带剪短，或结缚不紧，致水湿侵脐，客风乘虚而入，传之于心，蕴蓄其邪，复传脾络，舌强唇青、手足微搐、喉中痰响，是其候也。服延寿丹少许，即愈。如神脱气冷，不治。

马　牙

小儿月内打喷，即是“马牙”。盖因气血薄弱，不能制伏其毒，以致心火上炎，牙龈遍生白色。用针刺破，毛青布蘸水掠洗，后用金墨搽，不复长。宜服延寿丹少许，即愈。

鹅　口

小儿胎火攻心，致上腭有白点，状如粟米，名曰“乳鹅”。或口内白沫满舌、上腭戴碍、状如鹅口、开而不合、语声不出、乳食多艰，皆由热毒上攻也。治法宜分阴阳、运八卦、清心经、捞明月。宜服延寿丹。

重舌、木舌

脾之脉络系舌旁，肝之脉络系舌本，心之脉络系舌根。三经受胎毒而上攻，舌下又像有一舌，名曰“重舌”。舌肿如木，名曰“木舌”。又或舌卷缩，或舒长，或肿满，此风热盛而妨乳食也。又或生疮破裂，胃有湿热，四肢壮热，是其候也。法宜分阴阳、运八卦、清心经、清脾经、清肝经、捞明月、清天河。宜服延寿丹。

夜　啼

夜啼有四。胎惊夜啼，邪火入心，心与小肠为表里，夜啼而遗溺者是也。见灯烦躁愈啼者，心热甚也。遇寒即啼者，寒疝也。面色紫黑、气郁如怒、若有恐惧、睡中惊跳者，误触神祇而夜啼也。法宜分阴阳、运八卦、运五经、捞明月、清天河、清心经。如寒，推三关。方用灯心烧灰，擦母乳头上，与儿餂之，即止[①]。

诸热门

诸热各有其因，要辨虚实寒冷。如胎热，儿生三朝旬日月间，目闭、面赤、眼胞浮肿、常作呻吟，或啼哭不已、时复惊烦，小便黄色。此因在胎受母热毒，因有此症，若不速治，便成鹅口、重舌、木舌、赤紫丹瘤等症。又不宜[②]以大寒之法攻之，热退则寒起，传作他症，切宜慎之！法宜分阴阳、运八卦、清天河、水底捞月、掐肾水、揉外牢。宜服延寿丹。

潮热往来

时热往来，来日依时而发，依时而退，如潮水之应不差，故名“潮热”。大抵因饮食不调，中有积滞，以致气血壅盛，热发于外。伏热者，大便黄而气臭；宿寒者，大便白而酸臭是也。法宜分阴阳、运八卦、运水入土、捞明月。宿寒加推三关，气凑则天门、虎口、斗肘。

惊热

心既受惊，气则不顺，身发微热，而梦寐虚惊、面光、自汗、脉数、烦躁。治当与急惊同。法宜分阴阳、运八卦、清心经、清肺经、清天河水[③]、捞明[④]月、二人上马。

① “止”，原本作“吐”。据商务本改。
② “宜”，原本脱。据商务本补。
③ “水”，商务本无。
④ “明”，原本脱。据商务本补。

风　　热

身热面清，口中亦热，烦叫不时，或大小便结。下之。法宜分阴阳、运八卦、掐心经、清肺经、清天河、二人上马、运水入土、捞明月。四肢掣跳，用二龙戏珠。便结，用双龙摆尾、退六腑。宜服延寿丹。

烦　　热

血气两盛，脏腑实热，表里俱热，烦躁不安，皮肤壮热是也。法宜分阴阳、运八卦、泻五经、揉外牢、退六腑、清心经、清肺经、清天河、捞明月、以大指揉[①]涌泉为主。

脾　　热

舌络微缩[②]，时时弄舌。因脾脏积热，不可妄用凉法治。法宜分阴阳、运八卦、清心火、清脾经、掐总经、推三关、退六腑、二人上马、捞明月。合上俱宜服延寿丹。

虚　　热

因病后血气未足[③]，四肢瘦弱，时多发热，一日三五次者，此客热乘虚而作，宜[④]调气血补虚，其热自退。法宜分阴阳、运八卦、运五经、推三关、天门入虎口、揉

① “大指揉”，商务本作“指掐”二字。
② “缩”，原本作“宿”。据商务本改。
③ “足”，原本作“定”。据商务本改。
④ “宜”，原本作“字”。据商务本改。

斗肘、飞金走气、捞明月。

实 热

头昏、颊赤、口内热、小便赤涩、大便闭结，此实热之症也，宜下之，泻去脏腑之热即安。法宜分阴阳、运八卦、清大肠、清肾水、二人上马、捞明月、退六腑为主。

积 热

眼胞浮肿、面黄、足冷、发热，从头至肚愈盛；或恶闻饮食气、呕吐、恶心、肚腹疼痛。治法宜分阴阳、运八卦、推大肠、运五经、清心经、运土入水、捞明月、退六腑、天门、虎口、斗肘、飞金走气。宜服延寿丹。

疳 热

因过餐积滞，郁遏成热。脾家一脏有积热[①]不清，传之别脏，遂成五疳之疾。若脾家病去，余脏皆安。法宜分阴阳、运八卦、推大肠、运土入水、推脾土、揉中脘、捞明月、虎口、斗肘、掐总经、少推三关、多退六腑、揉涌泉。

血 热

每日辰巳时发，遇夜则凉，非虚非疳，乃血热之症也。法宜分阴阳、运八卦、运五经、清肾水、二人上马、捞明月、揉斗肘、揉涌泉，推三关少、退六腑多。

① “热”，原本脱。据商务本补。

骨 蒸 热

骨热而蒸，有热无寒，醒后渴、汗方止。非皮肤之外热也，皆因小儿食肉太早，或多食炙煿面食之类，或好食生冷之物，或衣棉太厚，致耗津液而成。或疳疾之余毒，传作骨蒸。法宜分阴阳、运八卦、运五经、清天河、掐横纹①、水底捞明②月、打马过天河、运土入水。宜③服延寿丹。

壮 热

血气壅实，五脏生热，蒸熨于内，一向不止，眠卧不安，精神恍惚；重发于外，则表里俱热，甚则发惊。法宜分阴阳、清天河、水底捞④月、退六腑。宜服延寿丹。

温 壮 热

温温不甚热，与壮热相类而小异。由胃气不和，气滞壅塞，故蕴积体热，名曰“温壮热”。大便黄臭，宜微利之。法宜分阴阳、运八卦、运五经、清大肠、清肾水、捞明月、退六腑、虎口、斗肘。

热重不退，法宜清宜泻；水底捞月、揉涌泉，引热下行；揉脐及鸠尾。

小儿口吐热气，身子不热，此心经热也。法宜分⑤阴阳、运八卦、清心经、清天河、掐总经、补肾水。

小儿诸热不退，法宜将水湿纸团，放在小儿手心内，再用水底捞明月法，立效。

---

① “横纹”，原本作“纹横”二字。据商务本乙转。
② “捞明”，原本脱此二字。据商务本补。
③ “宜”，原本脱。据商务本补。
④ “捞”，原本脱。据商务本补。
⑤ “分”，原本作“劳”。据商务本改。

以上诸热皆可推。惟小儿变蒸热，乃初生时阴阳水火，蒸于血气，而使形体渐长成就也，切不可推，推则受害。医者照前总论变蒸，按小儿生日计算之，则不差误矣。

手法三阴三阳秘旨兼刺法

早晨发热因潮热，寅卯辰时为壮热；
手足动摇目上视，头闷项急口内热；
此是肝家起病由，推法①同前用手诀。

刺手大指②端处，韭叶边许，刺出血，泻心肝，愈。

日午发搐为潮热，巳午未时不堪掣；
心神惊悸目上视，白睛赤色心家热；
牙关紧闭口内痰，少冲刺血儿救得。

刺手小指内端少冲穴，血出即愈。

日晚发搐潮热足，申酉戌③时不堪搐；
目斜微喘身稍热，清肾泻肺刺指侧。
睡露睛时手足冷，推法同前不可缺。

刺手大指少商穴，血出即愈。

夜间发搐因潮热，亥子丑时不堪搐；
身体温和卧不稳，眼④睛紧而斜视侧；
喉中痰涌银褐色，泻肺涌泉二三百。

须灸足中指节下三壮；刺正⑤冲穴罗纹，出血即愈。

---

① “法”，商务本作“拿”。
② “指”，原本脱。商务本同。据文义补。
③ “戌”，原本作“日”。据商务本改。
④ “眼”，原本作“可”。据商务本改。
⑤ “正”，商务本同。疑作“中”字。

惊　风　门

小儿有热，热甚生惊，惊盛发搐。又盛则牙关紧急，而八候生焉。八候，搐、搦、掣、颤、反、引、窜、视也。搐者，儿两手伸缩；搦者，十指开合；掣者，势如相扑；颤者，头偏不正；反者，身仰向后[①]；引者，臂若开弓；窜者，目视似怒；视者，露睛不活；是八候也。又有惊风痰热之四症，相因而生二十四惊[②]之症，然总不外急、慢两端。

急慢惊风歌

急惊推拿宜泻，痰火一时相攻；
自上而下莫从容，攻去痰火有用。
推拿慢惊须补，自下而上相从；
一切补泻法皆同，男女关腑异弄。
急惊父母惶恐，慢惊医者担心；
不语口闭眼翻睁[③]，下手便掐威灵。
大指两手齐掐，儿嫩隔绢为轻；
一声叫醒得欢欣，不醒还须法应。
口鼻业已无气，心窝尚觉微温；
人中一烛四肢心，后烛承山有准。
囟陷不跳必死，开而跳者还生；
再掐中冲要知音，知痛声音动听。
太溪眼可掐动，肾头掐亦苏醒；

① “向后”，原本作“后向”二字。据商务本乙转。
② “惊”，原本作“气”。据商务本改。
③ “睁”，商务本作“睛”。

两乳穴下探生死[①]，舍此何须又论！
慢因吐泻已久，食积脾伤而成；
先止吐泻补脾经，莫使慢惊成症。
脾虚饮食不消，胃冷饮食难进；
眼转气虚吐弱甚，慢脾惊候一定。
面上已无气色，痰又满在咽喉；
慢惊风症使人愁，补脾清痰速救。
慢惊诸法无救，用艾米粒为形；
百会三壮烛醒醒，久咳又烛乳根。

二十四惊辨症秘旨

胎惊

儿初生柔软，眼闭不开，其原因在母腹中受气不全，即胎[②]受伤。宜掐威灵为主。如掐之不叫，用灯火烛上天心一燋，涌泉各一燋。宜推三关、补肺经为主。

月家惊

小儿月内、摇拳、头偏、口撮、不食乳。其原因母胎辛热遗毒。退六腑、二人上马为主。如撮口，用天南星去皮脐为末，樟脑少许和匀，搽牙龈即开口。若落地眼红、撮口、手捻拳、头偏左右、惊声不出，母食煎炒所致。加用二龙戏珠、天门、虎口、斗肘。

脐风惊

口撮、吐沫、腹硬、头偏、搐掣、手捻拳、脐翻、哭无声。其原因剪脐受风，小肚下有一筋直上脐来。此筋到脐，不可救。若未到，急须先用灯火拦头烛百会穴三下，拦回可救。脐门上用火七燋，大指四燋，涌泉七燋。脐未翻，神门一燋。宜推

① “生死”，原本作“病生”二字。据商务本改。
② “胎”，原本作“胆”。据商务本改。

三关，取汗为主。脐翻者不治。

锁心惊

鼻流鲜血、口红、眼白、身软、好食冷物。其原因心火太盛。宜明月、天河为主。退六腑、清心经、推肾水、分阴阳、飞金走气、掐五指节、天门、虎口、斗肘诸法。方用延寿丹三分。

急惊风

手足捻拳、四肢乱抓、掣跳、口斜、眼偏。其原因喧响受喝。宜安神，掐威灵为主。又掐心经中冲穴、掐四横纹、清肺经、分阴阳、运八卦、运五经、捞明月、清天河、猿猴摘果、清心经。方用大田螺，拨开眼盖，放冰片三厘，少刻成水，茶匙挑入儿脐内。虽一叫而死，即刻醒活。立愈。

慢惊风

眼翻白、不食乳、四肢瘫软、泻气无时。其原因内伤已久，胃气渐脱。宜补脾土为主。分阴阳、运八卦、补肺经、推三关、揉小天心、走搓摩、赤凤摇头。若手法不能已①，又必推三关，以补元气为主。

夜啼惊

遇晚悲啼、哭声不止。其原因心火上炎，邪火入心，面红。宜安神清心为主。又②分阴阳、运八卦、清肺经、捞明月、清天河、退六腑。方用延寿丹，灯心烧灰，水调服。擦乳上，儿食乳下之亦可。

呕吐惊

四肢冷、肚响、眼翻、呕吐乳食。其原因胃腑受寒。宜运八卦，取汗为主。分阴阳、推三关、推肺经、揉天心、二人上马、运五经、运八卦、揉天枢、推版门、横

---

① “已”，原本作“日”。商务本无。据文义改。
② “又”，商务本无。

纹。又用后止吐推法总秘旨。凡推主穴，如儿年数，余法少减可也。

潮热惊

遍身不时发热、口渴、气喘。其原因乳食伤风，乃诸病之萌芽。宜清天河为主。又分阴阳、运八卦、揉二扇门取微汗、捞明月、掐五指节。

宿沙惊

至晚申酉时，人事昏沉，口眼俱歪斜，人事不醒。其原因睡含乳，口角感风。推三关、分阴阳为主。又掌心揉脐。如不应，将灯火烛四心各一樵。

担手惊

两手担下、眼黄翻下、口黑、面紫、人事昏迷。其原因肺经受风，掐不知痛。宜补脾经、推三关、黄蜂入洞，取汗为主。又运水入土、天门、虎口、斗肘。方用麝香擦脚心，细茶洗口。忌风乳食，多时可愈。

盘肠惊

气吼、肚胀、饮食不进、人事瘦弱、肚起青筋、眼黄、大小便短[①]少。其原因六腑受[②]寒。宜推三关、黄蜂入洞，取汗为主。又推大肠、揉脐及龟尾、补肾水、运水入土。如眼黄、筋满肚，难治。

撒手惊

手足一掣一跳，忽一撒竟死。其原因肺经受风喝。宜清肺为主。又分阴阳、运八卦、清心经、赤凤摇头、二龙戏珠，运土入水、推三关、退六腑、拿总经、推脾土。方用吴茱萸敷儿掌心，捏之必愈。忌生冷。

---

① “短”，商务本无。

② “受”，商务本作“有”。

水泻惊

肚鸣、身软、眼唇俱白。其原因伤乳食所致。宜补脾土为主。又推三关、分阴阳、推大肠、天门、虎口、揉斗肘、揉脐及龟尾。一日推两次。待泻后，下午补一次。补脾后，从龟尾擦上七节骨。方用抱龙丸。凡惊，此丸俱治。如人[①]痘首尾并时疾，亦可服。

天吊惊

头向上、手向上、哭声嚎叫、鼻流清水、四肢掣、口眼歪斜。其原因心火克肺，肺家有热上炎。宜清心肺为主。法又分阴阳、推三关、运八卦、清天河、揉小天心、补肾水、清肺经、清心经、二人上马、飞金走气。如不应，用灯火烛神阙一燋。方用伞一把，倒吊[②]鹅一只。将碗接鹅口中涎，与儿服之。即愈。

内吊惊[③]

咬牙、寒战、哭声不止、脸黄、口眼歪斜、掐不知痛。其原因脾肺受病。小儿或弄水，或雨露冷气冲之，寒于内，遂成惊。宜推三关，取汗为主。又推脾土、补肾水、分阴阳、走搓摩、补肝经、运水入土。方用乳香丸。

弯弓惊

四肢向后、头昂、肚仰、哭不成声。其原因肺受寒。宜推三关，取汗为主。又推肺经、补肾、运八卦、分阴阳、掐四横纹、赤凤摇头、掐解溪左右、重按[④]委中。方用百草霜，蕲艾揉烘，缚膻中心坎上。

乌鹊惊

忽大叫哭一声即死、手足掣跳、口开、声变。其原因心经受吓，痰火一时[⑤]攻心。

---

① “人”，商务本作“麻”。

② “吊”，原本作“吕”。据商务本改。

③ “惊”，原本脱。据商务本补。

④ “按”，商务本作“揉”。

⑤ “一时”，商务本无此二字。

宜清心经、清天河、捞明月为主。服延寿丹。

马啼惊

儿头向上、四肢乱舞。其原因被风吓。宜二龙戏珠为主。推三关、运八卦、推脾土、分阴阳、黄蜂入洞。方用葱白研饼敷脐，再轻轻把二人上马一揉，少与乳食即愈。

鲫鱼惊

口吐白沫、四肢动摇、眼掣、口斜。其原因五脏有寒，受吓。宜安神取汗为主。法用推三关、推肺经、运八卦、推天河、运水入土、走搓摩。方用细茶、蛤粉搓囟门。忌乳食。

肚胀惊

气喘、青筋裹肚、腹胀、眼翻、作泻。其原因乳多伤脾，外受风寒。宜推[①]三关取汗、揉脐为主。又分阴阳、运八卦、补肾经、揉神阙、推大肠、走搓摩。方用葱白研细作饼，隔火[②]纸七层，敷脐，将蚕丝系之，即愈。

蛇丝惊

口[③]中舌撩、吐青烟、四肢寒冷。其原因心经蕴热。宜退心火为主。又分阴阳、运八卦、退六腑、清天河、捞明月、清心经、运水入土。方用薄荷煎汤，洗口数次；米泔水又洗口数次。蛤粉擦涌泉穴，即愈。

鹰爪惊

撒手乱抓、脚掣、头摇、身战、眼光、哭声不止。其原因肺受风，心经烦躁。宜分阴阳，退心热为主。又分阴阳、运八卦、清心经、清肺经、推天河、飞金走气、按

---

① “推”，原本脱。据商务本补。
② “火”，原本作“大”。据商务本改。
③ “口”，原本作“日”。据商务本改。

弦走搓摩。

急沙惊

口唇青、四肢冷、筋青、四掌心有黑气。其原因五脏受寒邪。推肺经，取汗为主，此症一汗即愈。推三关、推肺经、运八卦、黄蜂入洞。如不应，用鸡翎蘸香油，探喉吐痰。若不吐，外劳再推大陵，或用涤痰神咒，以吐、汗为止。推讫，仍补脾土、运八卦，后见风不畏。凡推惊，不可拘推三回一之说，但推到其中，回几下便是。惊者，筋也，筋见便是。惊风不省人事，治法：灸上天心、涌泉、大指甲侧。

痰　喘　门

小儿痰喘，痰或作喘。彼不知吐，须用法取之，若不取吐，痰老难治。肺虚喘声短，实则喘声长，虚补实泻。法用分阴阳、运八卦、运五经、掐四横纹、乾离重推、补脾土。小便赤，清天河、退六腑、飞金走气。嘴唇红，按弦搓摩、揉脐及肩井、曲池。气喘，合阴阳、入[①]总筋、清天河立止。气吼发热，揉承山、天门入虎口、揉斗肘、赤凤摇头、飞金走气。痰盛，眼欲上窜，头往上昂，掐两乳下一指期门穴，即止。痰迷心，清心经、清肺经、揉外牢宫、揉精宁、掐五指节、天门、虎口、斗肘。

吐痰法

分阴阳，运八卦，清心经[②]，大陵推至外牢，左转三来右一摩。如不吐，口念咒云："无凡火不成天火，无凡水不成仙水。"用生矾儿小三厘，大用五厘，将滚水冲之；左手三叉诀托水钟，右手用剑诀，向水碗上书"涤痰大将军敕令"。书毕，书符"[illegible]"。有食写食字，无食写火字，将水与小儿饮之，半个时辰其痰即吐。又止吐法：分阴阳、运八卦，掐心经，左转揉之；揉乾、离，掐外牢宫左转；推三关，掐大陵位左转；清肺经、补脾土，掐涌泉左转；其吐即止[③]。如再吐，是火热，宜补脾土、运八

① "入"，商务本作"又"。

② "经"，原本作"肺"。据商务本改。

③ "掐涌泉左转；其吐即止"，商务本无此九字。

卦、乾离重推。又将手掌搓热，揉小儿心窝左转，即止。化痰，多掐五指节。痰壅，揉涌泉穴。左揉肺气盛，右揉心火泻。

呕吐门

有物有声，名曰“呕”。干呕则无物。有物无声，名曰“吐”。呕者有声，吐者[①]则无声。呕吐，出物也，胃气不和。足阳明经胃脉络，阳明之气下行则顺，今逆而上行，故作呕吐。有胃寒、胃热之不同，伤食、胃虚之各异，病既不一，治亦不同。诸吐不止，必因乳食所伤，大要节乳为最。凡吐不问冷热，久吐不止，胃虚生风，恐成慢惊之症，必须预防。如已成慢脾风症，常呕腥臭者，胃气将绝之兆也。

热吐

夏天小儿游戏日中，伏热在胃；或母感冒暑气，承热乳儿；或过食辛热之物，多成热吐。其候面赤、唇红、五心烦热、吐次少而出多、乳片消[②]而色黄是也。法用[③]分阴阳、运八卦、清肺经、版门至横纹、补脾土、揉外牢、乾离重揉、赤风摇头、捞明月。

冷吐

冬月感冒风寒，或乳母受寒，承寒乳儿，冷气入胃；或食生冷，或伤宿乳，胃虚不纳、乳片不化、喜热恶寒、四肢逆冷、吐次多而出少者是也。法用分阴阳、运八卦、推三关、推肺经、推脾土、推版门至横纹、乾离重揉。

寒食吐

夹食而出，吐必酸臭，恶食、胃痛、身发潮热是也。法用[④]分阴阳、运八卦、揉

① “者”，原本脱。据商务本补。
② “消”，原本作“稍”。据商务本改。
③ “用”，商务本作“宜”。
④ “用”，商务本作“宜”。

中脘、按弦走搓摩、揉脐及龟尾、补脾土。

虚吐

胃气虚弱[①]，不能存留乳食而作吐也。法用[②]分阴阳、运八卦、推三关、多补脾土、运五经、运土入水、肞门推至横纹。

止吐推法总秘旨

掐心经，左转揉之；掐外牢宫、推三关、补脾土、运八卦、乾离重揉[③]、掐四横纹、推肞门至横纹、清肺经，其吐即止。

咳 嗽 门

咳嗽之症，必因感冒而成。盖皮毛者，肺之合也。皮毛先受邪气，邪气得从其合，则伤于肺，故令嗽也。乍暖脱衣，暴热遇风，汗出未干，遽尔戏水，致令伤风咳嗽。初得时面赤，唇红，气粗，发热，此是伤风，痰壅作嗽；嗽久，津液枯耗，肺经虚矣。肺为诸脏华盖，卧则开，坐则合，坐则稍宽，卧则气促，乃因攻肺下痰之过，名曰“虚嗽”。又当补脾土，而益肺气；运土入水，籍土气以生金，则咳自愈。

咳嗽歌

咳嗽连声风入肺，重则喘急热不退；
肺伤于寒痰[④]嗽多，肺经受热声壅滞；
寒宜取汗热宜清，实当泻之虚补肺[⑤]；
嗽而不止便成痫，痰盛不已惊风至；

① “胃气虚弱”，商务本此四字上有“虚吐者”三字。
② “用”，商务本作“宜”。
③ “揉”，原本作“推”。据商务本改。
④ “痰”，商务本作“咳”。
⑤ “补肺”，商务本作“当补”二字。

眼眶紫黑必伤损，嗽而有血难调治。

总法，宜分[①]阴阳，运八卦，肺经热清寒补，揉二扇门、运五经、二人上马、掐五指节、掐精宁穴、揉天枢；前揉膻中，后揉风门，两手一齐揉；补脾土、侧推三关、心经热清寒补、按弦走搓摩、离上推至乾上止。中虚，清，揉肺俞穴，拿后承山穴。面青、发喘，清肺经。发热，清天河、捞明月小许。痰喘推法尽此矣。

方用麦门冬煎汁，入洋糖，晚煎，次早热服。五次即愈。

伤 寒 门

小儿面目俱红，不时喷嚏，气粗身热，此是伤寒。或四肢冷，开口大叫，闭口痰声。

伤寒一日，遍身发热、头疼、脑痛、人事昏沉、言语胡乱。法宜分阴阳、运八卦、运五经、掐心经、揉外牢宫、掐阳池、推三关、揉[②]二扇门、黄蜂入洞。

伤寒二日，结胸、腹胀、阻食沉迷、内热外寒、遍身骨疼痛。法宜分阴阳、运八卦、运五经、清心经、推三关、侧推虎口、补脾土、飞金走气。

伤寒三日，遍身骨节疼痛、大小便不通、腹作胀。法宜分阴阳、运八卦、运五经、清心肺、飞金走气、双龙摆尾、赤凤摇头、水底捞月[③]、运土入水。

伤寒四日，脚疼、腰痛、眼红、口渴、饮食[④]不进、人事颠乱。法宜分阴阳、运八卦、揉上天心、清心肝、二人上马、捞明月、推脾土、打马过天河。

伤寒五日，传遍经络，或大便不通、小便自利，或噎气、霍乱。法宜分阴阳、运八卦、运五经、退六腑、水底捞月[⑤]、凤凰单展翅。

伤寒六日，血气虚弱，饮食不进，腰疼、气喘、心疼、头痛。法宜分阴阳、运八卦、天门入虎口、斗肘、补脾土、推三关、掐阳池[⑥]、赤凤摇头。

---

① “分”，原本脱。据商务本补。
② “揉”，原本脱。据商务本补。
③ “月”，商务本作“明月”二字。
④ “食”，原本作“水”。据商务本改。
⑤ “月”，商务本作“明月”二字。
⑥ “池”，原本作“而”。据商务本改。

伤寒七日，传遍六经，发散四肢，各传经络，或痢或疟，加减推之。法宜分阴阳、运八卦、清天河、二龙戏珠、合阴阳、掐四横纹、推脾土、推三关、侧推大肠。

治小儿风寒感冒头疼，以取汗为主，盖风与寒皆随汗散也。法宜分阴阳、运八卦、推三关、揉二扇门、掐阳池、黄蜂入洞。

治小儿阴寒，尤宜取汗为主。汗出必深藏，勿令见风，恐因汗又入。法同前。

治小儿咬牙，法宜分阴阳、运八卦、推三关、补肾水。

积滞门

小儿乳食不节，或过食生冷坚硬之物，致令脾胃不能克化，积滞中脘，壮热、足冷、腹胀、昏睡、不思饮食者，宜攻其积。法宜分阴阳、运八卦、运五经、掐小横纹、揉版门、推大肠、推三关、退六腑、天门、虎口、斗肘、重补脾土、揉中脘。发热，加捞明月、揉脐及龟尾。腹疼，掐一窝风、揉中脘。膨胀，加按弦走搓摩。不化饮食，揉外牢宫。

腹痛门

小儿腹痛有三，或冷，或热，或食积。脐上者热，脐中者食，脐下者冷。小儿不能言，须察面色。

热痛，面赤、腹胀、时痛时止，暑月最多。法宜分阴阳，阴重阳轻；运八卦、运五经，推三关少，退六腑多；揉一窝风，大陵推上外劳讫，补脾土、虎口、斗肘。

伤食痛，面色如常、心胸高起、手不可按、肠结而痛。食生冷硬物所伤，其气亦滞。法宜分阴阳、运八卦、运五经、侧推虎口、补脾土、揉一窝风、揉中脘、揉版门、天门、虎口、斗肘、揉脐及龟尾，大陵推上外牢宫讫，运土入水。

冷痛，面青、肚响、唇白、痛无增减。法宜分阴阳，阳重阴轻；运八卦、运五经、掐一窝风、按弦走搓摩、推三关、推肚角穴、揉脐、推脾土、天门、虎口、揉斗肘、大陵推上外劳；泻讫，补脾土。

冷气攻心疼者，手足冷、遍身冷汗，甚之手足[①]甲青黑、脉沉细微是也。法宜分阴阳、运八卦、推三关、补肾水、揉二扇门、黄蜂入洞。

疟痢总论秘旨

疟、痢二症，世人常病之。大约着论多而确言少，立方多而取效殊。不知疟、痢二症，多在夏秋之交。以夏季之月，专属脾土，子时阳气散极，伏阴在内，人苦[②]皮肤之热，而昧其内之凉也，乃纳凉风[③]，饮凉水以胜之。夫土本[④]惧寒，而以寒投之，于是食胶于脾而不能化，痰结于脾而不能解。痰乃五味之涎，风火转成，才交凉而疟病矣。脉弦而实是食[⑤]，一日一发，轻，难好[⑥]。脉弦而滑是痰，三日一发，重，易好。至于痢，多言赤属热，白属寒，不知此亦内伤生冷，故暑湿之气承之。伤血分多则赤，伤气分多则白，若气血两伤，则赤白兼杂。经云："调血则便脓自愈，血归经不妄行；提气则后重自除，气下陷故后重。"此乃不易之定论也。若投以凉剂，必致禁口滑肠，趋之于死。小儿药愈者十之一，推愈者十之九。盖疟者残疟之症；痢者流利之症，根深而势笃；非精于此，未易愈也。

疟 疾 门

小儿疟疾有四。

一疟疾，二三日一发，则昏昧。原因脾土痰结，脉弦而滑，宜吐之。法宜推肺经、推三关、运八卦、分阴阳、掐四横纹、揉天枢、掐内间史、猿猴摘果、拿列缺、走搓摩。

① "手足"，原本作"足手"二字。据商务本乙转。
② "苦"，原本作"黄"。据商务本改。
③ "凉风"，原本作"风凉"二字。据商务本乙转。
④ "本"，原本作"木"。据商务本改。
⑤ "是食"，原本此二字上有"若"字。据商务本删。
⑥ "难好"，原本脱此二字。据商务本补。

二食疟，一日一发，肚膨[1]作呕。原因脾土结食，宜下之。法宜推三关、推脾土、补肾水、运八卦、分阴阳、天门、虎口、斗肘、揉中脘、按弦走搓摩。

三痎疟，夜间则发，即邪疟也。原因水边戏耍，或[2]露雨风寒，宜取汗。法宜推三关、推肺经、掐手背指节、掐横纹、威灵穴一截、二扇门一截。方用独蒜研饼，贴内间史，略灸一壮。

四虚疟，前症至一二月后，便成虚疟。原因血气两虚，以补中益气为主。法宜推三关、补肾水、虎口、斗肘、二人上马一截、威灵一截。

止疟推法秘旨，初起只在前汗方，加[3]少商穴，愈。如久，法宜推三关、推肺经、分阴阳、运八卦、补脾土、天门、虎口、斗肘。方用祝由科，神妙。

痢疾门

小儿痢疾有三，不独积痞所成，亦且冷热各异，宜调和气血为主，以分阴阳为要。

赤白痢，因血气两伤，有热有寒，宜调和为主。法宜分阴阳、运八卦、侧推大肠到虎口、补脾土、补肾水、揉脐及龟尾、擦七节骨，先泻后补；天门入虎口、重揉斗肘。

赤痢，湿热伤血，宜调血为主。宜分阴阳，阴重阳轻；运八卦，坎重。若红少白多，止侧推三关，不退六腑；侧推大肠、掐大肠、捞明月、天门、虎口、斗肘诀、揉脐及龟尾、擦七节骨，先泻后补。

白痢，湿热伤气，以和气为主。法宜分阴阳，阳重阴轻；运八卦，离宫重[4]；补脾土、侧推大肠到虎口、天门、斗肘、揉脐及龟尾、擦七节骨，先泻后补。

禁口痢，因内热不清，不[5]投以良法，遂成禁滑。法宜分阴阳、运八卦、运五经、推三关、退六腑、清天河、揉版门、补脾土、凤凰单展翅、天门、虎口、斗肘诀、捞明月、揉脐及龟尾、擦七节骨，先泻后补。方用延寿丹神效。

---

① “肚膨”，商务本作“腹胀”二字。
② “或”，商务本作“感”。
③ “加”，原本作“知”。据商务本改。
④ “重”，原本作“属火”二字。据商务本改。
⑤ “不”，原本脱。据商务本补。

泄泻门

胃为水谷之海，其精英流布，以养五脏；糟粕传送，以归大肠。若内由生冷乳食所伤，外因风寒暑湿所感，饥饱失时，脾不能消，冷热相干，遂成水泻。苟脾胃合气以消水谷，水谷既分，安有泻也？盖脾虚则吐，胃虚则泻，脾胃两虚，吐泻并作。久泻不止，元气下脱，必传慢惊，宜大补之。

法宜分阴阳、运八卦、侧推大肠到虎口、补脾土、推三关、运水入土，揉脐及龟尾讫，推补七节骨即止。如热，加捞明月、打马过天河。

诗云：

肝冷传脾臭绿青，焦黄脾土热之形；

肺伤寒色脓粘白，赤热因心肾热成成霍乱[⑥]。

霍乱者，挥霍撩乱也。外感内伤，阴阳乖隔，上吐下泻，心烦气闷之症也。法宜分阴阳、运八卦、运五经、侧推大肠、补脾土、掐四横纹、运水入土、推三关、退六腑、版门推至大横纹、横纹推转至版门。

痞疾门

食积既久，顽结成痞。左积为痰，痰从食起；右积为气，气与痰结。宜速除之，久者七日、十日方消。法宜分阴阳、运八卦、运五经、掐四横纹、推三关、补脾土、久揉按弦走搓摩、侧推大肠到虎口、清肝火、清肺经、天门、虎口、揉斗肘。方用田螺蛳、车前草捣敷丹田。

肿胀门

肿有十症，大抵湿热脾虚而起。脉浮为风虚，沉伏为水病，沉则脉络虚，伏则小

⑥ “成霍乱”，商务本此三字下有“也”字。

便难，即为正水。脾脉虚大，多作脾肿。因循不治，乃成水肿。盖脾土喜燥而恶湿，土败不能治水，则停蓄不行，留滞皮肤，故作浮肿。初起时，见眼胞早晨浮突，至午后稍消。然此症夏与秋冬治之颇易，惟春水泛溢，兼之肝木旺，而脾土受克，不能治水，所以难疗。进退不常，须徐徐调理取效。大凡小儿浮肿，先用发散，然后行泻法。

推用葱姜汤，真麻油加之，再用酒一盏，飞盐少许，皂角一片为末，黄土一钟同炒，布包，倒合手心。掐大指节，即消。

法宜分阴阳、运八卦、推三关、推脾土、黄蜂入洞、运五经、揉二扇门，以上泻；补肾水、虎口、斗肘、补脾土、运土入水。

气肿专是脾虚，不能生金，以致肺家虚气作胀。宜分阴阳、运八卦、推三关、补脾土、运水入土、天门、虎口、斗肘、按弦走搓摩。此推用淡醋亦可。

又有浮肿，因小儿多食伤湿，气不行故肿。非水非气，食散而肿自消。宜分阴阳、运八卦、揉中脘、按弦走搓摩、揉肷门、天门、虎口、斗肘、补脾土、灸龟尾。男左女右。

疳疾门

五脏俱能成疳，先从脾伤而起。其儿面黄、口白、肌瘦、肚大、发稀竖。必脾家病去，诸脏方安，故以补脾为主。法宜分阴阳、运八卦、少推三关、多退六腑、侧推大肠到虎口、清天河、清肾水、按弦走搓摩、重补脾土。方用延寿丹、决明良方。其效如神，救活甚易。

齁疾门

小儿齁疾，如种上相沿。遇天阴发者，不必治。或食生盐，或伤风寒者，一推即愈。宜分阴阳、运八卦、推三关、推肺经、掐横纹、掐指尖、重揉二扇门、黄蜂入洞、揉肾水，取汗[1]。轻者合阴阳，照天河从总经，极力一推至曲池。方用六味地黄，加肉桂、附子为丸食之，可保无虞。然而根难除也。大人如此。

① “汗”，原本作“热”。据商务本改。

淋涩门

小儿淋涩，火也，宜清之。法宜分阴阳、运八卦、运五经、清肾水、清天河、捞明月。向丹田擦，下多上少。如小水不止，十数遍以至数十遍百遍，乃真火少，不能克水，补元气为主。法宜分阴阳、运八卦、补脾土、补肾水、运水入土、重推三关。大小便结治法，宜[①]分阴阳、运八卦、补脾土、清肾水、运水入土。小便结，用[②]运土入水。大便结，用退六腑、双龙摆尾。方用葱白和蜂蜜捣成膏，摊布上。小便结，贴肾囊；大便结，贴肚脐；立愈。肾水枯短，法宜揉小天心、补肾水、补肺经。

目疾门

火眼之症有三，有上视，有下视，有两目齐闭不开。总因肝脏热，又兼有风，以散风清火为妙。宜分阴阳、运八卦、清天河、捞明月、掐合骨、补肾水、二人上马、掐阳池、退六腑、揉上天心。上视往下揉，下视往上揉，不开从中间两分揉抹。若风眼，治法同前，但彼退六腑，此推三关。眼胀[③]、头疼，宜风池一截。上视，泻心经，掐中冲横纹。右视，掐右端正；左视，掐左端正。方总服延寿丹，以灯心汤送下，即愈。

杂症门

治头疮

推三关、推肺经、分阴阳、揉太阳、推脾土、清心火、揉阳池。

① “宜”，原本脱。据商务本补。
② “用”，原本此字下有“此”字。据商务本删。
③ “胀”，原本作“瘴”。据商务本改。

治口内[①]生疮

退六腑、清心经、捞明月、清天河、补肾水。

治偏坠

推三关、补肾水。多用功揉肢门，清天河、掐承山、分阴阳。方用艾草为囊，将肾子兜之，甚效[②]。

治聤耳流脓

宜推三关、退六腑、推脾土、补肾水、清天河、揉耳珠。先泻后补。

小便赤黄

宜掐小指尖、清肾水、掐小横纹、二人上马、分阴阳、捞明月。

治眉眼不开

宜揉上天心、掐阳池、掐横纹。

治口渴咽干

气虚火动。宜清天河、捞明月、天门、虎口[③]、斗肘。

治四肢厥冷

宜推三关、补脾土。

治口哑不语

乃痰迷心窍也。宜清肺经、推肢门、揉天枢。

---

① "口内"，原本作"内口"二字。据商务本乙转。

② "甚效"，商务本作"为妙"二字。

③ "虎口"，原本脱。据商务本补。

治手不屈伸

乃风也。宜揉威灵穴。

治四肢软

乃血气弱[①]也。宜补脾土、掐四横纹、天门、虎口[②]、斗肘。

治手捻拳

乃心经热也。宜清心经、捞明月。

治头疼

宜掐阳池，揉外劳。若头向上，又宜补脾土、运八卦。

治吐血

宜掐母腮穴，在两大指甲后一韭叶。宜手掐。

治汗多

乃肾虚也。宜多补肾水，汗即止。

治心气冷痛

宜揉三焦。

治腰痛

下元虚也。推三关、推命门。

---

① “血气弱”，商务本作“气血虚”三字。
② “虎口”，原本脱。据商务本补。

治上下气不和通

宜推[1]四横纹、天门、斗肘、运五经。

治小肠寒气

宜推版门、推三关、补肾水。

治身麻木

宜打马过[2]天河、天门、虎口、斗肘。

治通肺腑气血

宜曲池一截。

治吐

揉心窝。

治[3]口水多

推[4]脾土、揉版门。

治内热外寒

掐肾水即止。

外热内寒，掐阳池、推三关。汗出为度。

治头软

上天心一燋，脐上下各一燋。

---

① “推”，商务本作“掐”。

② “过”，原本脱。据商务本补。

③ “治”，原本脱。据商务本补。

④ “推”，商务本作“补”。

治作寒

掐心经。

作热，掐肾经。

治口不开

多揉脾土、掐颊车、揉心窝。

治鼻作干

清肺经，推年寿两分下至宝瓶，效。

治内消

久揉脾土、后心，以肚响为度。

治胃气痛

久揉三里穴，以此穴属胃，肚痛亦用之。方用苍术面厘半，五倍子面厘半，共三厘。酒冲服之，立愈。

治前扑

掐委中穴。亦能止大人腰背疼。

治气喘、口歪、眼偏、口不出声、口渴等症

掐精宁，久拿承山。

治口疮在内

掐总经、推天河。

治危症

先劈面吹气一口，若眼皮连动，睛活转，可救。若鱼目，脾绝不治。

肿 毒 门

凡肿一起，用极肥皂角子，阴阳瓦焙成面，酒冲服三钱，睡时[①]带汗即消散。或先用天篷咒符，亦妙。

又方：用榆树南行根条，取来洗净，加糖捣，又加盐少许，敷上即消。

小儿软疖妙方：用铜绿一两，研细，入柏柚煎成膏，摊布上贴之，即消。

① “时”，原本脱。据商务本补。

幼科药方祝由卷之五[1]

潜庵曰："推拿小儿，由初生月家，以及周年、二五岁时，手法少，去病速，良甚便也。及八、九、十岁，童年渐长，难施手法之万遍，必以药饵济之，故选集效验良方，以附于后。而以祝由科神术佐之。是为五集。"

男女稀痘丹痘症不用推拿，反以为害。忌之

蓖麻子肥白者，三十六粒　真麝香五厘　真朱砂一钱，以透红劈砂为上

先将香、砂二味研碎，次将蓖麻和一处，研极细成膏。于五月五日，搽小儿头顶心百会穴、两手心、两膀湾曲池穴、两胁窝、两腿弯、两腿丫、两脚心涌泉穴，共十三处。搽如钱大，不可使药有余剩。搽后不可洗动，听其自落。如药干，以津唾和之。本年搽一次，出痘稀少。次年再搽，出痘数粒。又次年再搽，永不出痘。抑或儿生，在端午后，于七月七日、九月九日，依前法搽之，亦妙。传方之家，已永不出痘，岂但稀而已哉！且搽在皮肤外，毫无伤损，真宝幼灵丹，不可忽也。

治小儿眼内痘花神效方

用活麦门冬，洗净，和糯米糟捣烂。左眼有痘花，敷右脚根；右眼内有，敷左脚根；其花自行跳出。要在百日之内，如迟久不效。

治小儿未能语、啼哭不能辨者

当以手按其腹，如有硬处，即是腹痛。用生姜研之取汁，令暖温。调面成糊，涂纸上，贴脐心，立定。

---

① "幼科药方祝由卷之五"，商务本脱此卷。

治呕吐紫金锭方

人参　白术　茯苓　茯神　山药　乳香　辰砂各一钱五分　牛黄五分　僵蚕五钱　五灵脂五钱　青礞石一钱　赤石脂醋淬七次

上为末，用糯米糊和成锭，金箔为衣，阴干。每症薄荷汤磨化一分，食乳者，揉乳上，喂乳吞下。如不食乳者，捏鼻挑入口灌下，即好。

治二十四惊，并麻痘首尾，又时症，皆可服。抱龙丸方

南星八钱，为末　天竺黄五钱　雄黄二钱　辰砂二钱　麝香一钱

上用甘草，煮浓汁为丸，如黄豆大，金箔为衣。薄荷汤送下一丸，即愈。

治急慢惊风，立效。保和锭子

辰砂钱半，水飞　人参去芦　白术去油　茯苓去皮　茯神一钱　赤石脂醋煅　山药一钱五分　乳香二钱五分　礞石一钱　煅牛黄　僵蚕　五灵脂　麝香俱五分

上为末，金箔十张，大米糊为丸。量儿大小，薄荷汤送下。

治小儿分理阴阳，退潮热，止吐泻，消肿，退疸黄，调脾胃，止便泻。胃苓散乃小儿常服之药

苍术五钱　陈皮五钱　粉草二钱　泽泻四钱　厚朴五钱　猪苓三钱，去黑皮　白术五钱　茯苓三钱　草果仁三钱　官桂一钱

共为细末，水糊为丸，如粟米大。呕吐，姜汤下。又白浊，盐汤下。调脾，炒米汤下。泄泻，车前炒米汤下。疝气，茴香汤下。浮肿，灯心①、五加皮煎汤下。疸黄，本方一料，加茵陈五钱，用灯心、车前汤下。

治盗汗方

用牡蛎一钱，为末，酒服。即止。

① “心”，原本作“火”。据文义改。

治吐泻立止方

用线随脐眼缠过腰，以背沟线上五分燋之，止泻。下五分燋之，止吐。若吐泻两症，以线中心一燋，立止。若久疟，此处三燋。真千金不易之良方也！

健脾丸

茯苓一钱　山药一钱　白术一钱，土炒　陈皮六钱　莲肉去心，八钱　扁豆八钱，炒　泽泻八钱　神曲六钱　山楂肉一两二钱

共为细末，炼蜜为丸，似福元大。每日饮汤送下一丸。

延寿丹秘方

治病目，一切火症。神效。

用锦纹大黄切片，或半斤，或一斤，即三五斤、十斤亦可。先以上好白酒，或上好黄酒，浸两昼夜。入砂锅煮一枝大香，取出铺在板上，晒极干。二次、三次，亦如之。到四制，用藁本煎汁，其浸止用一昼夜，煮晒如前。五制用车前草，执来洗净，洒水捣汁，浸煮晒如前。六制用侧柏叶向东南的，清晨采来，水洗捣汁，浸煮晒如前。末后三制，仍用酒浸煮晒，晒到九次，止晒半干，便上石臼，捣烂为丸。或一分重，或三分重，或一钱、二钱、三钱重，相其儿之大小，火症之轻重，加减用之。此系仙订，与九制古方，迥不相同。神而明之，岂仅小儿为神妙哉！

治疳疾良方

如小儿眼中有翳，先服延寿丹丸，速退之。然后用猪肝半斤，将石决明煅过，擂碎。将肝梭开，放入决明，以麻扎了，入水罐煨熟，取出麻与决明，即以汤洗净，切肝与小儿食之。酱油不忌，两三次食完半斤，待出大恭即愈。屡试屡验。

治小儿眉烂头疮方

用小麦，炒黑色，为末。酒调敷即好。

治小儿乳癣

多生耳后，令伊母嚼白米成膏，涂之即愈。

治小儿刀切破手

用锅盖屑，刮下敷之，立效。

治小儿火烧滚汤起泡

用陈荞麦面打糊裱上，立止疼痛，结盖即愈。

治小儿头痛

用艾饼敷头顶，神效。

治小儿脐肿

用荆芥煎汤，次用葱一根，火上炙过，放在地下，退去火毒，取起刮薄，贴上即消。

治中气虚弱，体瘦，或发热烦渴。补中益气汤

人参八分　黄芪八分　白术五分，土[①]炒　甘草五分，炙　陈皮五分　升麻二分　柴胡二分　当归三分

姜枣为引，水煎服。

治感冒暑寒，霍乱转筋，吐泻，及伤寒头疼，壮热之症。藿香正气散

藿香　苍术　半夏　茯苓白者　紫苏各三两　大腹皮　黑豆水洗净　亦共三两　白芷　厚朴　陈皮各二两　桔梗　甘草各一两

上为末，每服二钱，加姜枣水煎，温服。

① "土"，原本作"立"。据文义改。

治黄水疮

用真麻油，调黄松香面搽之，即愈。

治小儿脱肛

先以葱汤熏洗，后用五倍子，烧灰存性，托上即愈。服补中益气汤两三剂，尤妙。

治小儿大小便不通

用葱白和蜜捣，摊布上为膏，贴脐上，即大便；贴肾囊，即小便；立效。大人亦用此，立效。

治小儿胎叫方

凡胎中子叫，是子口中偶失血饼。法令母屈身就之，饼入口即愈。如不然，用绿豆一升撒地，令母尽皆拾完，自然不叫。

治瘰疬神效方

用蛇头果子草，四五月间生时，采来焙干，煮酒饮之，尽醉发汗。如此三次，以后止饮酒，不必汗。未溃者消，已溃者，用膏药贴即愈。亦须饮此酒。

治小儿肥疮方

枯白矾三钱　香附子三钱

煎水洗，即脱。

治瘊子疮方

天雨鸣雷时，有疮者，不与人知，自己立于檐下，以手抹去瘊子，口中默念："雷打瘊子，快走。"念七遍，抹七遍，即自落。念时迎着雷，向天井外抹去。神效。

治小儿偶不能言方

用鲜姜汁冲麸曲，热酒冲服，即愈。

治胫上鼠疮方

夏枯草五两，无根水三碗，久煎成膏，搽患处。又不拘时服，即消去矣。

治儿生已逾年，柔软不堪持抱

无疾，是居楼所生，未得地。服灶心土三分，即起立。

治小儿四肢冷

明矾五钱　炒盐二钱　黄蜡二钱

贴在脐上即愈。若气急，取竹沥水服之。

治遍身热不退

明矾一钱，和鸡蛋清调匀，搽四心即退。

又方，用桃仁七粒，酒半钟，擂细，贴在鬼眼，便好。

治肚胀作渴，眼光

用生姜、葱白、生酒半钟，擂酒吞下，则眼不光。将雄黄不拘多少，烧热，放在脐上揉。

治脓耳

乃少阳风热炽盛而上升也，臭烂作痛，须用黄龙散。

枯白矾　龙骨煅　黄丹水飞　胭脂　海螵蛸米泔水浸

上为细末，加麝香少许，再研。先以纸条捻干脓水，后以药吹入。切记避风。

又方，用猫儿刺，和报花，煮水洗之，即止。

治痞块方

用大荸荠一百个　古钱二十个　海蜇一片，花头者　炒皮硝四两　烧酒三斤

共一处，浸七日后，每日朝上吃四个，加到十个止。即愈。

治久暂疟疾良方

青皮　陈皮　柴胡　厚朴　神曲　草果　白术　白茯　半夏　甘草　乌梅三个　升麻　苍术

晚间煎，引用姜一片、红枣二枚，煨熟，次早服。禁一日饮食言语。药不使[①]妇女煎。如不止，再服一剂必愈。

治噤口痢良方

用野菱角一升，上石臼捣烂，极汁一钟，又一钟酒，热服，即愈。

八珍糕方

白术一两五钱，土炒　白茯苓一两五钱　山药一两五钱　扁豆一两五钱　山楂一两五钱，去核　苡仁一两五钱　莲米一两五钱，去心　芡实一两五钱　籼米二升半　糯米半升

上为细末，入米面中，加糖斤半，蒸糕。

治走马牙疳速效神方

水银一钱，用锡化五分，入上水银成粉；将旧红褐子烧灰，合五倍子烧焦，共成面一钱二分。将真麻油调一二茶匙，作两次搽。宜少许，不可多用。擦在牙根患处。有涎[②]，即张口流去，不可入肚。去腐生肌，立刻止疼，两三日即收功。仍用冬[③]青叶煎水漱口，全愈。神效屡验。大人亦用此救。

---

① “使”，原本作“思”。据文义改。

② “涎”，原本作“漩”。据文义改。

③ “冬”，原本作“冻”。据文义改。

治火延丹方

用白海蜇皮洗净拭干，将腿肿包了，对日揭开，看海皮黄枯不可用，另换一张包裹。如此三四张，即消散如常。神效验过。

治冻疮妙方

用雪擦洗冻处，即愈。如破裂，用鱼胶熬化，摊膏药贴上，长平自落。神效验过。

治胃气疼方

苍术面一两，五倍子面一两，兑均一处。每用止三厘，冲酒服之，立愈。将死者，即可回生。止用三厘，不可多用。

治小儿肥疮

用老盐鱼一块，香油炙焦，去鱼，以油搽疮，即愈。

附：祝由科

消化肿毒灵符神咒即验奇方

用新笔一枝，双手捧向太阳，取气作用，心中存想日光。过月一旬时候，用左目书“晅”字，一气念咒七次。舌写“囫”字，取气一口，吹向笔尖，然后染朱画符于患处，随用笔尖即在患处向左转点着，念咒一遍，念毕，即将笔尖从患处向外空处一剔，在摄字时，如摄去状。未成形者即消，已成形者即止疼。渐渐消化，屡试屡验，不但小儿用此也。忌妇女手拿笔咒。

咒曰：“唵嚩咀啰啤嗲唎唆呵。”

音：“安瓦子拉金奴力索合。”

点着患处念咒。

咒曰：“天蓬天蓬，任我施行。随我到此，写尽人间疾病。写天天开，写地地裂，写山山崩。一写疔疮，二写吹乳，三写肉瘤。并一切无名肿毒，不出脓，不出血，自消自灭。吾奉太上老君急急如律令。升天摄。”

催生神效方

用黄纸写“语忘”“敬遗”二牌位于产妇房中，左供“语忘”，右供“敬遗”二神明。口中向产妇默念：“‘语忘’‘敬遗’二神明，临产呼之不杀人。”只管念，即生下。

急救难产速生神效验方

图十五　急救难产速生神效验方

中“牛”“马”二。“急急如律令摄”，字用朱笔，涂盖之。

此圈不拘大小，字亦不论多寡，从“速骨开”写起，到交头处，一直写下。黄纸朱书，书时对日光为妙，次对月光，再次对灯光。取符到家，烧灰放入金银汤碗内，令产妇吞下即生。不论艰难，两日、三四日、五六日俱即生，神效。其所产之男女存亡，间不可保，而产妇从无一伤，真灵符也。总要诚求，符不可经妇女手，生下必焚香天地位下，叩谢玉帝。而书符之家，虽不敢要利，然亦必报信谢之。

治小儿夜啼方

用木一条，放火内拨过取出，念咒曰：“拨火杖，拨火杖，将来捉神将。捉住夜啼鬼，杀了不要放。吾奉太上老君急急如律令。”

治蝎子奇方

即在蝎子勾处，写一“馬”字。先写两直“ǁ”，次为四横“臣”，再次右旁一直，不连不勾马。然后写四点向外剔，勿剔毕，将指头在患处点着，口念“子丑寅卯辰巳午未申”，即用手指在患上撮拈而起，向空处一掷即愈。此字在患处写，不用笔。

治疟疾神效方

用一小块黄纸，朱书“華表柱”三字，逐字倒写。又须梁写，先写“柱”字，次于“柱”字上加写“表”字，又于“表”字上加写“華”字。写到“華”字，中一直即一直下，将三字一总围圈过来了，内右旁下着一点，口念“吾奉太上老君急急如律令”。此符用盐内小黑泥，豆大一块包在符内，放在疟者头上顶之，多顶两三日不妨，愈时取下，放在家神香炉脚下压之，以待治他人。一符可治三人，总要洁净，不经妇女手。

符式（缺）

催生灵符又方

马马马　马吽马　马马马

黄纸朱书，化灰，放在滚水碗内，吞下。

治病乳灵符

左乳病用妇人头上左簪，右乳病用妇人右簪。拔下，就在房门后墙上写“乳”字。如此写，口念咒曰：“金头童子遭难，脚此香山游玩，我佛在普陀山上，一口吹散。吾奉太上老君急急如律令。”念毕，将簪撞在墙上，即向簪上吹一口，即愈。

小儿推拿直录

辑 清·钱櫰邨

校注 李磊 罗桂青

校勘说明

《小儿推拿直录》，不分卷，清・钱櫰邨辑，成书于清乾隆五十八年（1793 年）。钱櫰邨，生平不详。据书前小引，乾隆五十二年（1787 年）钱氏得其岳父手录之《幼科推拿》，乾隆五十六年（1791 年）又得览《推拿广意》，遂将二书合辑增删而成是书。该书文字大多为歌赋体，通俗易懂。对儿科病症诊断方法、小儿推拿穴位的分部主治，以及儿科病症的推拿治疗等均有较为详细的论述。现存有清乾隆五十八年钱氏稿本，藏于北京中医研究院图书馆，中医古籍出版社 1982 年据此影印发行。

本书以中医古籍出版社 1982 年影印本为底本（以下称原本）进行校勘。兹将有关校勘事项说明如下。

1. 原书竖排，兹改为横排。

2. 原书重新标点。

3. 原书中的古今字、通假字、异体字、俗体字等，一律改为现今的通行字。

4. 原书中的明显错讹字，径改不出校注。

5. 原书中插图比照原图重新绘制。

目录

幼科推拿小引

丁未岁，内父授予《幼科推拿》书，曰：“此我亲录之秘本也。若能留心于此，亦可为济世之良方耳。”及于辛亥岁，余馆雪堂袁襟丈处，又得视《广意》一编，其中图诀推法靡所不全，方知前本之要，尚有所未全也，是以重为抄正焉。

乾隆癸丑秋九玉峰钱櫰邨书于寒山馆舍

小 儿 科 论

尝闻小儿方脉，古人谓之“哑科”，最难调治，盖因孩提之辈难于问症切脉耳，所以察色观形为医家之先务也。至考小儿病症，胎毒者大半，食伤者小半，外感风寒者十之二三而已。如曰“变蒸”，如曰“惊悸”，如曰“痘疹”，如曰“斑烂”，如曰“发搐”，如曰“风痫”，如曰“瘛瘲”“赤游”，如曰“白秃”“解颅”，如曰“重舌”，如曰“木舌”，以上诸症，岂非孕母不谨，胎毒之所致乎？夫以儿在胎中，饮母之血，母饥亦饥，母饱亦饱。辛辣适口，胎气遂热；情欲动中，胎息即躁；是以嗜欲无节、恣味辛辣者皆能令子受患也。既生之后，不获调护之宜，唯以姑息自爱。期年未满，辄与酸咸；甫及周岁，频食肥甘；病根由此而起。如曰“吐泻”，如曰“黄疸”，如曰“腹胀”，如曰“积痛”，如曰“腹痛”“水肿”，如曰“疟痢”“痰喘”，岂非饮食所伤，调养失宜之所致乎？凡为是医者，临症之际，既重夫察色观形，又当以虎口三关脉纹辨之，然后知小儿之病情轻重，为实为虚。或用药治，或用推拿，庶几功至垂成，而无戕生之罪矣！

仲芳心诚赋

欲保赤子，全仗心诚。口不能言其疾苦，脉难以决其浮沉。外感六淫，风寒火邪易袭；内因诸症，心肝脾脏为多心主惊，肝主风，脾主食积，此论受病大略。欲观气色，先分部位。左颊为肝属木，右颊为肺属金。天庭高，为心火之位；承浆低，为肾水之区。脾主中央，鼻为通气。肝青肾黑，木水之色主惊寒；肺白心红，金火之色为虚热。土色黄现，疳食症多此论面部五脏五色，察症之大略。欲穷其变，再察五官。鼻虽中央肺窍通，声重鼻塞，风寒可见；唇虽赤色脾气应，燥肿生疮，脾热自详。舌乃心苗，红滑顺而干黑者热；目为肝窍，赤肿热而有神者生。胃流注于双颐，风热内攻则红肿；肾开窍于两耳，肾元萎败则黑枯。绕耳经络足少阳，暴聋红肿，恙生于胆；牙床经络足阳明，齿迟枯燥，病归乎肾此论面部五官，病情外见大略。再观其外，以知其内。红气现而热蒸，青色露而惊悸。如煤之黑兮，中恶之因；似橘之黄兮，脾虚之谓。白乃疳劳，紫为热极。青遮口角，扁鹊难医；黑掩太阳，卢医莫治。年寿赤光兮，多生脓血；山根青色兮，频见灾危。泄泻而带阳者须防，咳嗽而拖蓝者可畏。疼痛方殷，面青唇撮眉自蹙；惊风欲发，面赤目直睡多惊。火光焰焰，外感风寒；白气浮浮，中藏癖积。乍黄乍白兮，疳热连绵；又赤又青兮，风邪紧急。察之若精，治之得理此论面部五色，观其病势安危之大略。鸦声脉绝鱼口肺绝，枉费心神；肉折脾干脾绝，空劳气力。气色顿移，形容变异。气乏则脾冷土不生金，胃虚则滞颐贲门不约。面目虚浮，定腹胀而气促肝脾之疾；眉毛频蹙，则肚痛以多啼。蛔出兮胃绝，脾胃将败；唇冷兮，藏腑先亏。苟瞑眩而弗瘳，总扁鹊而何益此以形色察其病之吉凶？手如数物兮，肝风将发；面若涂朱兮，心火已炽。坐卧爱冷兮，烦热之攻；伸缩就暖兮，风寒之畏。肚大脚细兮，脾欲困而成疳；瞠目张口兮，势已危而必毙。弄舌脾热，解颅肾惫。重舌、木舌兮，虚热积于心脾；哽气、喘气兮，实火浮于肝肺。龈宣息露，必是牙疳；哺露丁奚，多缘食积此以头面手足肚腹论其症之所属。唇干定作渴，肠鸣必自利。夜啼分为四症惊热、心热、寒疝、误触是也，变蒸周于一岁三十二日为一变，六十四日为一蒸，共十变五蒸，自后再有三大蒸方毕。心热欲睡而不能，脾虚无时而好睡。病后失音者肾怯，咳嗽失音者肺痿。肚痛而清水流出者虫，腹痛而大便酸臭者积。口频撮而虚寒脾病，舌长伸而火炽心病。龟胸兮，肝火乘于肺膈亦云"肺火乘于胸膈"；龟背兮，肾风入乎骨髓。鼻干黑燥兮肺绝，金衰火盛；肚大青筋兮脾绝，土弱木强。丹瘤疮疥，皆胎毒之连绵；吐泻疟痢，乃食积之留滞。不能吮乳者，热在心脾；常欲俯卧者，火蒸脾胃。喜视灯火者，烦热在心；爱吃泥土者，疳热在脾。腹痛寒侵，口疮热积。脐风忌乎一腊，火丹畏于一周。惊自热生，痫因痰致。吐泻而精神好者则危，疟痢而饮食减者则瘁。惊本心生，风由肝致。搐合左右兮，症有顺逆；药分补泻兮，病有虚实。急惊也，由于积热之深，凉泻偏宜；慢惊也，得于大病之后，温补为先。头摇、目窜、气喘兮头摇，阳气绝。目窜，肝魂散。气喘，肺魄乱，上工莫医；口噤、鼻张、气冷兮口噤，脾胃绝。鼻张，肺气绝，灵丹何济！闭目兮无魂，狂叫兮多祟。不知吞吐者死，反加闷乱者危此为关门闭绝。且如病则热起，热则惊生。或制热以热，或攻热以寒。褓襁未宁兮，但调乃母；匍匐不快兮，当固真元。奈何泻久成痢，积久成疳；疟久成癖，惊久成痫。未致留连兮，攻之宜速；已见沉疴兮，治之宜缓。肠胃秘结兮，急泻而分；气血虚之兮，宜补而痊。此皆指南之活幼，实治病于万全。

此篇为幼科之总纲，业是医者，务要熟记在心。其中所论察色观形之旨，以详病之根由，情势尤为吃紧。盖以小儿一科，全仗望闻之功，推测治病，所以古云"哑科"是也。若忽于此，专以汤丸投治，未免多差而多误。且小儿之气血未充，肠胃娇柔，用药一差便不可救，非如大方脉之药不对症尚可挽回也。

揉儿心前诀

小儿心跳是着吓，热而不跳伤风说；
凉而目翻是水惊，此是入门探候诀。

进门看生死诀

神仙留下诀，切记不可忘；
将儿足中指，重折痛无妨；
若云哭不出，生魂入鬼乡；
知痛哭声转，虽重尤可商；
急用推拿诀，功见一炷香；
儿命归阴去，立时又回阳；
此是神仙诀，医师细细详。

进门看筋诀

囟门八字甚非常，筋退三关命必亡；
初节乍生有进退，次关若见作凶防；
筋赤热时因膈食，筋青端被水风伤；
筋连大指是阴症，筋若生花大不祥；
肢软腹膨伤乳食，筋来白乱是疳伤；
二十四筋推早好，如若推迟命必亡。

凡进门，先看男左女右手食指三关脉纹，次将指甲节掐，舌出者、叫痛者生。生者，将中指望下括之。如又昏闷者，将足后跟仆参穴以布包，咬之即醒；醒即揉而和之，然后酌用其推拿大法也。

入门看色歌

五行皆在面，吉凶看现形；
红赤心家热，风生是胆惊；
面黄多积滞，唇白主寒侵；
伤食紫红色，吐泻年寿青；
颊红惊风至，唇赤烦渴临；
痢疾眉头皱，热盛眼昏沉；
浮黄是温疟，青黑腹痛深；
承浆黄色见，呕吐即来侵；
人中点黑色，痢疾命难存；
眉间赤热盛，须防一梦行。

入门听声歌

五音由肺出，肺绝哭无声；
气短喉音涩，多啼心胆惊；
呕吐热不退，腹痛气寒侵；
重泻风兼补，气弱出声轻；
声颤寒相击，高喊热狂深；
音急神惊怍，喘从气不宁；
声噎气不顺，喷涕知风生；
咽喉痰作患，声响不能清；
呵欠精神倦，阴阳湿杂行；
噎哽风气逆，令儿少安宁；
哭啼声不响，必定见阎君；

虚实从此得，存亡在耳鸣。

小儿无病歌

小儿常体貌，情态自安然；
鼻内流清涕，喉中绝没痰；
头如青黛染，唇似点珠鲜；
脸如花映竹，额似水中莲；
意同波里静，情似月中天；
此儿安且吉，无疾病缠绵。

小儿不治歌

白膜遮睛上，红筋贯眼中；
牵抽长握手，强直反如弓；
鱼口频舒舌，鸡声咬齿同；
困顿身渐瘦，昏沉势最凶；
要哭全不哭，绝哭又无声；
粘痰喉内响，惊气腹中鸣；
搐搦胸膛突，头皮似火坑。
痢疾脓多聚，伤寒汗不流；
蛔虫吐可虑，黑血泻频忧；
久泻精神耗，皮枯渴不休；
风牵天柱倒，冷气喘声浮；
囟肿与囟陷，丹毒遍难收。

补泻法歌并图诀

男人补法式◎，泻法式◎；女人补法式◎，泻法式◎；此推拿不易之法也。

补泻须分寒与热，左施为补右为泻；
男左女右上下推，子前午后有分别；
十二经中看病源，穴对症真无差失；
寒者温之热者凉，虚者补之实者泻；
不偏不倚谓之中，察其寒热而为也。

穴道字释

清用手向上推之为清。

推用手朝上推之为推。

退往下推之为退。

补手掌往手腕推上为补。

运推摩转之为运。

泻手腕往手掌推之为泻。

和一上一下、一分一合为和。

转推摩而转为之转。

截用手截住穴道，不使血之往来为截。

擦我指一上一下擦小儿穴。

拿与截同，不用指甲掐穴，为拿也。

掐。

揉。

剿。

按。

摩。

眉端按指法图

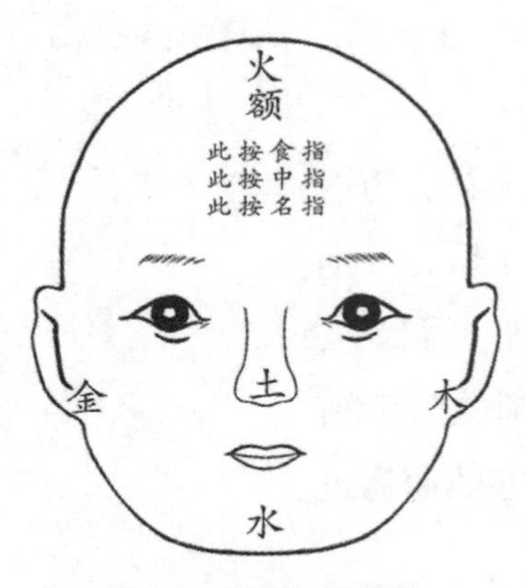

图一 眉端按指法图

按《心鉴》云："小儿半岁之际，有病当于额前眉端发际之间，以名、中、食三指曲按之。儿头在左用右手，在右用左手；食指为上，中指为中，名指为下。三指俱热，主感风邪，鼻塞气粗、发热咳嗽；三指俱冷，主外感风寒、内伤饮食、发热吐泻；食、中二指热，主上热下冷；名、中二指热，主夹惊之疾；食指热，主胸满、食积。又当参辨脉形而施治也。"

面部诸位形图

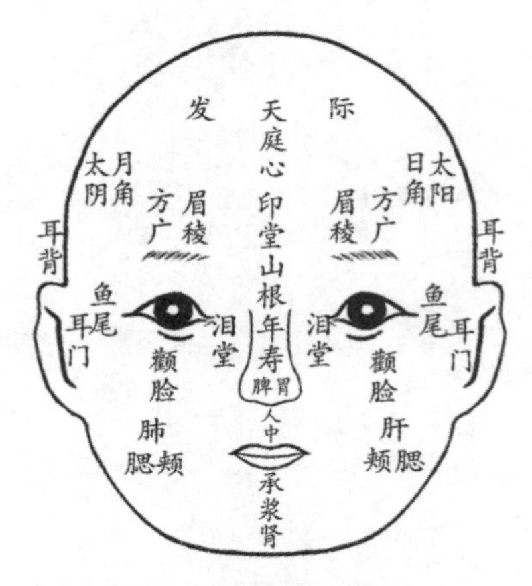

图二 面部诸位形图

面部诸穴之图

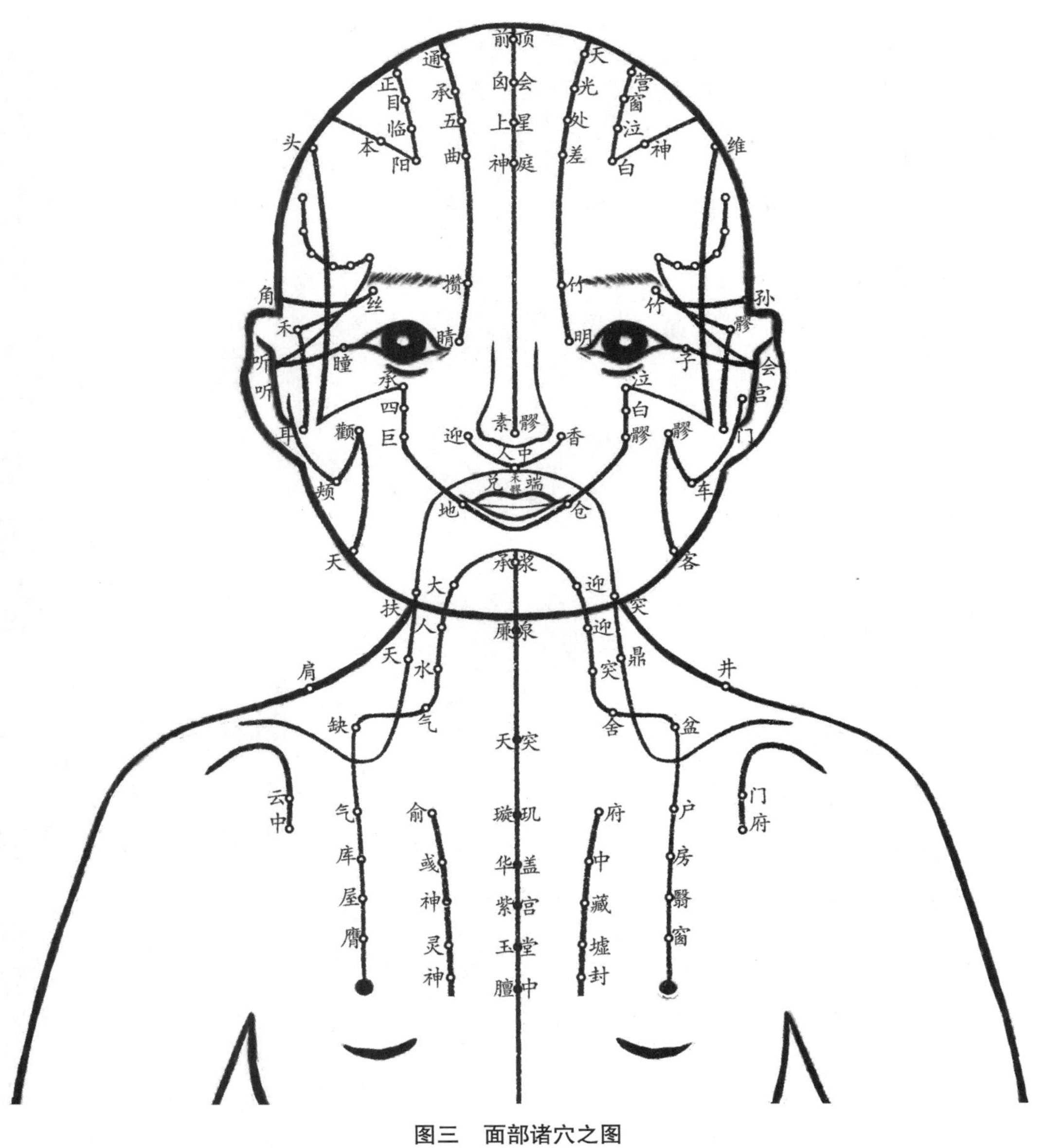

图三　面部诸穴之图

面部诸穴治法

百会穴在头顶窝中

治小儿慢惊风不醒。兼治脱肛。灸五七壮。

攒竹穴即两眉上

治头痛、头风。眼闭揉之，并脑后风池用之。

瞳子髎穴

治慢惊眼闭、面黑、唇青。头痛发汗，揉之。

耳门穴

治慢惊。揉之。

颊车穴在耳下交骨陷中

治诸惊、噤口。掐而揉之。

迎香穴在鼻窝陷中

治慢惊。掐而揉之。

人中穴在鼻下中心

治急惊风。掐而揉之。

承浆穴在唇下中心

治慢惊。掐而揉之。

前身穴道之图

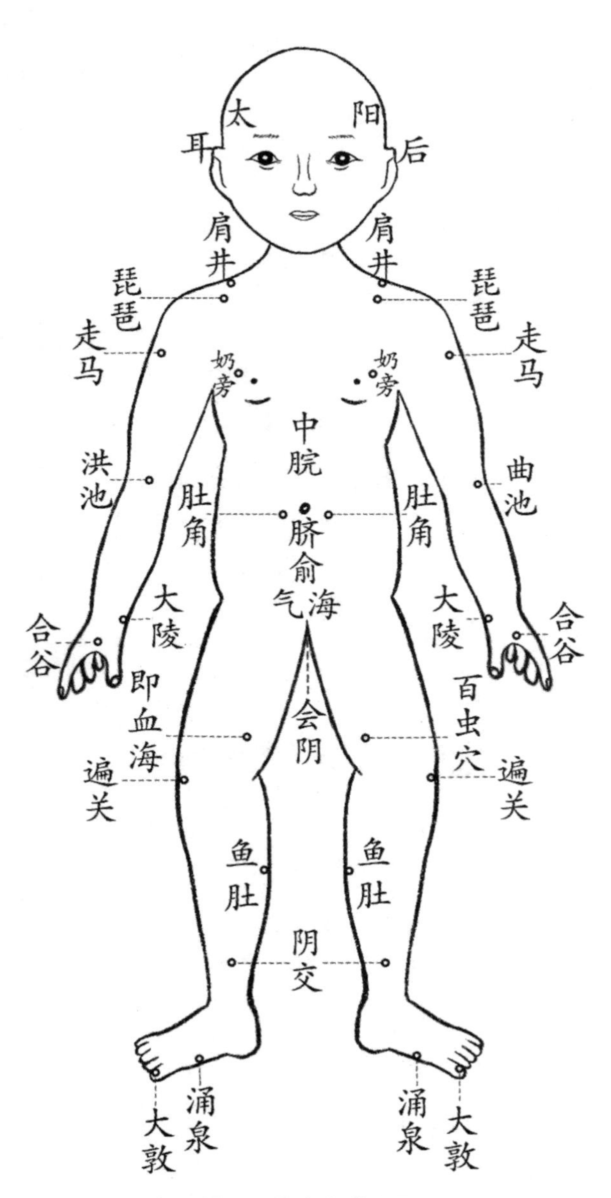

图四　前身穴道之图

前身诸穴治症法

肩井穴在肩头中

治喉闭、缠喉、吐痰。掐而揉之。

中脘穴在心窝

治肚痛，揉之。泄泻、痢疾，泻之。

期门穴在乳下

治上膈板闷、伤食。泻之。

脐俞穴在肚脐四围

治伤食、肚痛、泻痢、肿胀。男左女右，重揉之。

气海穴在腿内侧内陷中

治小肠疝气。往上括之。

太乙仙传十二大拿法

一拿太阳，属阳明经，能醒神。

二拿耳后，属肾经，能去风。

三拿肩井穴，属肺经，能出汗。

四拿奶旁穴，属胃经，能止吐。

五拿曲池穴，属脾经，能去风。

六拿肚角穴，属大肠，能止泻。

七拿百虫穴，属四肢，能止惊。

八拿琵琶穴，属肝经，能清神。

九拿合谷穴，属十二经，能开关节。

十拿鱼肚穴，属小肠，能止泻，更醒人事。

十一拿膀胱穴，属小肠。

十二拿阴交穴，属血脉。同上疏通气血。

大拿歌诀

太阳二穴属阳明，起手拿之是醒神；
耳后穴原从肾管，惊风痰吐一徐行；
肩井肺金能出汗，脱肛痔漏亦能医；
及至奶旁尤属胃，去风止吐力非轻；
曲池脾经能定搐，有风有热便相应；
肚角大肠脾胃经，腹痛泄泻任拿行；
下部四肢百虫穴，调和手足止诸经；
肩上琵琶肝脏络，本宫脉热又清神；
合谷穴相连虎口，通关开窍解昏沉；
鱼肚脚控抽骨处，醒神止泻少阴经；
莫道膀胱无火助，两关秘结要他清；
十二三阴交穴内，疏通气血自均匀；
记得急惊从上取，慢惊必从下面行；
此是神仙真妙诀，须教配合要知音；
天吊眼唇都望上，琵琶穴去配三阴；
先是百虫穴走马，通关之后降痰行；
角弓反张人惊怕，十二经中急早针；
肩井颊车旋莫夺，荆汤调水服千金，
此法男人从左刺，女人反此从右针；
生死入门何处断，指头中甲掐知音；
此是小儿真秘诀，更将三部看何惊。

左右脚内踝图

血海穴

治小肠疝气，胃上风疮毒，痒不可当。望下括之。

鬼眼穴

治痢疾、鹤膝风。掐而揉之。

阴交穴

治[①]。

涌泉穴

治法左转止吐，右转止泻。掐而揉之。

公孙穴

治小儿寒战、咬牙。掐之。

大敦穴

治鹰爪惊。掐之。其势两手乱舞，如鹰爪之勾物也。

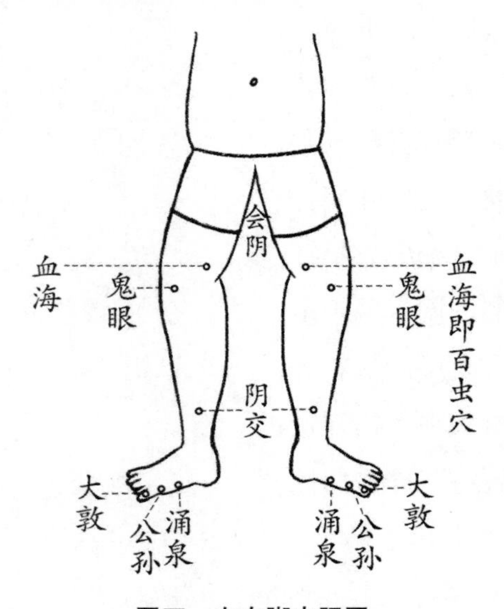

图五　左右脚内踝图

① “治”，原本此字下阙文。

左右脚外踝图

阴市穴

治大人小儿痰。掐之。

中臁穴

治急惊风。掐而揉之。

三里穴

治截疟。掐而揉之。

承山穴

治气吼痰喘。大小人通用。掐之。

委中穴

治腰痛，小儿往前跌卧不起。掐而揉之。

解溪穴

治泻，上膈风热。掐之。

昆仑穴

治惊掣。两边推，掐之。

仆参穴

治惊风。捏拳，用口咬本穴。揉之。

金门穴

治大人小儿手足冷。多痰者，揉之。

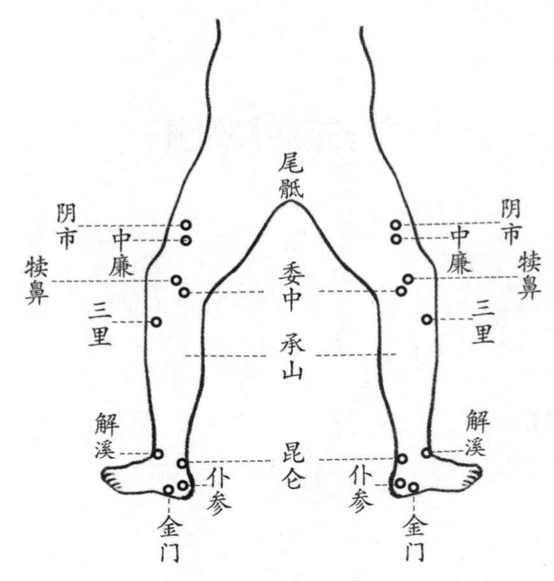

图六　左右脚外踝图

推拿面部次第

一推坎宫，自眉心分过两旁。

二推攒竹，自眉心交互直上。

三运太阳，往耳转为泻，往眼转为补。

四运耳背高骨二十四下，掐[1]一下，推后掐之，大指并掐。

五掐承浆一下。

六掐两颊车一下。

七掐两听会一下。

八掐两太阳一下。

九掐眉心一下。

十掐人中一下。

再用两手提小儿两耳三下。

此推拿不易之法也。至推时，必似线直行，毋得斜曲，恐动别经而招患也。

其推擦之时，无论头面手足等穴，必用葱姜煎水一碗，候温。医者以手用水蘸

① “掐”，原本作“捏”。据文义改。下同。

湿，然后推擦诸穴，无有不效也。

推坎宫图

推法

推坎宫者，医用两手大指，自小儿眉心分过两旁是也。

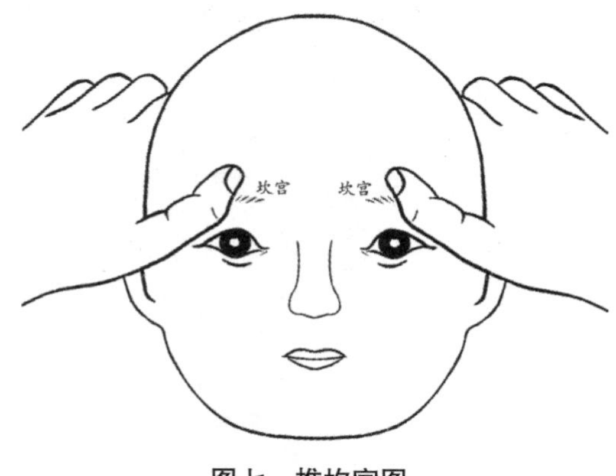

图七　推坎宫图

推攒竹图

推法

推攒竹者，医用两手大指，自儿眉心交互往上直推是也。

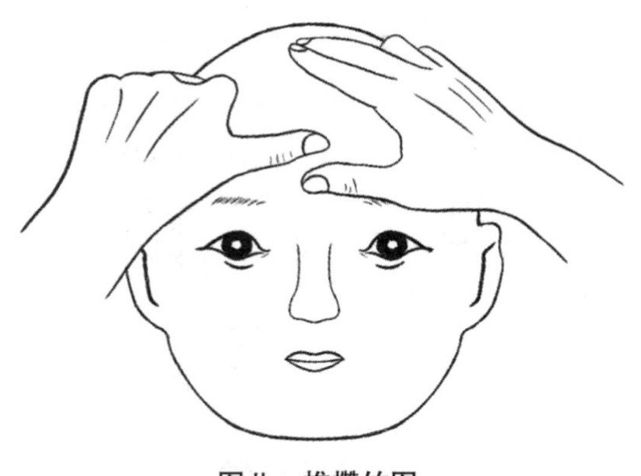

图八　推攒竹图

运太阳图

推运法

凡运太阳者，医用两大指，运小儿太阳。往耳转者为泻，往眼转者为补是也。

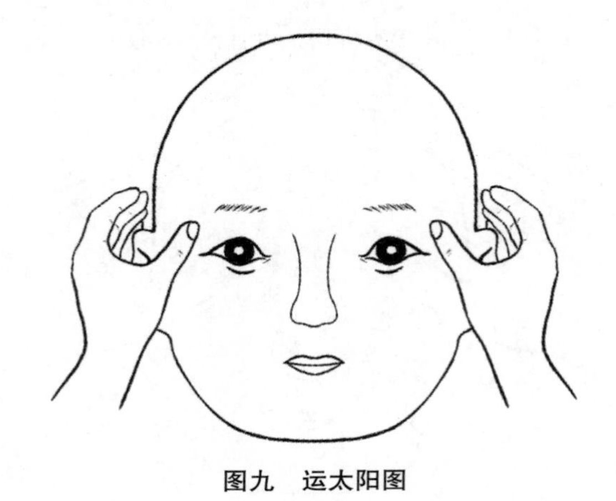

图九　运太阳图

运耳背骨图

运法

凡运耳背骨者，医用中指、无名指揉小儿耳后高骨二十四下，掐三下。

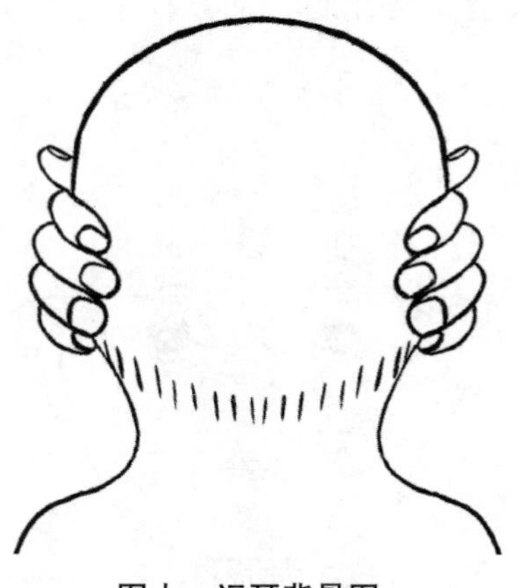

图十　运耳背骨图

双凤展翅图

提法

凡行是法者，医用两手中、食二指，捏儿两耳，往上三提毕。次掐承浆，又次掐颊车及听会、太阴、太阳、眉心、人中，方完其面部推拿之法也。

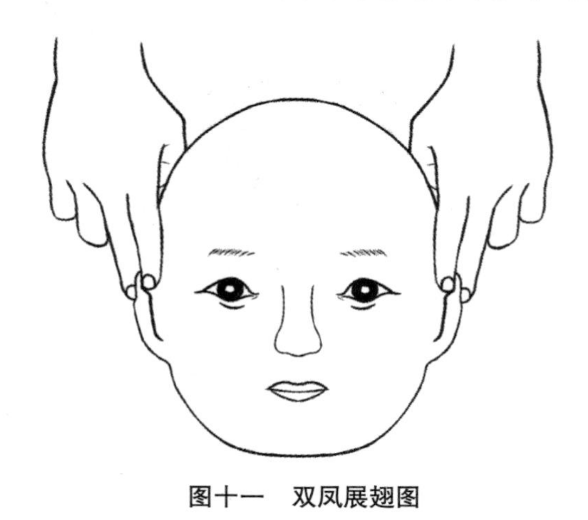

图十一　双凤展翅图

推虎口、三关图

风、气、命三关，即食指寅、卯、辰位是也。凡小儿有疾，必须推之。乃不易之法也。

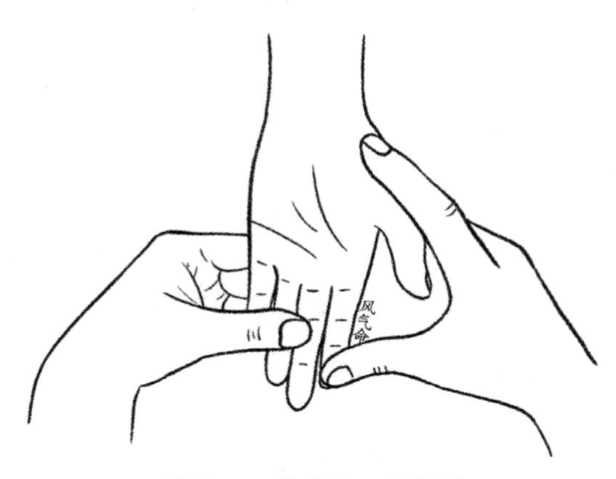

图十二　推虎口、三关图

推男左三关、六腑图

推上三关为热，透五脏至曲池[1]为止。要推三五百遍，量人虚实用之。

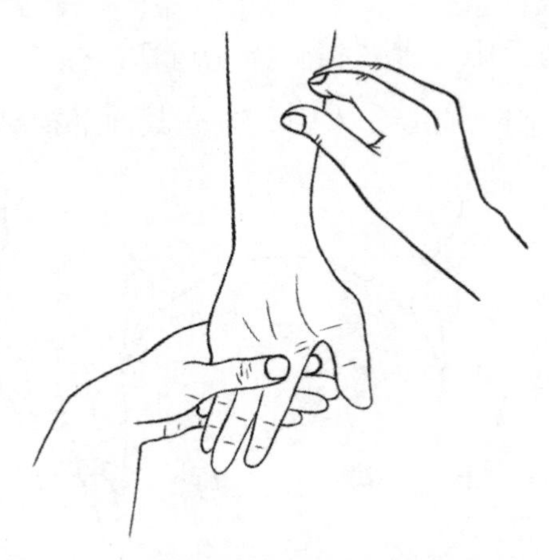

图十三　推男左三关、六腑图

推女右三关、六腑图

退下六腑为凉，亦要从曲池止。要推三百五百之数，量人虚实用之。

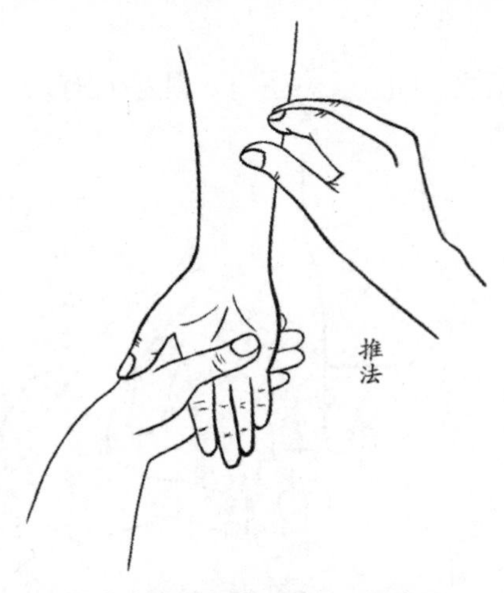

图十四　推女右三关、六腑图

① “池”，原本图注脱。据文义补。

运八卦图

凡运八卦，医用左手拿儿左手四指，掌心向上，将右手托住小儿手背，以大指自乾起至震四卦，略重又轻，运七次，此为“定魄”。自艮推起至离四卦，略重又轻，运七次，能发汗。自巽推至兑四卦，略重又轻，运转七次，此为“安魂”。自坤至坎四卦，略重又轻，转运七次，能退热。若咳嗽者，自离推至乾四卦，略重又轻，运七次，再坎、离二宫，直运七次，为“水火既济”也。

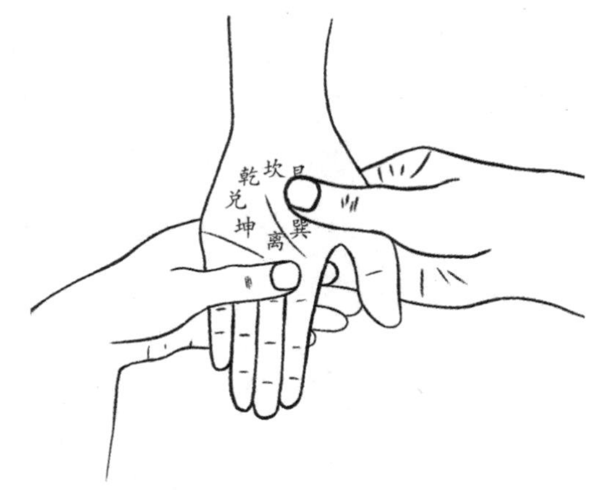

图十五　运八卦图

分阴阳图

此法治寒热不均，作寒作热。将儿手掌向上，医用两手托住，将两大指往外阴阳二穴分之；阳穴宜重分，阴穴宜轻分。凡推疾病，此法不可少也。

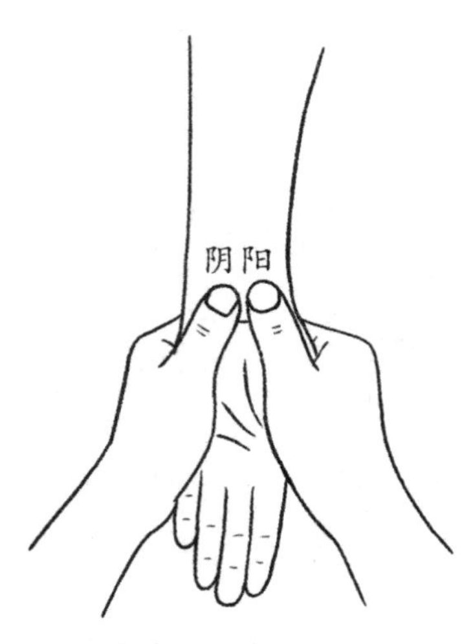

图十六　分阴阳图

推五经图

推五经者，即五指尖心、肝、脾、肺、肾也。如二三节，即六腑是也。医用左手四指，托儿手背，大指捏儿掌心，右手食指，曲小儿指尖下，大指盖儿指尖，逐节推运。往上直行为推，往左顺运为补，往右逆运为泻。先须往上直推过，然后看儿寒热虚实，或泻或补可也。惟大指脾胃，只宜多补，如热甚可略泻耳。若肾经清肾水，在指节上往下直推是也。

此法能治急慢惊风。

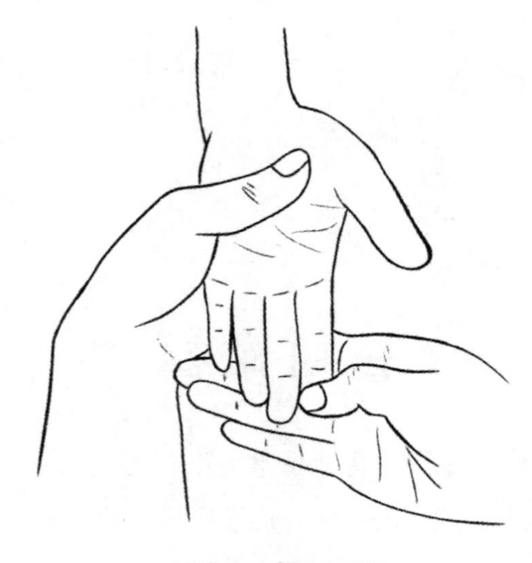

图十七　推五经图

黄蜂入洞图

黄蜂入洞者，以儿左手掌向上，医用两手中、名、小三指托住，将二大指在三关、六腑之中，左食指靠腑，右食指靠关，中掐旁揉。自总筋起循环转动至曲池边，横空三指，自下复上，三四转为妙。

此法治冷，痰冷、气冷、食伤。一切可用。

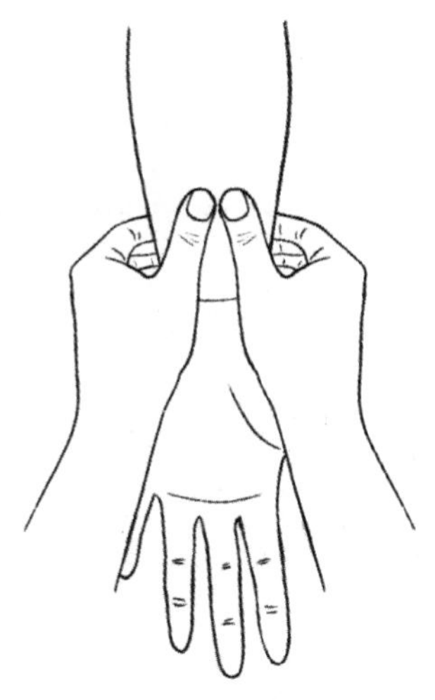

图十八　黄蜂入洞图

苍龙摆尾图

凡运苍龙摆尾者，医用右手，一把拿小儿左手食、中、名三指，掌向上；医之左手侧掌，从总筋起，搓磨天河，及至斗肘，略重些。自斗肘又搓磨至总筋，如此一上一下三四次。医又将大、食、中三指掐斗肘。医右手前拿摇动九次。

此法能退热开胸也。

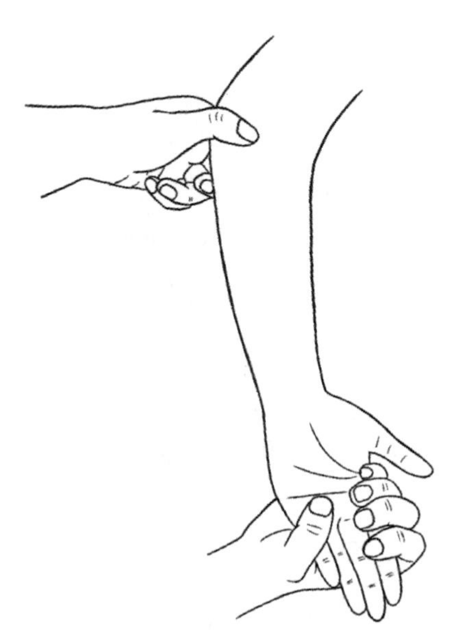

图十九　苍龙摆尾图

二龙戏珠图

此法性温，能治慢惊。医将右手大、食、中三指，掐儿肝、肺二指；左手大、食、中三指，掐儿阴阳二穴。往上一掐一掐，掐至曲池五次。热症阴掐重而阳掐轻，寒症阳掐重而阴掐轻。掐完五次，再将大、食、中三指，掐定阴阳两穴，然后将肺、肝二指，摇摆二九、三九次可也。

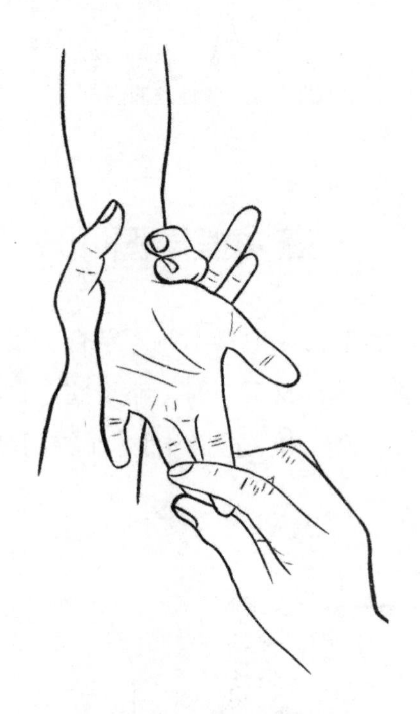

图二十　二龙戏珠图

赤凤摇头图

其法将儿左掌向上，医用左手大、食、中指，轻轻捏儿斗肘；再用右手大、食、中指，先掐儿心指尖，即将中指朝上向外，顺摇二十四下；次掐肝指，再掐脾指、肺指即无名指也、肾指，各摇二十四下。男用左手，女用右手。掐毕再运斗肘。其法要先行摇指法后，做此法也。其法能通关顺气，不拘寒热必用之法，亦能治慢惊也。

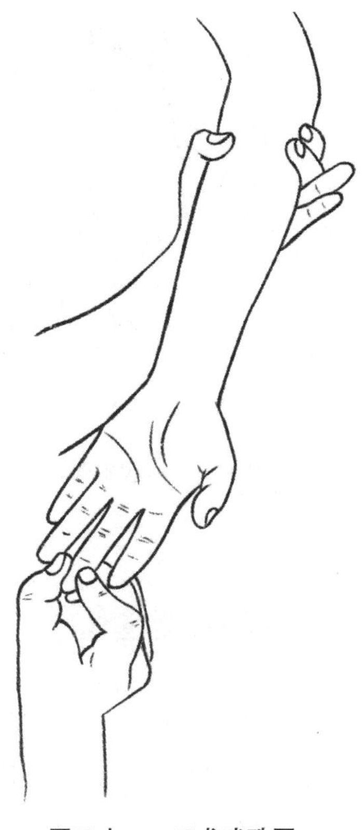

图二十一　二龙戏珠图

猿猴摘果图

此法性温，能治急惊，除痰气，降寒退热。医用左手食、中指，掐儿阳穴，大指掐儿阴穴。若寒症，医用右大指，从阳穴往上揉至曲池，转下揉至阴穴，名为“转阳过阴”。若热症，从阴穴揉至曲池，转下揉至阳穴，名为“转阴过阳”。俱揉九次为度。阳穴即三关，阴穴即六腑也。揉毕，再将右大指掐儿心、脾、肝三指，各掐一下，各摇二十四下。寒症往里摇，热症往外摇是也。

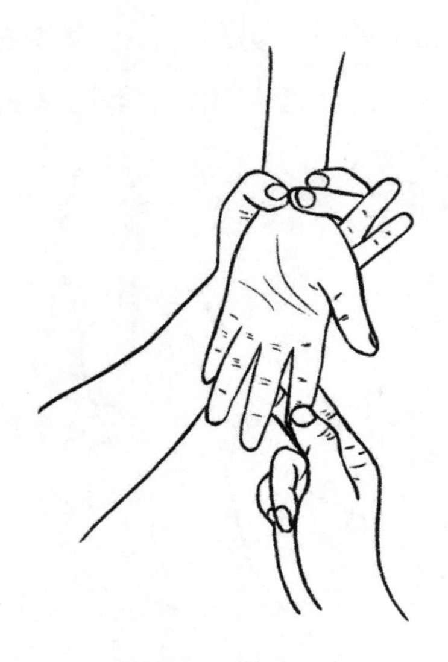

图二十二　猿猴摘果图

凤凰展翅图

此法性温，治凉。医用两手托儿手掌向上，于总筋上些。又用两手上四指在下两边爬开，二大指在上阴阳穴往两边爬开，两大指在阴阳二穴往两边向外摇二十四下。掐住掐紧一刻，医之左手大、食、中三指侧拿儿肘，向下轻摇三四下；复用左手托儿斗肘上，右手托儿手背，大指掐住虎口，往上向外顺摇二十四下。

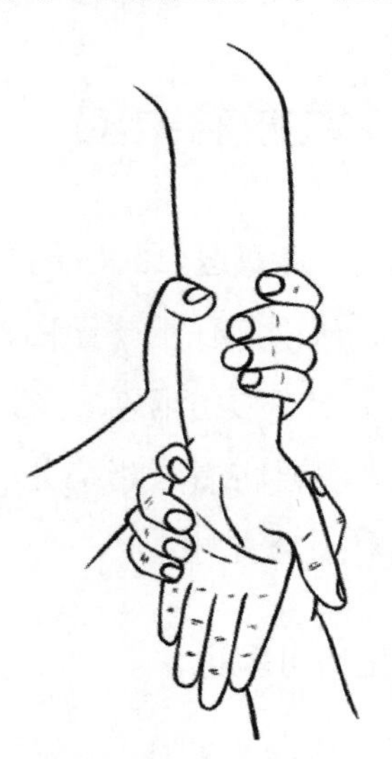

图二十三　凤凰展翅图

飞经走气图

此法性温。医用右手拳拿儿手四指不动，左手四指从儿曲池边起，轮流跳至总筋上九次；复拿阴阳二穴，再用右手向上往外一伸一缩，传送其气，徐徐过关是也。

此法亦能降火清痰。

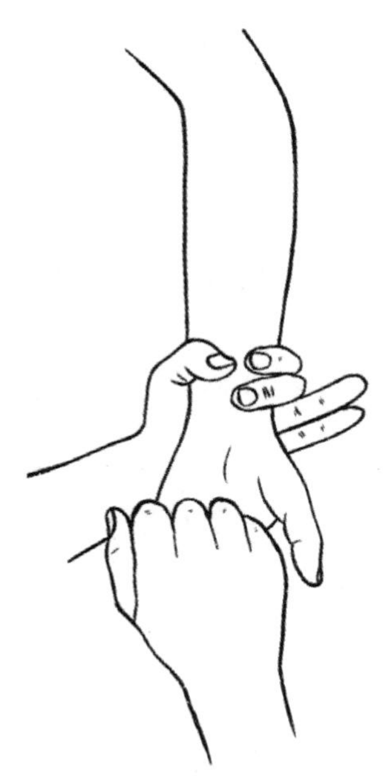

图二十四　飞经走气图

按弦搓摩图

此法医用左手拿儿手掌向上，右手大、食二指，自阳穴上轻轻按摩至曲池，又轻轻按摩至阴穴止。如是一上一下九次。若阳症，关轻腑重；阴症，关重腑轻。再用两手从曲池搓摩至关腑三四次，再将大、食、中指掐儿脾指，左大、食、中指掐儿斗肘，往外摇二十四摇。其法化痰可验也。

亦能治诸惊。

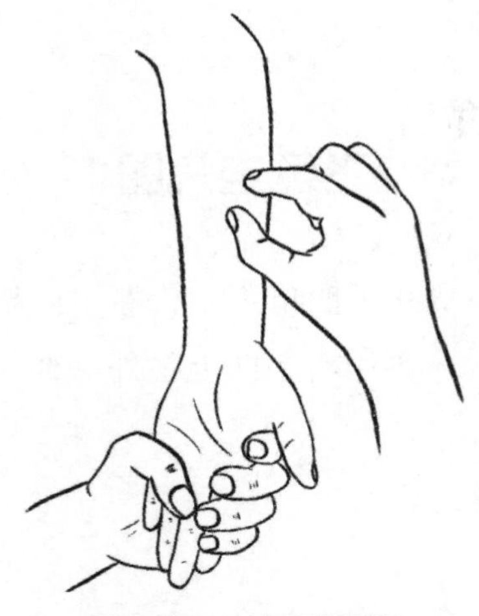

图二十五　按弦搓摩图

水里捞明月图

法曰：以小儿掌向上，医将左手拿住，右手滴水一点于儿内劳宫，即用右手四指扇七次；再滴水于总筋中，即是心经；又滴水于天河，即关腑居中。医口吹气于上四五口，将儿中指屈之，医将左手大指捏住，右手捏拳，将将、中指节自总筋上按摩至曲池，横空二指，如此四五次，往关踢，凉行背上；往腑踢，凉入心肌。此为大凉之法，勿以乱用也。

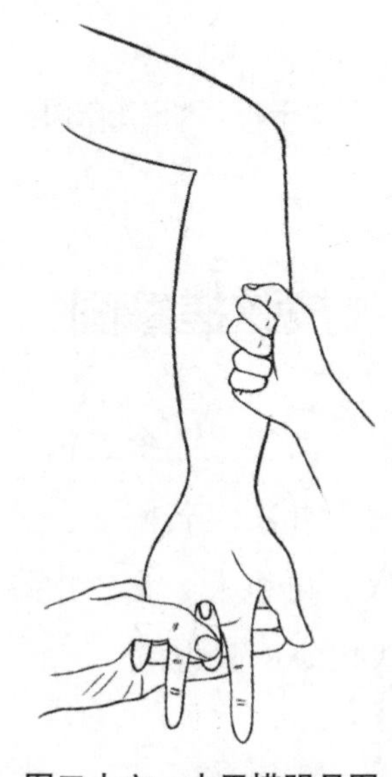

图二十六　水里捞明月图

打马过天河图

此法性凉去热。医用左大指掐儿总筋，右大、中指如弹琴式，当河弹过曲池，弹九次。再将右大指，掐儿肩井、琵琶、走马三穴，掐下五次是也。

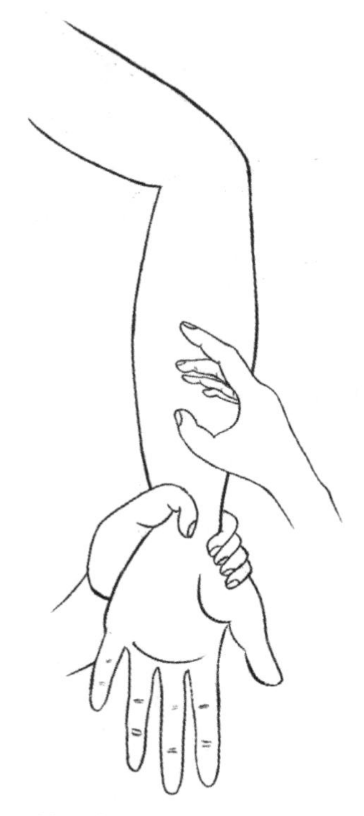

图二十七　打马过天河图

看风气命三关图诀

筋青色是水惊，红色是伤寒，黄色是伤脾，黑色乃不治。

筋赤色是伤食，白色是伤肺，紫色是心热。

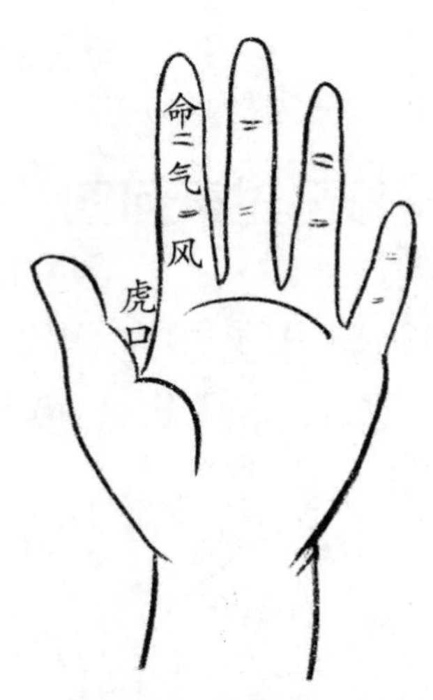

图二十八　看风气命三关图

推拿手部次第法推惊不可拘推三回一之说，但推中回几下便是也

一推虎口三关。

二推五指尖。

三捻五指尖。

四运掌心八卦。

五分阴阳。

六看寒热，推三关、六腑。

七看寒热，用十大手法而行。

八运斗肘。

此手部不易之推法也。

考惊之义，即惊之为言“筋”也。所以看三关筋纹是也。

手掌诸穴之图

女推上六腑为热，男退下六腑为凉。

男推三关为热，女退下三关为凉。

曲为补脾土，从厚肉推上为补，从厚肉推下为泻。

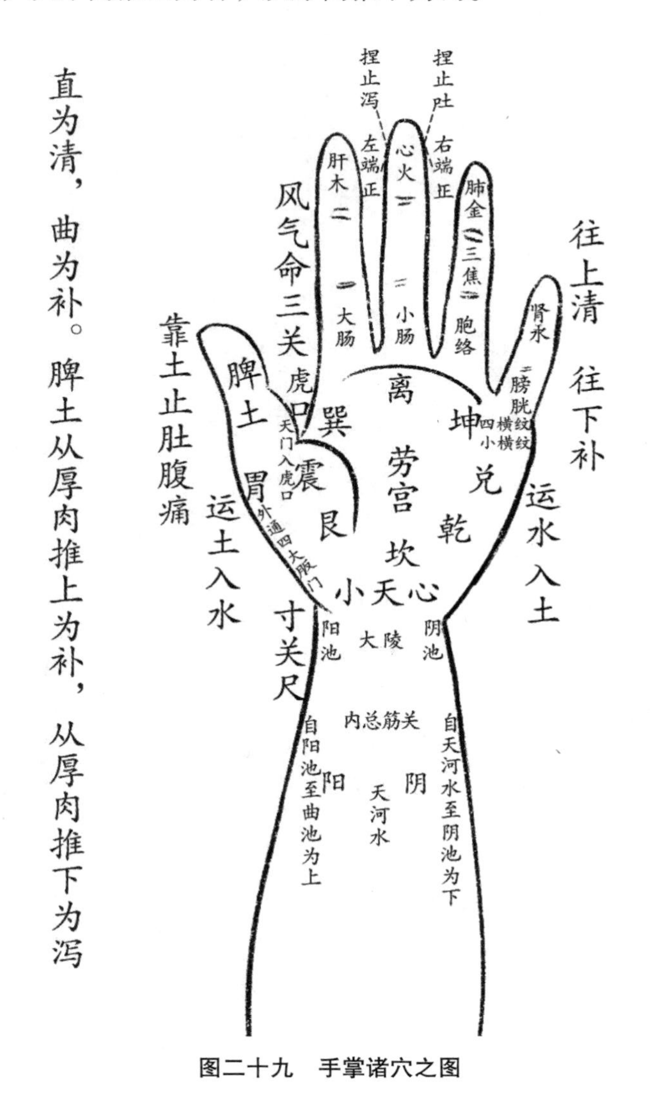

图二十九　手掌诸穴之图

手背诸穴之图

掐之，能拯危症，能祛鬼祟。

五指节掐之，去风化痰，苏醒人事，通关膈闭塞。

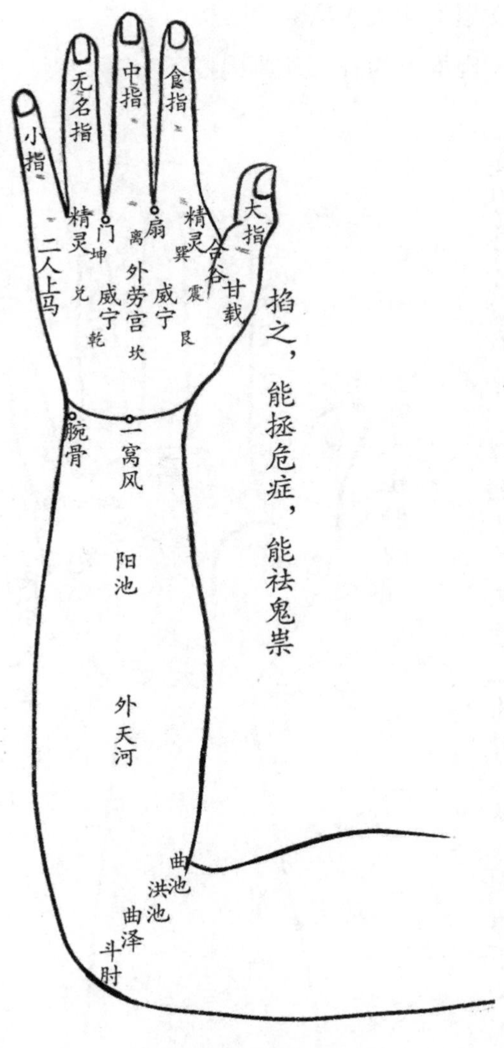

图三十　手背诸穴之图

手掌诸穴治法

天河水

治急慢惊，括之大人中风亦用。

内总筋

治诸惊风。两手摇动揉按，取汗。掐之乃过气之法其汗立至。

大陵

治吐，并捏拳不开。掐而揉之。

阳池

掐之。行痰、发汗止泻。

分阴阳

治或寒或热、发战、泄泻之症。热多阳重，寒多阴重法将儿掌向边分开。

和阴阳

治同上法将儿掌阴阳两处向内和而揉之。

小天心

揉之。清肾水治法，从坎卦位上推至横纹，止泻；从横纹推至坎卦，止吐。

板门穴

掐而揉之。治气胀、胸膈满闷板门推至横纹，吐法。

运八卦

开胸，化痰，除气闷，吐乳食。有九重三轻之法看前图自明。

内劳宫

掐而揉之，能发汗。

天门入虎口

推之清心明目，调和气血，止五心潮热，口疳，气吼。

四横纹

掐之。退脏腑之热，止腹中之痛，退口眼歪邪横纹推至板门，泻法。

心

推之，能退热、发汗。掐之，能通利小便。

肝

侧推至虎口，能止痢疾、水泻，退肝胆之火。

脾

推之，能进饮食，醒人事。

肺

推之，止嗽化痰。能和气血。

肾

推之，退脏腑之热，清小便之赤如赤而短少者，又宜补之。

小肠

治尿白色白色者，如米泔色也。

大肠

推之，退大肠之火，止泄泻、痢疾法宜倒推至虎口。

胃

揉之，运动脏腑之气血。

胞络

推至指尖，能泻心火。

三焦

掐而揉之，能清三焦之火。

膀胱

掐而揉之，清肾火。

补脾土

推之，能进饮食。

泻脾土

推之，止泄泻、痢疾。

运水入土

治火炎土燥之症，用法反行转即是脾土二穴并用，推以润之。

运土入水

治土盛水枯之症，推以滋之。

三关

推之祛风、发汗在手掌左高骨下，推上至曲池[①]。亦治寒战，咬牙。

六腑

推之，止热泻，赤痢在掌右曲泽上，退下至腕骨[②]。亦治潮热惊风。

指上三关

推之，通气血，发汗。

手背诸穴治法

曲池

掐而揉之，止吐痰、喉病。

洪池

掐之，治喉胀，痰盛。

曲泽

掐之，止急惊，泻心火。

外天河

推至洪池一二百下。治热闷昏沉、不醒人事。

一窝风

掐之，治肚痛、眼反白；一哭即死，唇白者。

外劳宫

掐而揉之，和五脏潮热左转清凉，右转温热。

威宁

掐而揉之，治急惊、天吊惊、暴中风、肚痛、头疼、肚起青筋。

① “至曲池”，原本作“曲池至”三字。据文义改。
② “至腕骨”，原本作“腕骨至”三字。据文义改。

精灵

掐而揉之，消痰痞积，胸膈气喘。

二扇门

掐之，发汗。

二人上马

清补肾水，顺精神，醒沉疴左转生凉，右转生热。

合谷

掐之，治四肢搐搦、狂叫、眼反白，一哭即死。

腕骨

掐之，治诸惊，取汗在手背后外侧骨，即腕骨是也。

推拿手掌手背总法

凡小儿，男以推上三关为热，去风寒。退下六腑为凉，去热。女以推上六腑为热，退下三关为凉。如见男女身与手心发热，取天河水退之，用水里捞明月之法，揉三次，推三次，其热自退也。

运八卦者，从震宫推至本位一二百下，再于劳宫掐之，清心退热。急惊先掐总筋，次掐劳宫，后运八卦，推补脾土。凡掐惊，以男左女右手，先掐坎位，次掐离、兑毕，就揉之。

一推大指二节，用左手推之，和胃补脾，止呕吐，进乳食。往下推二三百下。

二推食指三节，用左手向天门入虎口推之，泻胆肝，治诸惊。用一补一泻之法，降火清肝，明目镇惊。次掐精灵穴。

三推中指三节，用左手推，泻心火。用一补一泻法，治发热急惊、烦躁欠宁。次掐威宁穴。

四推无名指三节，用左手推之，泻肺与大肠之火。一补一泻，治痰嗽喘急，伤风。往上推一百下为补。

五推小指三节，用右手推，泻肾火。治小便赤秘，分气利小水。如痢疾水泻，往上推二三百下补之。

四横纹推之者，消胀，宽胸，化气，泻三焦火男左女右，往下横推一百下，男左转，女右转。

运掌心八卦者，能和五脏之气，定魂魄，通血脉男左转，女右转，运二百下。

水火既济者，从坎推至离，能除惊发汗，养脾土。

拿曲池，揉斗肘大转，能使小儿气血通和，定搐。

从手背括至中指尖，掐之，止泻。

从食指尖推入虎口、横门即艮位上，至止吐。

从横纹括至中指尖，掐之，亦止吐。

从板门推至无名指尖住，止泻。

从乾位推过艮位，曰“横门”；从震位推过兑位，曰“板门”；俱主潮热吐泻。

掐手背五指一节，名曰“运五经”。能通一身之气血，治肚响泄泻之疾。

马郎捷径手法歌诀

若问发汗如何说，只在三关用手诀；
一掐心经与劳宫，大汗立至何愁结；
不则又掐二扇门，大如淋雨无休歇；
若治痢疾并水泻，重掐大肠经一节；
倒推虎口见工夫，再推阴阳分寒热；
若问男女咳嗽诀，须推肺经真妙法；
离上推起至乾宫，中间只宜轻轻捻；
一运八卦开胸膈，四推横纹和气血；
五脏六腑气候秘，运动五经开其塞；
饮食不进人着吓，推动脾土便吃得；
饮食若进身体瘦，应补脾土何须说；
若还小水赤与涩，小横纹与肾水节；
往上推而为之补，往下推而为之泻；
若见小儿水风吓，恰要当运五指节；

口出热气心经热，只要天河水清切；
总筋[1]掐倒往下推，万病之中多用得；
若是遍身不退热，外劳宫上多揉些；
不问大热与大炎，只消水里捞明月；
天河虎口斗肘穴，重揉和气又生血；
黄蜂入洞医阴症，冷气冷痰多治得；
阳池穴上治头痛，一窝风愈肚痛绝；
威宁穴治卒暴死，精灵穴治饱胀疾；
二人上马补肾经，合谷能医眼翻白；
饮食不进兼咳嗽，九轻三重有口诀；
推动八卦分阴阳，离乾艮震有分别；
男左三关推上热，退下六腑冷如铁；
女右三关退下凉，推上六腑却为热；
马郎留下救孩童，后学殷勤休要泄。

推拿手掌五脏六腑歌诀

心经有热作痰迷，天河水过到洪池。
肝经有病人多疲此字宜误，推动脾土病必除。
脾经有病食不进，推动脾土效必应。
肺经有病咳嗽多，把这肺金推自可。
肾经有病小水涩，推动肾水便救得。
大肠[2]有病泄泻连，可把大肠摩自痊。
小肠有病气上攻，板门横纹推可通。
命门有病元气亏，脾土大肠八卦为。
三焦有病生寒热，天河六腑神仙诀。
膀胱有病作淋多，肾水八卦运天河。

---

① “筋”，原本作“上”。据文义改。
② “肠”，原本脱。据文义补。

胆经有病口苦见，须从脾土推几遍。
呕掐肺指推三关；泻掐大肠脾土痊。
头痛推取三关间，再掐横纹天河连。
更将天心揉数次，其功效在片时前。
齿痛须揉肾水穴，推掐颊车自然适。
鼻塞伤风推天心，脾土总筋共七百。
耳聋多缘肾水亏，掐取肾水天河诀。
阳池兼行九百功，后掐耳珠旁下则。
咳嗽频频受风寒，先将汗发沾手看。
次掐肺经与横纹，乾位须要运周完。
肚痛若因寒气攻，多推三关横纹同。
脐门亦揉数十下，天门虎口法皆通。
五脏六腑各有推，千金秘诀妙无穷。

一法火眼推三关，一百二十数相连。
六腑退之四百下，再推肾水百四全。
更取天河五百次，终补脾土一百兼。
口传推掌诀千金，付与人间会意参。

手掌六经图

浮属心小肠火。中属三焦火。
阳属肝胆木。阴属肺大肠金。
总属脾胃土。肾属膀胱水。

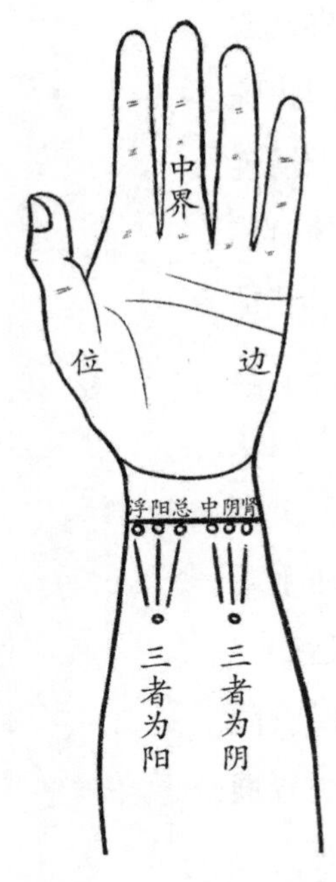

图三十一　手掌六经图

拿掐六经法

筋者，即经络脉纹也。此六筋之秘法，验婴儿之准绳。凡行是法，以男左女右手掌内红白肉际横纹中验之。医者用手握住小儿手，再以手握摄小儿手劲皮分三阴三阳之处，仔细详辨，有毒纹红筋者是也。法能内外相应，以通五脏之气。拿掐之法，男左转女右转，各九九之数，完即揉之。如有小儿皮肤黑厚，难辨其六筋颜色者，有病即依次掐之，则病无不愈矣。

拿掐六筋诀拿掐六经、筋诀

第一赤筋，浮阳属火。以应心与小肠，外通两颊。主清凉，反则主霍乱、烦热。却向中界括之，则阳火自散矣。

第二青筋，纯阳属木。以应肝胆，外通两目。主清凉，反则赤涩、生眵、多泪。向坎位掐之，则目自明矣。阳火若旺，肝火若重，则将阴筋掐之自凉。此为以阴入木也。

第三总筋，黄色属土。以应脾胃，外通唇口、四大板门。主温和，反则主霍乱、吐泻、肠鸣、痢疾之症。向中界掐之，则脾胃自和，四肢舒畅矣。凡诸惊风，在此筋掐之如小儿眼望上者，将筋往下掐之；眼望下①者，将筋往上掐之。

第四淡红筋，属阴火。以应三焦，外通两太阳、额角。主平和，反则主痰壅气塞之患。向中界掐之，则气通塞除矣。

第五白筋，纯阴属金。以应肺与大肠，外通鼻窍。主清凉，反则主胸膈胀满、昏沉痰壅。向中界掐之，自安矣。

第六黑筋，纯阴属水。以应肾与膀胱，外通两耳。主温暖，反则主冷气、尫羸、昏迷。向坎位掐之，则病自痊矣坎位即边尽之处也。

验左右手冷热之图

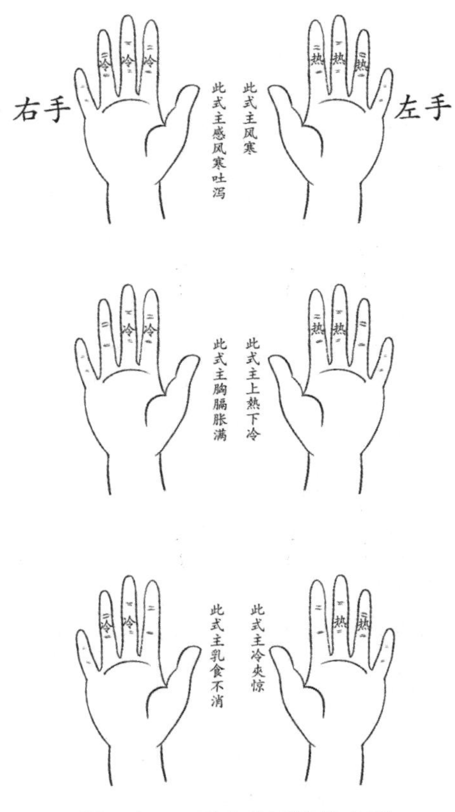

图三十二　验左右手冷热之图

① “下”，原本作“上”。据文义改。

验指冷热知症法

大凡小儿有疾，先将男左女右手食、中、名三指验之，食指主头额，中指管胸膛，无名指司下部。若一指有寒热，主一部之疾；三指有冷热，主一身之疾。看图可知也。

验左右手冷热歌诀

男左女右手，食指论阴阳；
三关风气命，寅卯与辰方；
再以中名指，冷热共推详；
食指主头额，中指管胸膛；
名指司下部，见症细思量；
一指有冷热，一部有灾殃；
三指有冷热，周身病势张；
五指梢头冷，惊来不可当。
若逢中指热，必定是伤寒；
中指独是冷，麻痘症相看；
左手三指热，身感外风寒；
右手三指冷，风寒吐泻缠。
热在左中食，上热下冷多；
冷在右中食，胸腹膨胀疴；
左中名指热，主冷夹惊呼；
右中名指冷，饭乳不消磨；
此是指中诀，医师仔细哦。

惊风握拳图

男向外顺向内逆

女向外逆向内顺

图三十三　惊风握拳图

三　关　图

凡小儿未至三岁，须将男左女右手食指三关看之。风关脉见病轻，气关脉见病重，命关脉见病深难治，若见黑纹更难救也。

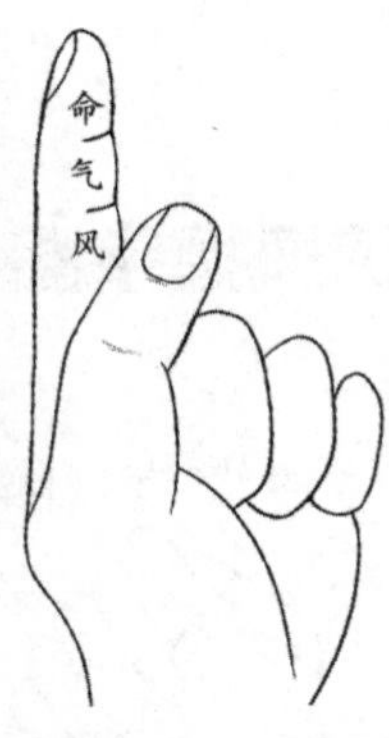

图三十四　三关图

流　珠　图

流珠形主上焦热，乳食伤中闷胸膈；
时时吐泻又肠鸣，口渴烦躁哭不歇。

此乃饮食所伤也，药用助胃膏消饮食分阴阳。若食消而病又作者，用香砂助胃膏以补脾胃。

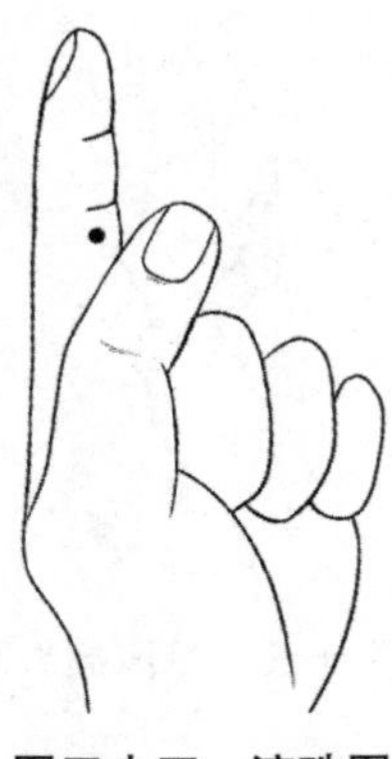

图三十五　流珠图

环　珠　图

环珠形主气不和，脾胃虚兮伤食多；

胸膈胀满并发热，运其三关揉脾土。

此乃脾虚食滞之症，药用五味异功散加山楂、枳实健脾消食，后用六君子汤调养中气。

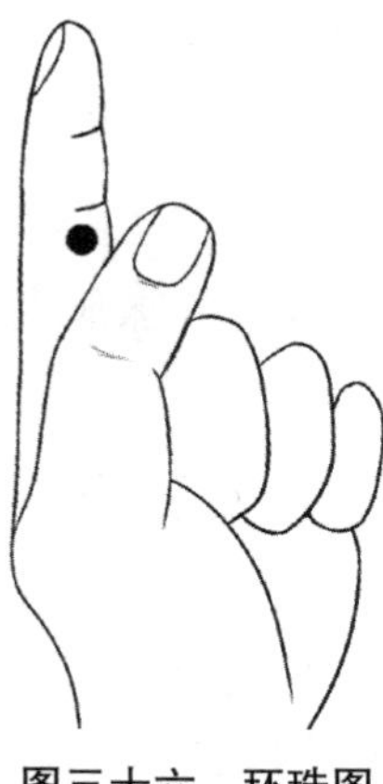

图三十六　环珠图

长　珠　图

长珠形主伤乳食，停积肚痛或寒热；
饮食不思面带黄，运其八卦补脾穴。

此乃伤积滞也，药用大安丸先消其积滞，后用异功散健其脾气。

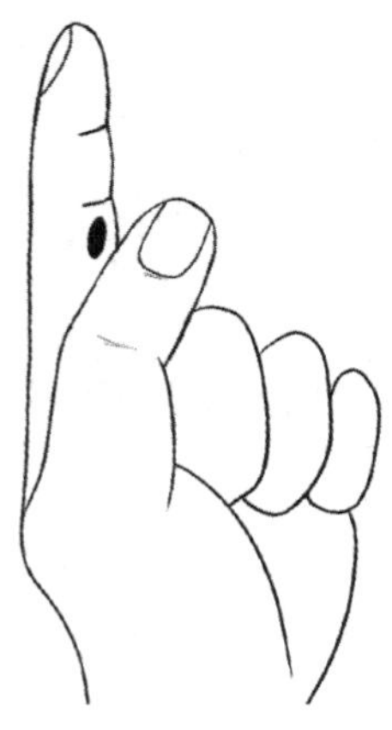

图三十七　长珠图

来 蛇 图

来蛇形主中焦积，面黄肌瘦人不识；
乳食少思疳积攻，胃气不和干呕噎。

此乃脾胃湿热，中脘不利也。药用四味肥儿丸先治其疳邪，后用四君子[①]汤补脾。

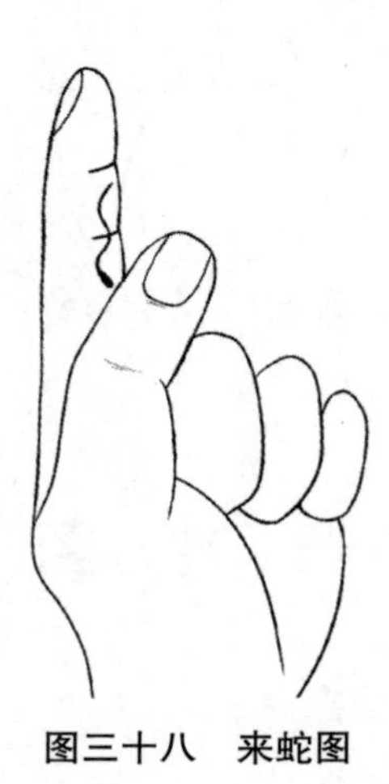

图三十八　来蛇图

去 蛇 图

去蛇形主脾胃虚，冷积泄泻喘气俱；
呕吐烦燥渴不止，乳食停留困有余。

此乃脾虚食滞，不食困睡也。药用六君子汤加枳实先行消食健脾，用七味白术散调其胃补其气。

① “子”，原本脱。据文义补。

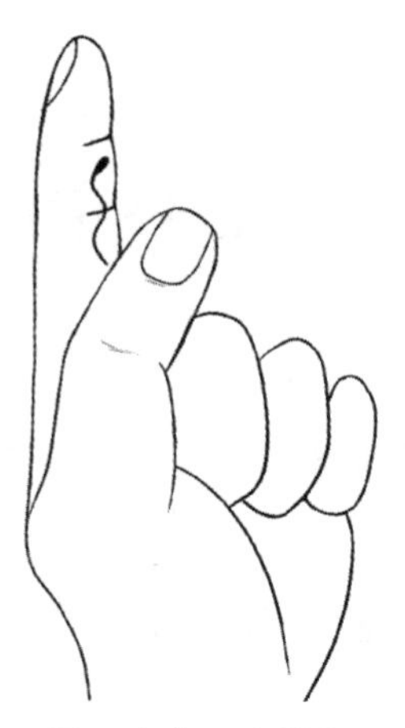

图三十九　去蛇图

弓反里图

弓反里形感寒邪，惊悸昏沉倦怠多；
四肢梢冷兼痰吐，便赤俱将八卦磨。

此乃感冒寒邪，胃气弱也。药用惺惺散助胃气、祛外邪，后用异功散加茯神、当归养心血、助胃气。若外邪解而惊悸、指冷，脾气受伤也，用七味白术散补之。若再见闷乱、气粗者，脾虚难治也。

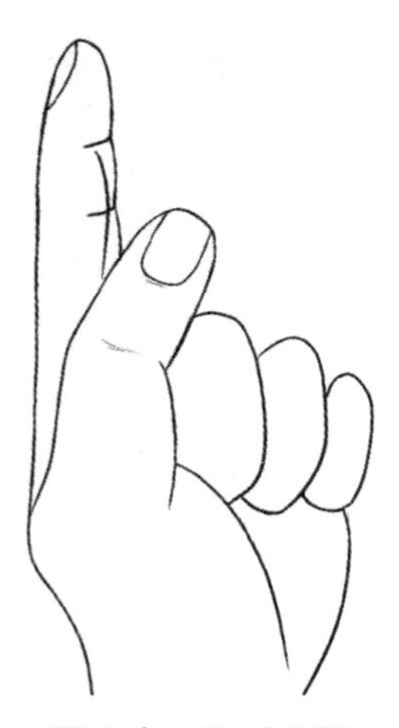

图四十　弓反里图

弓反外图

弓反外形主寒热，身体作热夹惊食；
心神不宁睡不安，运动五经八卦诀。

此乃痰热夹惊食也。因其痰盛，先用天麻防风丸祛外邪，后用异功散调中气。

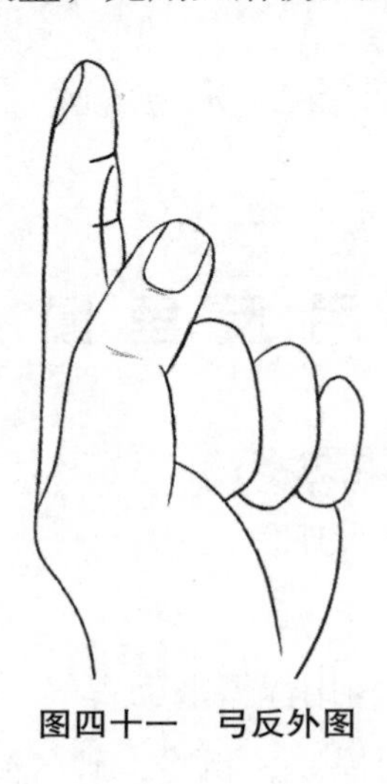

图四十一　弓反外图

枪形图

枪纹本主热痰生，精神恍惚热成惊；
乍热乍寒频吐泻，三关透过死来侵。

此乃风热生痰发惊也，药用抱龙丸或牛黄清心丸。

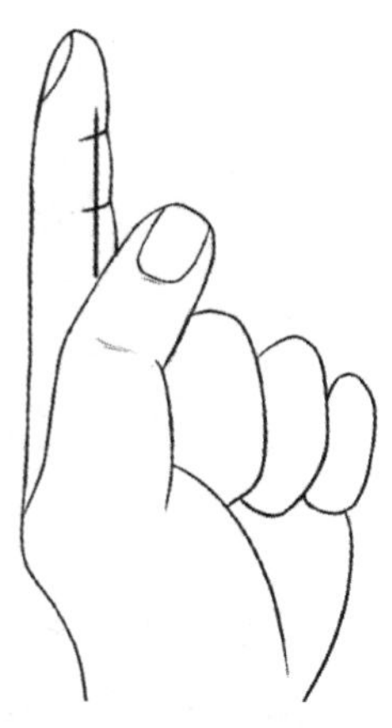

图四十二　枪形图

鱼　骨　图

鱼骨纹生痰热惊，风痰壅盛乱心神；
此般恶证忙调理，若是迟之命必倾。

此乃痰热生惊也。药用抱龙丸。若肝火甚而实热者，少用抑青丸以清肝，即用六味丸以补肝。若痰盛发搐乃木克脾土，用六君子汤加柴胡，培土以制木。

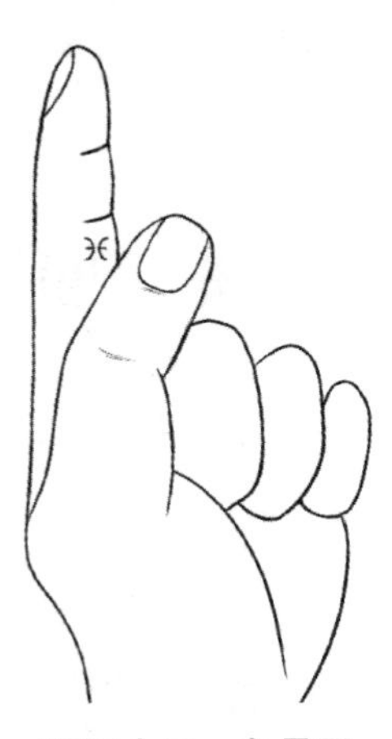

图四十三　鱼骨图

水 字 图

水字形主惊热郁，口干燥渴夜啼哭；
三焦不和痰壅生，潮热渐加便发搐。

此乃脾胃虚弱，饮食积滞而发惊搐也。药用大安丸，先消饮食；次用六君子[①]汤加钩藤，补气清肝。若已服化痰消食而不愈者，用四君子[②]汤加升麻、柴胡、钩藤，升补脾气，平制肝木。

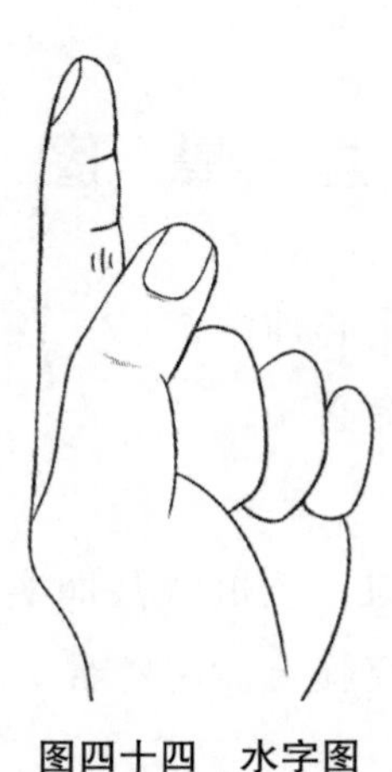

图四十四　水字图

针 形 图

针形本主心肝病，热极惊风痰又多；
默默沉沉睡不醒，擦推掐之保安和。

此乃心肝极而生痰，痰盛而生惊风也。药用抱龙丸，祛风化痰；次用六君子[③]汤

① “子”，原本脱。据文义补。
② “子”，原本脱。据文义补。
③ “子”，原本脱。据文义补。

加钩藤，平肝实脾。

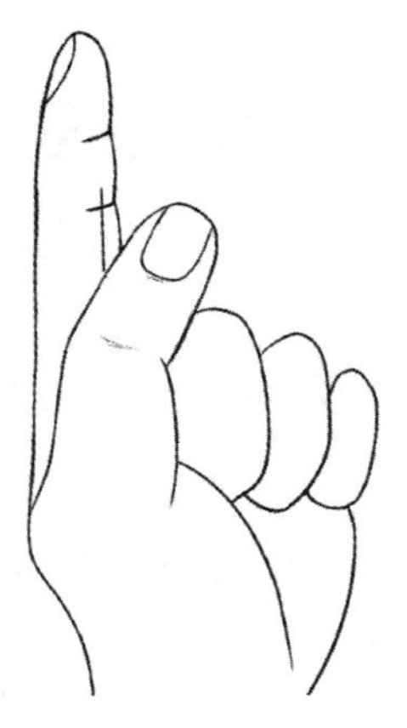

图四十五　针形图

透关射指图

透关之脉主惊风，此纹出现定为凶；
急施妙法全儿寿，迟则徒劳枉[①]费功。

此乃痰热惊风之重症也。药用牛黄清心丸，清脾肺，化痰涎。次用六君子汤加桔梗、山药，补土益肺。

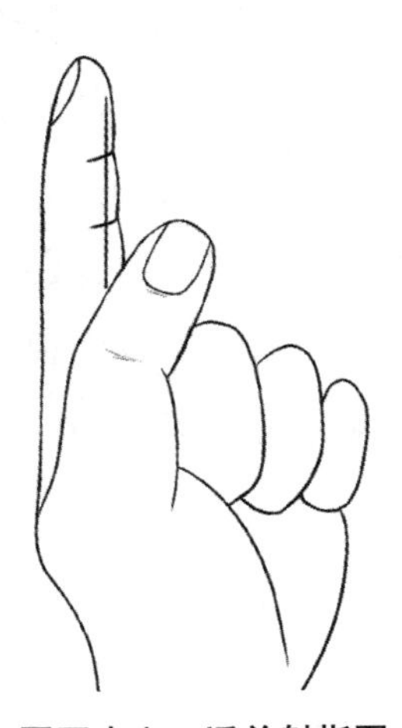

图四十六　透关射指图

① “枉”，原本作“往”。据文义改。

透关射甲图

脉纹透甲惊来险，恶疾须知大不同；

红者十全二三子，黑者隐伏定为凶。

此乃木胜土败，惊风之最重也。急用六君子[①]汤加木香、钩藤、官桂，温补脾土。不应，加入附子以回阳气，或有全生。

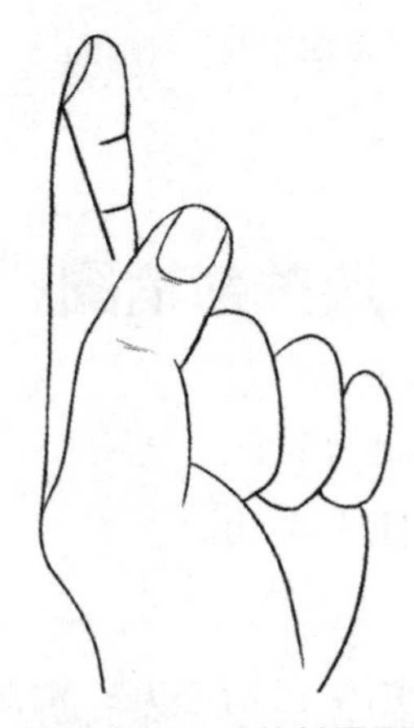

图四十七　透关射甲图

按流珠形是一点红色。环珠形差大些。长珠形圆长。以上非谓圈子，总是红脉贯气之如此。来蛇形即是长珠形散而一头大一头尖。去蛇形亦如此。形分上下朝，故曰"来去"。角弓反张向内为顺，向外为逆。枪形直上。鱼骨分开。水字即三脉并行。针形即过关一二粒米许。射甲命脉向外。透甲命脉曲里。其余种种恶候，脉纹非缺而不录，盖恐多而难记也。大约调治小儿，首察面色，次验脉纹，此为治法之要。至于三关脉纹，总以色顺纹少而在风关上下者，病浅可治；色紫黑而纹又多，在于命关上下者，病深难治也。

① "子"，原本脱。据文义补。

看手三关惊纹法

此法只论三岁以上之小儿。若三岁以下之小儿，更用一指分寸、关、尺三部，定其息数呼吸也。

凡看小儿惊，以食指风、气、命三关为主。初节为风关，次节为气关，三节为命关。其法，以男左女右手侧看，红即为热，青即为风，紫即为惊；青紫相半，惊风皆有；白则为寒，赤则风热不均，黑则难治。筋在初关则轻，二关稍重，三关极重。若纹头尚未生花，未入关外者，尤可调治也。至于小儿搭眼、摇头、张口出舌、唇红、脸赤、面青、眼青，太阳、发际、印堂青筋俱有，三关、虎口脉纹红紫者，惊风兼有之，重症也又法云：或青或红，其纹如线一直者，是乳食伤脾，必发惊热。左右一样者，是惊积徐发也。

认惊之法

凡看小儿梁上筋，直上插天心，一世永无惊。
初生寅关有白筋，三朝命不存。
卯关白筋五月死，辰关白筋一岁亡。
筋在坎宫防三岁，若来坎下即时亡。
四时本色筋无害，医者临时仔细详。

三关五色脉纹应病歌

小儿三岁内，虎口脉须参；
男女分左右，食指辨三关；
无病纹难认，融和体自安；
色明应有患，青惊白是疳；
紫见为风袭，红热夹伤寒；

黑时中恶极，黄积胃脾看；
青黑惊为慢，纹多气不安；
内瘸纹侵掌，危已入命关；
三关通度处，扁鹊也无干。

指脉歌诀

治病须将形脉看，要分寅卯辰三关；
男看左手女看右，风寅气卯命辰关。
纹青枝紫惊为病，纹紫枝红伤寒症；
红如米粒肺结热，黑色透辰伤暑论。
青纹泻痢胃家寒，白色微微即是疳；
枝赤涎潮胸痞膈，黄纹隐隐困脾端。
枝形宛似钓钩样，伤寒伤风分所向；
向内伤寒无汗因，向外伤风有汗相。
枝青浑如鱼刺形，惊疳食风三部分；
枝直悬针青黑色，水惊肺热慢脾并。
枝如水字三关有，咳嗽积滞风疳久。
枝如乙字青红纹，总是惊风慢脾疾。
一曲如环伤食干，两曲如钩伤冷看；
三曲如虫伤硬物，双钩脉样是伤寒。
枝①形或似弯弓样，如环如虫不一般；
乱纹食指如川字，食积相兼五脏疳。

切脉歌诀

五岁方将一指诊，十岁始将两指决；

① “枝”，原本作“肢”。据文义改。

十五才将三指看，脉与大人各悬绝。
大人五至为平和，小儿七至始无疴；
四至五至冷危困，十至十一热为多。
三迟二败死脉决，十二十三魂欲灭；
脏腑三部脉来分，但以浮沉迟数别。
风痰之疾喜迟浮，急大洪数病不瘳。
紧大邪气风痫作，弦急寒邪风冷求。
寒疟脉弦而带迟，热疟脉弦而带数；
下痢之脉喜沉微，浮大现时难用药。
吐泻顺脉小而微，乳后辄吐脉乱宜；
中暑霍乱喜浮大，最嫌沉细与沉迟；
急惊之脉弦数喜，慢惊之脉宜沉细；
疳积诊时洪大宜，沉细必然无药医。
水肿浮大得延生，沉细何尝得安宁？
吐衄腹疼沉细急，浮数弦长药未灵。
紧数细快无他疾，沉缓不能消乳食；
气喘身热宜滑净，脉涩四肢寒者危。
四时各有一脉优，春弦夏洪秋脉浮；
冬季实[①]缓正邪病，贼微虚实亦宜求。
假如春天得冬脉，从后来者虚邪迫；
夏脉见时从前来，我去生子是邪逆。
秋脉见兮贼邪形，鬼来克我我不胜；
脾家脉见微邪病，妻克夫兮总病轻。
虚邪还须补其母，母能令子实而可；
实邪泻子夺其母，为子能令母虚故。
贼邪泻邪补本经，微邪不治何须惊；
各使相平无胜负；夏冬秋脉类斯评。
识得肝脾二症多，心肾两经病瘥少；
以上一一能参明，临证吉凶心了了。

① “季实”，原本此二字互易。据文义乙正。

脉法总论

按古法曰：凡一岁至五岁之小儿，不以脉诊，惟看男左女右手食指三关，验其脉纹色泽，以别病之生死轻重。如初节风关无脉则无病，有脉则病轻；二节气关脉现则病重，可治；三关命关脉现则病深，乃九死一生之候。若见脉纹色黑，决难治也。小儿五岁至八九岁，始可以一指按其寸、关、尺三部之脉，而以一息七八至为无病之平脉。十岁至十四五岁，而以两指按其三部脉，见五六至，为无病之平脉。若至十五六岁，即以大方脉按之也。至于脉之浮者，为虚、为风。沉者，为实、为积、为痛。迟者，为寒。数者，为热。浮而散者，为乳痫、惊悸。虚而软者，为慢惊、瘛疭。紧而实者，为风痫。牢而革者，为便秘。沉而弦者，为食积，为腹痛。紧而弦者，为气急、风痫。洪数者，为热。伏结者，为伤食。软细者，为虫疳。若气促、脉代、散乱无次者，皆不治之脉也。

面部诸位歌

中庭与天庭，司空及印堂；
额角方广处，有病定存亡；
青紫惊风恶，体和滑泽光；
不可陷兼损，唇黑最难当；
青黑须忧急，黑暗赤堪伤；
此是命门也，医师细较量。

心部面色之图

心惊在印堂，心积额角荒；
心冷太阳位，心热面颊妆。

印堂微黄是心惊，眼角额赤是心积，面颊妆赤是心热，太阳筋紫黑心冷。

心属火，色应赤。颧、脸颊、气池之下、法令之傍、食仓之上，皆心之部位也。心受病则色现赤，主啼哭、惊悸、手足摇动、发热、口渴。若见黄色，病之痊也。若见黑色，是水克火，而病之危也。

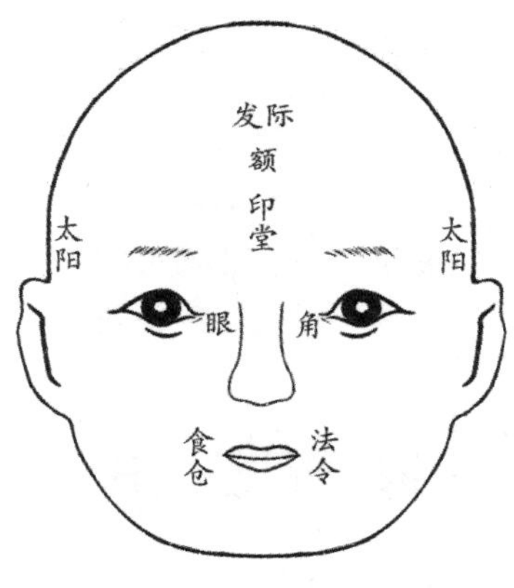

图四十八　心部面色之图

肝部面色之图

肝惊在发际，肝积在食仓；
肝冷面青白，肝热正眉端。

发际淡白，主肝惊。食仓微黄，主肝积。两眉眼眶赤，肝热。面青泪出，是肝冷。

肝属木，色应青。两眼胞、太阴、太阳、眉间山根动处，皆肝之部位也。肝受病则色现青，哭叫、目直视、呵欠、烦闷、气急是也。若见白色，主鼻吊、睛吊，目无光泽，此乃金克木，肝之绝也。

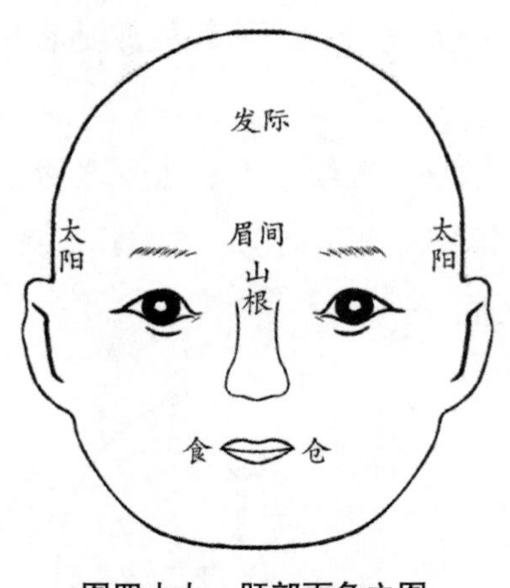

图四十九　肝部面色之图

脾部面色之图

脾惊正发际，唇口黄脾积；
脾冷眉中岳，脾热太阳侵。

发际微青是脾惊，唇青口黄是脾积，太阳白色是脾热，眉心中岳白脾冷。

脾属土，色应黄。承浆之上、人中之下、法令、食仓之傍，皆脾之位也。脾有病，色现黄。主困睡、泄泻、不思饮食。若见青黑之色，乃脾之绝也。

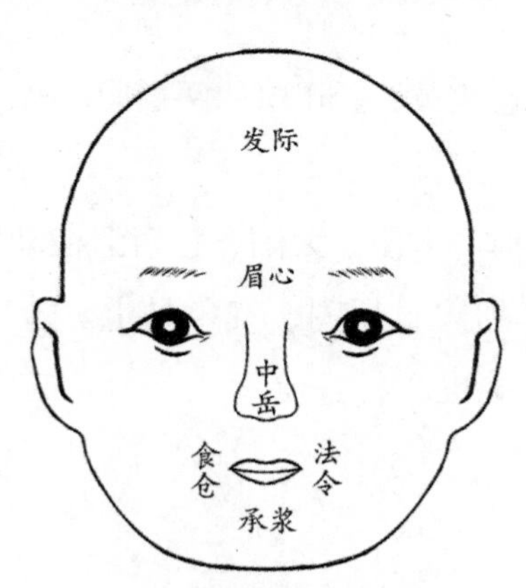

图五十　脾部面色之图

肺部面色之图

肺惊发际赤，肺积发际当；
肺寒人中见，肺热面腮旁。

发际微赤是肺惊，发际深赤是肺积，两颊黄白主肺热，人中五色随时冷。

肺属金，色应白。山根、年寿、准头、两孔、鼻梁上下，皆肺之位也。肺有病，色现白。主闷乱、哽气、喘急、气短、多啼。若赤紫色见于准头，是心克而肺绝也。

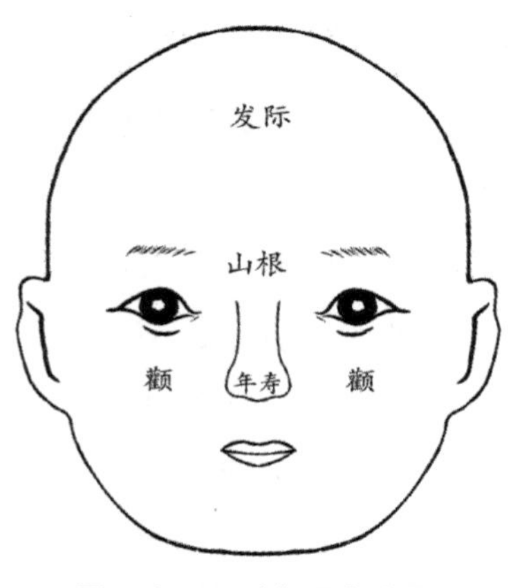

图五十一　肺部面色之图

肾部面色之图

肾惊耳前穴，肾积眼胞相，
肾冷额上黑，肾热食仓赤。

耳后微黄是肾惊，眼胞黑兮是肾积，食仓深赤是肾热，额角青紫是肾冷，

肾属水，色应黑。耳轮、山林、发际、地阁四维、海岸，皆肾之位也。肾有病，

色见黑，主目睛无光而畏明、骨重、咬牙、怯寒、战栗。若面色如黑煤，恶声叫语者，乃肾之绝也。

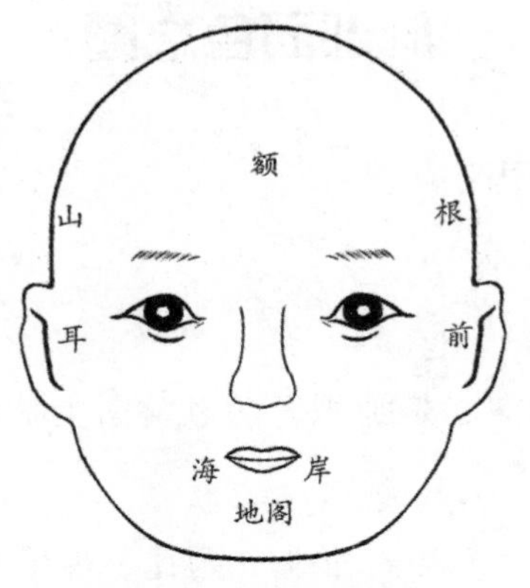

图五十二　肾部面色之图

观小儿正面气色论

夫人之气色，即五脏之标也。脏腑有疾，外即见之，故医以察色为首。先明其色之吉凶，然后定其病之浅深。如面色青者，或为痛，或为惊风。面色红者，或为痰热，或为惊悸。面色白者，或为滑痢，或为寒泻。面色黄者，或为脾弱，或为伤食、积痞。若见黑而晦者，肾之败也。紫而黑者，心之败也。爪甲黑而目陷者，肝之败也。黄色滞而四肢肿者，脾之败也。毛发竖而汗出沾手者，肺之败也。大凡小儿目不转睛、足趺肿、大小便不禁者，皆不治之症也。

观色歌诀

正口当红四体和，青黄必定积惊多；
若还干燥脾家热，黑色来侵死奈何？
眉红赤紫夜啼哭，黑现准头死到途；
若是准头微黄也，劝君不必苦忧多。
眉白唇紫急告医，山根黑紫积惊疑；
腮元黑见肠疝病，黑若深兮病甚奇。

两颊赤来伤风嗽，多咳多痰哭不离；
黄色须知多积滞，清胸化滞自相宜。
额上青纹必是惊，忽然红见病来生；
只宜早早求灵法，莫使根源渐渐深。
黑点来侵人中穴，泻痢无时救不生；
心痛虫攒应腹痛，尫尫瘦怯少安宁。
承浆若见色深黄，其子必然吐逆狂；
青色应知伤乳食，医家仔细定良方。
两颊色黄因积聚，眼角青纹命必亡；
年寿黑青频吐痢，医家见此细推详。
太阳若见两纹青，此侯应知第一惊；
红色必然淋漓病，青纹入耳倦神心。
两眼本来属肝木，黑睛黄色外寒侵；
白眼若黄多食积，黑白两明莫费情。
攸攸青气人难救，口眼㖞斜病最凶；
眼嘴斜时儿易治，四肢热者主惊风；
滞气印堂色见黑，孩儿到此命根终；
上下两眉色未变，医家尤可用神工；
若是掌中冰冷了，四肢亦冷总然空。

小儿面部死候诀

黑如悬针在眼下，卢医也须怕。
忽然腹痛鼻青时，不必求医罢。
青色连目横入耳，此候必然死。
黑色绕口及连目，看看定不足。
黑色眉间也不宜，死期十日里。
人中黑色入口来，孩子入泉埋。
水肿之病准头黑，报君肾气失。

咳嗽切忌眉间白，肺绝宜知得。
孩子吐时鼻色白，其命亦难活。
中风切忌面如妆，焉能得久长?
目陷无光兼直视，必定三朝死。
更看神瞳不动时，此候要君知。
目似开时又不开，也是死之媒。
口噤全然不进乳，此病亦难除。
泻下之物如溺血，孤儿不能活。
长吐不止止又吐，休要劳心顾。
痢久不食又咬人，难保此儿身。
泻痢不歇歇又来，指日下泉台。
小便艰难又大渴，毕竟难得活。
大便用药全不通，扁鹊也无功。
耳上生疮黑斑出，医人无妙术。
久嗽四肢皆逆冷，无由难得醒。
体热若然睡不醒，休要费精神。
痘疹出后热不退，观形细推究。
下屎青黑又不止，急请良医治。
久渴之后加烦躁，性命必难保。
腹胀肿兼气又粗，其命奈如何!

面上诸候形症歌

痢疾眉头皱，惊风两颊红；
渴来唇带赤，毒热眼朦胧。

山根若见脉横青，此病明知两度惊；
赤黑困疲时吐泻，色红夜哭不能停。
青脉生于左太阳，须知一度见推详；

赤是伤寒微燥热，黑青知是乳多伤。
左边青脉不宜多，有则频惊奈若何？
红赤为风相眼目，黑青两日见闫罗。
指甲青兼黑暗多，唇青恶逆病将殂；
忽作鸦声兼气急，此时端的命难过。
蛔虫出口有三般，口鼻中来大不堪；
如或兼虫白黑色，灵丹虽服也难安。

诸症推拿治法

急惊

推三关、六腑、肾水、天河、脾土各二百，肺经，运五经，掐五指节，掐猿猴摘果，咬昆仑穴，推三阴穴急惊从上往下。

慢惊

先掐老龙穴有声可治，无声不可治，次用艾灸昆仑穴，推三关、肺经、肾水、八卦、脾土，掐五指节，运五经、八卦，赤凤摇头，二龙戏珠，天门入虎口。用灯火燋手足心四次，心上下三次，推三阴穴慢惊从下往上。

痢疾

治下痢，红色夹热而痢者。

推三关、六腑，清心经，和阴阳，推大肠、脾土、八卦、肾水，揉脐及龟尾。

治下痢，色白夹冷而痢者。

和阴阳，推大肠、脾土、八卦，天门入虎口。

疟疾

治兼呕吐、肚疼者。

推三关、脾土，分阴阳，揉脐，运八卦。

治一日一发兼痰者。

推三关、肺经，分阴阳，运八卦，按弦搓摩。

治疟久不止，脾气虚弱者。

补脾土二百，分阴阳一百，运八卦二百。

治晚发[①]兼邪者。

推三关五十，脾土一百，分阴阳三百，运八卦、六腑各二百，天门、虎口、斗肘。

痞疾

推三关、脾土、六腑，运八卦、大肠、五经、心经，清天河水，运水入土。

诸积

推三关、六腑，补脾土，掐四横纹，补肾水，分阴阳，掐大肠，揉板门，运八卦，二扇门，天门入虎口。

发热腹痛者，加水里捞明月。大便秘结者，多推六腑，揉掐肾水、小横纹。腹痛泄泻者，掐一窝风，揉脐及龟尾。

伏暑呕吐

推三关、脾、胃、肺经、十王穴，掐右端正，运八卦，运水入土，分阴阳，揉总筋、斗肘、六腑，赤凤摇头。

风寒冷吐

推三关，补脾土、肺经，掐右端正，运八卦，分阴阳，揉斗肘、六腑，黄蜂入洞。

伤食呕吐

推三关、五指尖，掐右端正，推脾土，运八卦，分阴阳，揉六腑、斗肘，水里捞明月，打马过天河。

---

① “发”，原本作“法”。据文义改。

胃虚呕吐

推三关八十，补五经、大肠、脾、胃，掐右端正，运八卦，运土入水，分阴阳，揉斗肘，赤凤摇头。

寒泻

推三关、心经，清肾水，补脾、胃，掐右端正，侧推大肠、外劳宫、阴阳、八卦，揉脐、龟尾，掐肚角两旁，补涌泉，掐承山、三关、六腑、斗肘，黄蜂入洞。

热泻

加水里捞明月，打马过天河。余同寒泻法。

霍乱吐泻

推三关、肺经、八卦，补脾土，四横纹，大肠，分阴阳，二人上马，清双龙摆尾。

腹痛

气滞食积而痛者，推三关，分阴阳，推脾土，掐威宁，揉脐及龟尾。腹内膨胀者，加推大肠。受热腹痛者，推三关、六腑、脾土，分阴重、分阳轻，四横纹，黄蜂入洞。受寒腹痛者，推三关，运五经、二扇门、一窝风，揉脐及龟尾，运八卦，按弦搓摩。

风寒咳嗽

推三关、六腑、肺经往上一百二十下，六掐六转二扇门、二人上马、五经，多揉肺俞穴、大指根，掐五指节、合谷，运八卦若痰者多运之，掐精灵穴、板门，天门入虎口。若痰涌气喘者，多掐精灵、板门二穴。干咳者，退六腑。气喘者，掐飞经走气、四横纹。

痞结

推三关、脾土、大肠、肺经、四横纹、板门、精灵、二扇门，清肾水，运五经、小横纹、八卦、天心，久揉脾土，黄蜂入洞，赤凤摇头。

惊痫

推三关、六腑、肺经，补脾土，揉斗肘，掐板门、精灵、窝风，运天心，补脾土，掐五指节，分阴阳，运八卦，揉中指，掐总筋，灸昆仑，补天门入虎口，赤凤摇头，按弦搓摩。